LE MAL D'AIMER

Quelques citations qui ont fait la une au fil du temp

« Brian Davies de l'organisation Green Peace est expulsé des Îles-de-la-Madeleine par le préfet de comté Gilbert Carbonneau. »
Le Radar, mars 1977

« Des Madelinots en colère détruisent un hélicoptère appartenant à l'International Fund for Animal Welfare (IFAW). »
Le Radar, mars 1984

« Les chasseurs expulsent Paul Watson des Îles-de-la-Madeleine. »
Le Radar, mars 1995

« L'ambassadeur du Canada en France, Lucien Bouchard, refuse de recevoir Brigitte Bardot qui, dit-il, mélange tout. »
Le Journal de Montréal, mars 1995

« Blanc comme blanchons et banquises. Partout où notre regard s'arrêtait, l'horizon fuyait vers l'infini. Une excursion inoubliable à refaire. »
Le Soleil, janvier 2005

« Cette chasse annuelle est une tache sur la réputation des canadiens. »
Paul McCartney, *La Presse*, mars 2006

Michel Carbonneau

LE MAL D'AIMER

Le Banc-de-l'Orphelin

Tome II

CARTE BLANCHE

Par respect pour ceux et celles qui ont voulu se raconter et témoigner, les noms donnés aux personnages de ce livre sont fictifs et malgré l'authenticité de certains événements qui leur sont rattachés, il n'en demeure pas moins que cela est pure coïncidence.

Déjà paru :
Le Banc-de-l'Orphelin, tome 1
La tourmente
Montréal, Carte blanche, 2006
Première édition (1998) éditions Madeli

Photos de la couverture : CTMA (Coopérative de transport maritime et aérien)
Association touristique des Îles-de-la-Madeleine. Photographe : Michel Bonato

Les éditions Carte blanche
1209, avenue Bernard Ouest
Bureau 200
Outremont (Québec)
H2V 1V7
Téléphone : (514) 276-1298
Télécopieur : (514) 276-1349
carteblanche@vl.videotron.ca
www.carteblanche.qc.ca

Diffusion au Canada :
FIDES
Téléphone : (514) 745-4290
Télécopieur : (514) 745-4299

Distribution au Canada :
SOCADIS : (514) 331-3300

© Michel Carbonneau
Dépôt légal : 2e trimestre 2006
Bibliothèque nationale du Québec
ISBN 2-89590-070-1

À mes petits-enfants
pour qu'ils se rappellent à jamais
combien leur *papou* voyait tant
d'amour briller dans leurs yeux.

« La mémoire est un lien essentiel entre le passé qui n'est plus
et un demain qui reste à construire et à inventer. »

ANONYME

Remerciements

Vu le grand nombre de personnes qui m'ont aidé à l'élaboration de ce roman historique, il serait hasardeux de les nommer toutes. À défaut de le faire, je leur exprime ma plus profonde gratitude. Mes remerciements vont également aux pêcheurs, chasseurs, naufragés, descendants des disparus en mer et à mes nombreux lecteurs pour leurs témoignages et leurs encouragements.

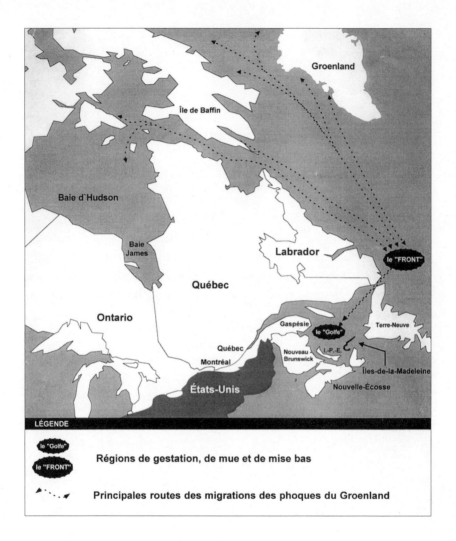

LÉGENDE

le "Golfe"
le "FRONT"
Régions de gestation, de mue et de mise bas

Principales routes des migrations des phoques du Groenland

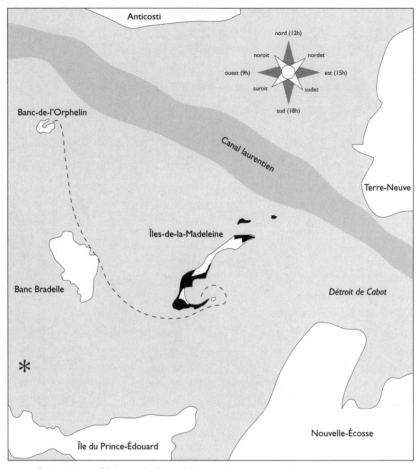

Anticosti

nord (12h)

noroit   nordet

ouest (9h)   est (15h)

suroit   sudet

sud (18h)

Banc-de-l'Orphelin

Canal laurentien

Terre-Neuve

Îles-de-la-Madeleine

Banc Bradelle

Détroit de Cabot

Nouvelle-Écosse

Île du Prince-Édouard

– – – Route suivie par l'*Ariès* pour la chasse au loup-marin

✳   Site du naufrage du *Irving Whale*

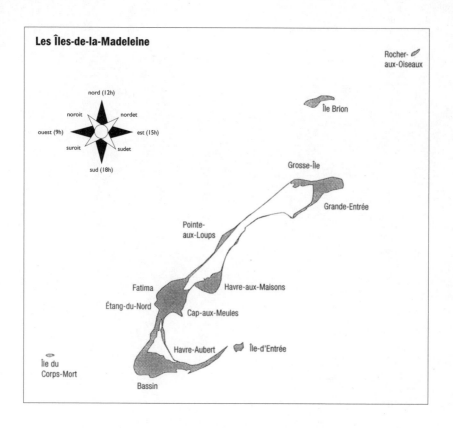

Les Îles-de-la-Madeleine

Rocher-aux-Oiseaux

Île Brion

nord (12h)

noroit   nordet

ouest (9h)   est (15h)

suroit   sudet

sud (18h)

Grosse-Île

Grande-Entrée

Pointe-aux-Loups

Fatima   Havre-aux-Maisons

Étang-du-Nord

Cap-aux-Meules

Havre-Aubert   Île-d'Entrée

Île du Corps-Mort

Bassin

11

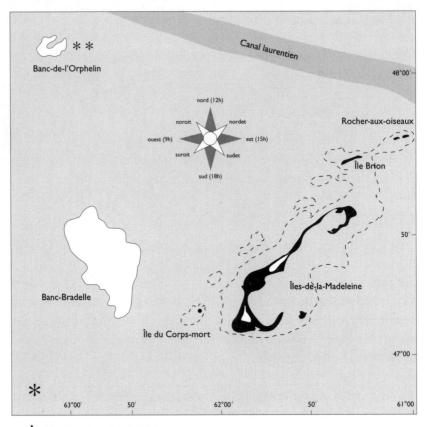

Banc-de-l'Orphelin

Canal laurentien

48°00'

nord (12h)

noroit   nordet

ouest (9h)   est (15h)

suroit   sudet

sud (18h)

Rocher-aux-oiseaux

Île Brion

50'

Banc-Bradelle

Îles-de-la-Madeleine

Île du Corps-mort

47°00'

63°00'   50'   62°00'   50'   61°00

✳ Site du naufrage du *Irving Whale*

✳ ✳ Site de l'accident de l'*Ariès*

– – – Hauts fonds entourants les Îles-de-la-Madeleine

Préambule

Un peu d'histoire

Au tout début de la colonisation, la pêche aux Îles-de-la-Madeleine a toujours été la principale source de revenus des Madelinots. Or à l'époque des seigneuries, des marchands provenant tant de pays européens qu'asiatiques s'installèrent aux Îles et contrôlèrent plus ou moins les familles de pêcheurs en leur faisant, entre autres, crédit pour des denrées alimentaires de toute nécessité. Les futures pêches du printemps ainsi que la chasse au phoque qui les précédait servaient, en quelque sorte, de garantie pour le crédit accordé en temps d'hiver.

La migration du phoque du Groenland près des Îles (voir tableau) éveillait en fin d'hiver une certaine forme de frénésie chez les pêcheurs madelinots. Cette chasse durait entre trois et quatre semaines, sans égard au nombre et au type de victimes, le marché dictant les prix offerts. Cette activité permettait à certains pêcheurs de se soustraire quelque peu du joug des marchands et à d'autres d'avoir un revenu d'appoint en vue de la préparation de la période de pêche printanière.

Jusqu'à la fin des années 1950, la pêche, tout comme la chasse, suivait son petit bonhomme de chemin en se pratiquant près des côtes madeliniennes, avec des bateaux et des gréements plutôt ancestraux. Cependant, l'industrialisation de la pêche et de la chasse, par la suite, a amené plusieurs situations d'excès, ce qui provoqua l'apparition d'une certaine réglementation et de sévères quotas.

En effet, la venue de bateaux usines étrangers qui se transformaient en bateaux phoquiers au moment voulu a réveillé en quelque sorte les pêcheurs madelinots qui se sont dit : « Et pourquoi pas nous aussi ? »

Cette recherche d'une industrialisation de plus en plus compétitive a apporté son lot de malheurs chez les insulaires avec le naufrage du chalutier *Marie Carole* qui a sombré en décembre 1964, entraînant avec lui cinq marins qui firent trente-trois orphelins.

Au milieu des années 1970, les opposants à la chasse au phoque ont traité les chasseurs madelinots d'assassins. Leur plate-forme pour recruter des fonds servant souvent à d'autres fins était donc en place. Leurs enquêtes et reportages souvent malhonnêtes n'ont jamais cessé depuis de faire la une des journaux du monde entier.

Tout ce branle-bas dans les coutumes et mœurs des pêcheurs madelinots a apporté certaines convictions comme : au plus fort la poche ou encore le premier arrivé, le premier servi, ce qui a souvent eu comme résultat la perte de biens et aussi, malheureusement, de vies humaines. Le naufrage du chalutier *Nadine*, à l'automne 1990, qui a causé huit morts, demeure un exemple frappant du mauvais sort qui peut s'acharner sur le peuple de cet archipel perdu dans le golfe du Saint-Laurent.

Aujourd'hui, les moratoires, tant sur les produits dérivés du phoque que sur diverses espèces de poissons, ont encore soumis les Madelinots à la précarité sur leur petit coin de terre. La chasse qui ne s'est pratiquée que sur une base plus ou moins expérimentale pendant plusieurs décennies, a eu pour effet, entre autres, que le troupeau a plus que doublé à 5,8 millions de phoques. Les poissons, quant à eux, ont pratiquement disparu du golfe, voire de l'océan Atlantique.

À travers tous ces dilemmes, certains pêcheurs et chasseurs ont quand même su tirer leur épingle du jeu. Les autres, par contre, seront-ils voués à être d'éternels perdants en ne saisissant pas les heureux hasards qui leur permettraient d'arriver à être en avant de leur bouée ?

CHAPITRE I

Ne prends pas le bon Dieu à témoin
et vis intensément ton présent

— Fred, lève-toi, lui crie sa femme. Tu es appelé au téléphone.

Ouvrant les yeux, Frédérik réalise qu'il a dépassé le temps qu'il s'était accordé pour faire son petit roupillon qui suit habituellement son dîner. « C'est à cause du bouilli à la viande salée », qu'il se dit en dépliant son échine meurtrie par les rhumatismes.

— C'est qui au téléphone, Maria ?

— Je crois que c'est le marchand Samy qui veut te parler des derniers développements sur l'expédition de l'*Ariès*.

— Oui, Samy, qu'est-ce qu'il y a de neuf ? qu'il lui demande en s'emparant du combiné, les mains tremblantes d'anxiété.

— C'est que j'ai des nouvelles fraîches sur l'équipage de l'*Ariès* et donc de ton neveu Érik.

— Et c'est quoi tes nouvelles, Samy ?

— Pas au téléphone, Frédérik. Tu sais bien qu'on sera probablement capté par les balayeurs d'ondes qui pullulent aux Îles.

— Et alors, comment faire ?

— C'est que si on n'a pas une rencontre dans l'heure qui suit, tout le village va commencer à jaser. Comme j'ai autant à voir que toi dans cette expédition, aussi bien que tu t'amènes au plus sacrant.

— OK Samy, j'arrive dans une vingtaine de minutes.

Vieux loup de mer, au visage brûlé par les vents du large, Frédérik avait incité son neveu Érik à pratiquer la chasse au loup-marin loin des côtes, même si celui-ci était peu enclin à cette forme de gagne-pain. Frédérik, appelé affectueusement le Vieux, avait déjà essayé d'amariner son neveu en l'accompagnant à la chasse près des côtes

15

avec, cependant, peu de succès. Au fait, il n'avait jamais été vu tuant un simple loup-marin de sang-froid, même s'il était rendu au début de la trentaine.

Érik avait été élevé dans la plus pure pauvreté. Son père Nathaël, surnommé le pauvre pêcheur, se laissait manger la laine sur le dos par le marchand Samy, reconnu pour profiter de certains pêcheurs naïfs comme lui et pour s'allier, au moment voulu, à des gens d'ambition et de défi comme son fils aîné.

Un vieux chalutier en perdition, ayant appartenu jadis au marchand, avait été récupéré par Érik et converti par la suite en bateau phoquier. Motivé par l'appât du gain et surtout par son vieil oncle, il tenait avant tout à lui montrer que, malgré son jeune âge, pour être capitaine de navire, il serait pleinement à la hauteur de ses ambitions qui, par moment, semblaient démesurées. Du même coup, il pourrait être le tout premier, de mémoire d'homme aux Îles-de-la-Madeleine, à revenir du grand large avec une pleine charge de peaux de loup-marin.

Érik aurait enfin sa vengeance sur les gros bateaux phoquiers norvégiens qui sillonnent, depuis des lunes, les bancs de chasse du golfe Saint-Laurent, tels le Bradelle et l'Orphelin. Ce dernier, d'ailleurs, avait la réputation de contenir une très forte densité de loups-marins de toutes sortes. Du même coup, il effleurerait son rêve de devenir riche et respecté par les marchands et les notables de la place.

Mais comme tout genre d'expédition comporte un certain degré de risques, Frédérik n'avait pas encore entendu parler du retour de son fiston depuis près de deux semaines. L'expédition, qui comprenait neuf membres d'équipage en plus de son capitaine et qui, au départ, devait être d'une durée de dix jours, tardait outrageusement, ce qui préoccupait de plus en plus le Vieux. D'ailleurs, il n'était pas le seul à s'inquiéter.

Frédérik, tout en se dirigeant vers la maison de Samy, est interpellé par un chasseur.

— Eh! Fred, à quelle place que vous vous en allez comme ça? lui lance-t-il à la volée.

— Chez Samy. Il m'a dit au téléphone qu'il avait des nouvelles de l'équipage de l'*Ariès*.

— Ah oui ? Mais si vous voulez le savoir, je peux vous donner une primeur. Ça fait deux jours que je guette le large et, croyez-moi, c'est pas du gâteau.

— Mais pourquoi ? lui demande Frédérik, le visage défait par l'inquiétude.

— Vous savez que je possède les meilleures longues-vues des Îles et que mon expérience des glaces ne peut mentir.

— Oui, oui, je sais. Fais vite et raconte-moi ton idée sur ce retard démesuré.

— Toujours est-il que j'ai constaté que c'est la *mouvance* des glaces la plus hâtive que j'ai jamais vue de toute ma sainte vie. Tout le golfe est en mouvement. Ça fait que l'*Ariès* est soit prisonnier des glaces ou encore il est à la dérive avec celles qui s'apprêtent à *dégolfer*.

— Tu veux dire que l'*Ariès* pourrait sortir du golfe et se retrouver en plein dans l'Atlantique ?

— C'est ça, tu ne me l'auras pas fait dire.

— Et alors, c'est pas si grave que ça. Mon fiston trouvera bien le moyen de s'en sortir.

— Oui, mais il y a aussi la possibilité qu'un bouscueil ait coincé le navire, l'ait écrasé et engouffré par la suite.

— Tu exagères encore, Pamphile. De toute façon, Samy m'attend pour me donner des nouvelles fraîches, qu'il lui réplique en le quittant.

Frédérik, en s'approchant de la belle et grande maison du marchand, se met à réfléchir sur la fortune que ce dernier avait accumulée. Au fait, Samy possède plusieurs *factories* d'apprêtement de poissons et de crustacés qu'il achète des pêcheurs aux prises avec un crédit accumulé en temps d'hiver à son magasin général. Ses poissonneries doivent lui rapporter une petite fortune, vu sa magnifique maison, son bateau de plaisance dernier cri et ses deux voitures de modèle récent. Arrivé sur les lieux, il cogne à la porte et est surpris de voir sa fille unique l'accueillir d'une salutation des plus chaleureuses.

— Bienvenue chez nous, Frédérik. Érik m'a si souvent parlé de vous ! Il ne se trompait pas, vous allez l'air d'une vraie jeunesse.

— Merci bien, Claudia, qu'il lui réplique, quelque peu mal à l'aise. Mais où est votre père ? J'ai à lui parler.

— Justement, il vous attend dans son bureau. Suivez-moi, je vais vous y conduire.

Chemin faisant, Frédérik en profite pour admirer la silhouette presque parfaite de la fille unique du marchand. Grande et mince, Claudia a de longs cheveux châtains clairs et des yeux bruns et brillants, légèrement en amande. Aux dires de bien du monde, si elle voulait — et c'est ça le problème – elle pourrait faire tomber n'importe quel homme dans les pommes. Rien à comparer avec Julianna, sa petite cousine aux mœurs légères, qui permet à Érik, son préféré parmi ses nombreux amants, de satisfaire occasionnellement ses instincts… Frédérik comprend mieux maintenant pourquoi son fiston lui avait déjà avoué un certain béguin pour Claudia, une fille réservée et intelligente, qui ne se laissait pas prendre au jeu du séducteur d'un soir. Frédérik constate subitement qu'il arrive à la porte du luxueux bureau de Samy.

— Entre, Frédérik, et tire-toi une chaise, lui annonce Samy.

Frédérik remarque que Samy, habillé de son éternel habit en cachemire, de couleur noire, est plus nerveux que d'habitude. Il ne cesse de mâchouiller son cigare. Tout comme s'il voulait arrêter le temps, il regarde constamment sa montre de poche, plaquée or, accrochée à un petit gilet qui recouvre sa grosse bedaine.

— Ça va, Claudia chérie, tu peux nous laisser seuls.

Ce qu'elle fait, non sans avoir approché son père pour lui donner un petit bécot.

— Ça adonne que mon bâtiment qui a quitté les Îles avant-hier m'a informé, par radiotéléphone, des traces laissées par l'équipage de l'*Ariès*, déclare-t-il à Frédérik avec un certain malaise.

— Quelles traces? qu'il lui demande en passant sa main dans sa barbe grisonnante, comme pour se rassurer.

— Tu sais que ton neveu n'a jamais voulu faire l'acquisition d'un radiotéléphone à crédit étant donné qu'il a plutôt préféré utiliser sa marge pour faire l'acquisition d'un puissant moteur au diesel.

— Et il a eu raison. Trop de crédit, surtout avec toi, c'est comme pas assez. Mais qu'est-ce que cela vient faire dans ton histoire, Samy?

— *Well…* mon bâtiment, lui, est très bien équipé. Son capitaine m'a rapporté avoir rencontré un bateau phoquier norvégien qui, en quittant le Bradelle, a aperçu l'*Ariès* qui naviguait à toute allure en direction de l'Orphelin.

— Je savais bien que mon fiston irait jusqu'au bout de ses ambitions en se rendant sur l'Orphelin, qu'il lui déclare d'un air hautain.

— Qui sont peut-être aussi les tiennes, lui réplique Samy.

— Laisse faire ça et dis-moi ce que tu sais sur l'*Ariès* et son équipage.

— C'est que mes hommes ont identifié des *charcois** provenant des chasseurs de l'*Ariès* et que, d'après leur estimation sur la dérive des glaces, ils proviendraient autant du Banc-Bradelle que de l'Orphelin.

— Et quoi encore? lui demande Frédérik, pressé d'en finir. L'équipage de l'*Ariès* a-t-il été vu, oui ou non?

— *Well...* lui répond Samy, dont la sueur commençait à perler sur ses joues rondelettes. Tu sais fort bien que j'ai tout à gagner — « ou à perdre », pense Frédérik — avec ma quote-part dans la cargaison des peaux. Et puis, il y a le crédit accordé à Érik autant pour l'acquisition des gréements que pour des victuailles.

— Oui, oui, je sais déjà ça. C'est quoi, d'après toi, les chances de les voir revenir dans les prochains jours, sinon dans les prochaines heures?

— Ça, Dieu seul le sait. D'après moi, ils ont un gros problème et il faudrait qu'on puisse d'abord les localiser d'une manière ou d'une autre. Mais tiens, j'y pense, l'*Ariès* est-il muni d'une balise?

Frédérik feint de ne pas comprendre alors qu'il sait fort bien qu'il en a installé une à l'insu de son fiston qui, s'il lui avait dévoilé, ne l'aurait pas pris. La confiance à toute épreuve qu'il avait envers son neveu lors du départ de l'*Ariès* ne pouvait être entachée par un tel gadget.

— Je n'en suis pas trop certain, qu'il lui répond, en détournant la tête. Mais pourquoi me poses-tu cette question, Samy? Serait-ce que si l'*Ariès* est coincée dans les glaces, qui pourrait empêcher tes hommes de profiter de l'occasion pour...?

— Ça suffit Frédérik, me prends-tu pour un voleur? qu'il lui riposte en lui coupant la parole.

---

* Charcois: carcasses de loup-marin.

— Non, pas vraiment. Par contre, si l'équipage de l'*Ariès* est en train de revenir à terre, qui va alors avoir la chance de recueillir sa cargaison de peaux comme un fruit mûr, sinon tes hommes?

— Pas question, lui répond Samy qui feint lui aussi de ne pas comprendre l'astuce en lui offrant un cigare.

— Non merci. Pas de cigare avec la pipe, que m'a recommandé mon docteur.

En se quittant, Samy donne l'accolade à Frédérik qui comprend, par ce geste, que le marchand est très inquiet, peut-être autant que lui. «Il essaie de me rassurer, pense-t-il, en m'ayant promis, devant sa fille, qu'il fera l'impossible pour retrouver l'équipage de l'*Ariès*. Après tout, si son bâtiment est dans les parages de l'Orphelin, pourquoi ne détiendrait-il pas maintenant la clef de l'énigme?»

Au retour, Frédérik passe près du quai que l'*Ariès* avait quitté, il y a de ça une douzaine de jours, pour son expédition au grand large. Il se rappelle fort bien de la façon dont il s'y était pris pour installer, à bord du bâtiment, à l'insu de son neveu, la fameuse balise qu'il avait payée les yeux de la tête. De la dimension d'un soulier d'homme et de couleur blanche afin de la distinguer facilement à la surface de la mer, la balise de détresse est munie d'un système hydrostatique qui, en cas d'immersion à plus de quatre mètres, l'éjecte aussitôt de sa position initiale.

Accoutumé à penser plus loin que le bout de son nez, Frédérik avait fait munir la balise d'un petit filament d'acier d'une longueur d'environ 30 mètres, enroulé sur une bobine. Ainsi, si le déclenchement avait lieu — ce qu'il souhaitait le moins au monde — la balise émergée en surface avec sa lumière blanche clignotante indiquerait l'endroit même où aurait possiblement sombré le bâtiment. «Que vaut une balise qui dérive au gré des vents et courants si justement elle ne peut aider à localiser soit l'équipage, soit le bâtiment?», avait-il dit à sa femme qui trouvait que son mari avait entamé du *vieux gagné* pour en faire l'acquisition. Enfin, son signal de 121,5 MHZ par radio de repérage pourrait être détecté dans les cinq à dix jours suivant son déclenchement, soit manuel, soit par immersion. Il s'était ainsi assuré qu'un avion volant dans une zone de 2 à 3 milles nautiques de la localisation de la balise pourrait capter facilement le signal émis à toutes les cinquante secondes et l'informer si l'invraisemblable s'était produit.

De retour chez lui, Frédérik se met à jongler de plus belle. Pourquoi Samy a-t-il une si grande appréhension d'un danger imminent? Était-ce plutôt sa fille Claudia qui l'avait convaincu de faire le nécessaire? Étant donné que l'*Ariès* avait déjà appartenu à Samy, en avait-il fait le transfert de propriété? Était-il encore en partie responsable de sa destinée?

Mais ce qui l'embête le plus, c'est qu'il sait fort bien que Samy, dans sa jeunesse, a fréquenté assidûment Esthèle, la mère d'Érik, et que cette dernière s'est mariée *obligée* après de très courtes fréquentations avec Nathaël. Que Samy ait fréquenté Esthèle, ça tout le monde du canton le sait. En retour, qui d'autre que lui pouvait savoir à propos du mariage forcé que sa sœur lui avait dévoilé en secret, il y a presque 30 ans de cela? Sûrement pas Nathaël, avec son indifférence coutumière sur les aléas de la vie. Et Samy, lui, peut-être bien que s'il le sait, il considère la possibilité qu'il soit le père naturel d'Érik. Pourquoi n'en serait-il pas ainsi, vu son intérêt débordant à retrouver l'équipage sain et sauf?

«Peut-être que je me trompe, qu'il se dit, et que Samy fait toute cette mise en scène de façon à dissimuler son inquiétude, surtout si Érik revient à terre avec une pleine charge de peaux. Si tel est le cas, il connaîtra enfin la concurrence, pas celle d'un autre marchand de sa trempe, mais bien de la part d'un Madelinot pure laine.»

— Tu as l'air jongleur et triste, lui dit sa femme en le voyant faire les cent pas, en se passant les mains gercées par l'eau de mer sur son large front. Fais attention à ton angine de poitrine, qu'elle ajoute. N'oublie pas la dernière fois que tu as chassé les loups-marins à l'île du Corps-Mort avec Érik, la crise d'angine qui en a découlé a risqué de te faire mourir.

— C'est que, ma femme, on n'a jamais pu avoir d'enfant. Ça fait que je me suis amouraché d'Érik tout comme s'il était mon fils, qu'il lui réplique dans un soupir. Et là, je me torture à essayer de savoir ce qui a bien pu lui arriver.

— Fait confiance à la Divine Providence, lui réplique sa femme.

— Oui, mais «Aide-toi et le ciel t'aidera», qu'il répond en pensant à la fameuse balise. Je m'en vais faire un tour chez ma sœur Esthèle. Peut-être qu'elle m'aidera à trouver les morceaux manquants de ce *godash* de casse-tête.

— Ne prends pas le bon Dieu à témoin, Fred, et vis intensément ton présent, comme tu l'as si souvent répété à Érik. Le passé, on n'y peut rien, et l'avenir, on ne le connaît pas.

* * *

En entrant chez sa sœur, Frédérik trouve Nathaël étendu sur le canapé, habillé comme à l'habitude de ses vieilles hardes. Il lui paraît encore plus enclin à tirer éternellement le diable par la queue.

— Et puis, as-tu des nouvelles de mon fils ? qu'il lui demande en se levant.

— Non pas vraiment, rien de certain en tout cas. Mais où est ma sœur ? J'ai à lui parler.

— Elle est allée faire le train d'étable.

— Ah bon ! Et toi, comment vas-tu ?

— Pas si pire, mais je ne voudrais pas voir mon plus vieux ne plus être capable de m'aider *à la gagne de la famille*. Tiens, je la vois qui arrive, qu'il poursuit en jetant un regard à la fenêtre.

Frédérik pense aussitôt à ce qu'il veut savoir de sa sœur et en particulier sur Érik, son fiston. Est-il l'enfant légitime de Nathaël ou est-ce que ses nombreuses dévotions religieuses signifient qu'elle veut se faire pardonner le péché d'avoir succombé à l'œuvre de chair avant de se marier ?

— Quelle belle surprise ! lui dit Esthèle en entrant. Approche-toi que je t'embrasse.

Frédérik constate, un peu plus clairement cette fois-ci, que le visage angélique de sa grande sœur, avec ses cheveux châtains clairs, son nez fin, ses yeux bruns pétillants, est une copie parfaite des caractéristiques physiques de son neveu. Tout comme sa mère, Érik est beau, séduisant et d'une délicatesse hors du commun, malgré un discours percutant sur des sujets d'actualité. Par ailleurs, ces mêmes ressemblances se répètent, ou presque, chez Claudia, la fille du marchand, à l'exception de ses yeux légèrement en amande, tout comme ceux de Samy. Autre fait étrange, son neveu n'a presque aucun trait commun avec les autres enfants de la famille qui compte trois garçons d'affilée et une seule fille comme cadette.

— Dis-moi, as-tu des nouvelles fraîches d'Érik et de son équipage ? lui demande Esthèle dont le visage exprime une part d'inquiétude.

— Non mais Samy, lui, en a sûrement.

Frédérik voit tout de suite que sa sœur prend un air triste et inquiet. Il se dit : « Voilà le moment d'aller au fond des choses. »

— Nathaël, va donc me chercher un sac de sucre au magasin, lui demande Esthèle, constatant l'air grave de son frère.

— Mais je n'ai pas d'argent, qu'il lui répond avec son air de soumission habituel.

— Tu feras *marquer*. Allez, va.

À peine Nathaël est-il sorti de la maison que Frédérik reprend la conversation de plus belle.

— Pour en revenir aux nouvelles de Samy, il paraîtrait que…

— Inutile de continuer, Fred, je pense qu'il m'a donné les mêmes renseignements qu'il t'a transmis déjà lorsque je suis passée au magasin général, cet avant-midi.

— Ah oui ? Et y avait-il quelqu'un d'autre dans le magasin lors de votre conversation ?

— Non, ou plutôt je ne me rappelle pas, qu'elle lui répond, embarrassée.

— Mais à toi, Esthèle, t'a-t-il appris quelque chose de spécial sur Érik ?

— Qu'est-ce que tu veux dire par là ?

— C'est que… notre secret concernant ton mariage obligé, même si cela fait près de 30 ans, t'en a-t-il parlé ?

— Bien non ! Qu'est-ce que tu vas chercher là ?

— C'est que…

Frédérik se tait un court instant, ne sachant pas si sa sœur est convaincue de connaître qui, de Samy ou de Nathaël, est le père naturel de son neveu. Aussi s'empresse-t-il d'ajouter :

— L'important c'est que nous aimons tous Érik et que la Divine Providence va sûrement nous épargner le pire.

— C'est bien vrai, Fred, et c'est pourquoi j'ai débuté une neuvaine à la bonne sainte Anne depuis dimanche passé.

Finalement, à moitié satisfait de sa visite chez sa sœur, Frédérik s'en retourne chez lui prendre un léger souper constitué de crêpes fourrées aux palourdes. Il se retire, par la suite, dans le boudoir, s'allume une bonne pipe et se met à faire la rétrospective des événements qui ont précédé le départ de son fiston pour le grand large.

Il se rappelle comme si c'était hier de l'avoir suivi à la lunette d'approche jusqu'aux environs de l'île du Corps-Mort, question de voir s'il s'y arrêterait pour *se faire la main* avec la chasse au loup-marin, comme il lui avait suggéré. Il était plus que certain que son fiston avait suivi à la lettre ses recommandations. Par contre, depuis ce moment-là, il n'avait pas vu l'ombre de l'*Ariès* de ses propres yeux. Seuls les Norvégiens ont raconté aux hommes du marchand avoir vu le bâtiment qui naviguait à toute allure en direction, semble-t-il, du Banc-de-l'Orphelin.

De plus en plus concentré sur les causes d'un accident possible, Frédérik se met à jongler aux derniers conseils dictés à son neveu avant le départ. Le vieux radiotéléphone inopérant avait été laissé en place sur l'*Ariès* de façon à ne pas énerver inutilement l'équipage. Par ailleurs des pièces de rechange avaient été apportées, pour le rendre fonctionnel, en cas de nécessité absolue. Son fiston savait qu'Alpide à Johnny, le contremaître préféré de Samy, aurait pu être tenté de l'informer des allées et venues d'Érik, qu'il surnomme souvent « le jeune », vu la différence d'âge entre les deux. En fait, Érik avait voulu échanger l'achat d'un radiotéléphone neuf pour un puissant moteur qui permettrait à l'*Ariès* de réaliser le dicton — d'actualité dans les circonstances — qui dit : « premier arrivé, premier servi ». Et puis, lui avait rappelé son neveu, avec tous ces balayeurs d'ondes à l'affût, il devient impossible de garder secret la localisation de *mouvées** importantes.

Érik se devait de frapper dans le mille en allant jusqu'à chasser sur l'Orphelin, vu un crédit d'environ 2 500 $ que lui avait déjà accordé Samy. Mais ce qui était encore plus contraignant était la garantie écrite d'une paie de base à chaque membre d'équipage avec, en plus, une quote-part des revenus pour chaque peau de loup-marin embarquée à bord de l'*Ariès*.

— Frédérik, va donc te coucher, lui dit sa femme Maria qui se préparait à se mettre au lit.

Depuis que sa femme souffrait d'anémie et après plus de 50 ans de mariage, ils avaient convenu entre eux de faire chambre à part. « De toute façon, à l'âge qu'on a, le corps a de la misère à suivre ce qu'on a dans la tête », avait-il déjà avoué à Samy.

---

* Mouvée : troupeau de loups-marins.

Ne prenant pas la peine de répondre, Frédérik s'évertue à nouveau à se rappeler ses dernières conversations avec son fiston. « Le Banc-Bradelle, lui avait-il dit, fait presque la grandeur des Îles-de-la-Madeleine et, de ce fait, il est très facile à localiser. Par contre, les loups-marins y sont tellement éparpillés que c'est à peine si tu vas faire tes frais. Par ailleurs, avec l'Orphelin, ce n'est pas pareil. Certes, il est cinq fois plus petit et très difficile à localiser, même que certaines années il ne s'y forme pas de glace. En retour, arrivé sur les lieux, tu vas voir comme une mer de beaux loups-marins faciles à abattre. Tu n'auras que l'embarras du choix », avait-il exagéré, même s'il reconnaît à Érik une certaine antipathie pour cette forme d'activité.

Frédérik est aussitôt pris dans un tourbillon de remise en question qui lui serre l'estomac de plus en plus. Il sent l'annonce d'une prochaine crise d'angine s'il ne prend pas tout de suite ses pilules miracles. « Naviguer en temps d'hiver, ce n'est pas facile, lui avait-il rappelé, surtout si de fortes vagues fouettent le bateau. L'embrun ainsi créé gèle aussitôt et s'accumule en une glace épaisse sur les ponts. Forcer l'équipage, surtout Alpide à Johnny, à déglacer les ponts de l'*Ariès*, jour et nuit, aurait pu provoquer une mutinerie. »

Se sentant de plus en plus angoissé avec de fortes douleurs à la poitrine qui l'empêchent de respirer facilement, il se lève en chancelant et s'en va vers la pharmacie pour y chercher ses médicaments.

— Pour l'amour du Ciel, qu'est-ce qui t'arrive, Fred ? Tu es blême comme un drap ! lui dit sa femme qui l'avait vu passer dans l'encadrement de la porte de sa chambre

— Ça va, Maria, je m'en allais prendre ma pilule. Ne t'inquiète pas et rendors-toi.

— Mon Dieu Seigneur de la Vie, si ça continue, cette affaire-là est en train de nous enlever le peu de santé qu'il nous reste pour nos vieux jours.

À peine assoupi, Frédérik se met, une fois de plus, à réaliser la gravité de la situation. Il avait indiqué à son fiston que s'il s'aventurait jusqu'à l'Orphelin, arrivé sur les lieux, il devait être d'une extrême prudence. De prime abord, la glace y est très mince vu la rencontre conjointe des courants marins du Gulf Stream, du Labrador et du Saint-Laurent. Mais le pire de tout, c'est que certains petits icebergs possèdent, sous l'eau, des pointes de glace aiguës comme une épée.

Comme la pleine lune favorise de multiples mises bas de blanchons, prisés surtout pour la valeur de leur fourrure, les courants marins, eux, prennent de plus en plus de force, et les risques de se faire coincer dans une saignée d'eau sont omniprésents. « C'est ça, se répète-t-il, c'est ce qui est arrivé à l'*Ariès* », d'autant plus qu'il sait qu'au départ, le bateau avait subi une avarie à l'une des palmes de son hélice.

Ancien chalutier construit en bois, l'*Ariès* mesure 18 mètres de longueur hors tout, sur 6 mètres de largeur, avec une jauge brute de 72 tonnes lui permettant ainsi d'emmagasiner dans sa cale principale une bonne douzaine de milliers de peaux de loup-marin. Radoubé sous la supervision de Frédérik, l'*Ariès* avait été rendu à toutes fins utiles insubmersible avec sa cale centrale à double paroi. De plus, l'épaisse couche de graisse qui recouvre les peaux de loup-marin qui y seraient stockées permettrait au bâtiment de rester en surface, en autant, cependant, que la coque n'ait pas été transpercée de toute part.

Se retournant sur le dos pour mieux se détendre, Frédérik se dit qu'après tout, c'est peut-être pas si pire que ça. Il s'imagine que l'*Ariès* a subi le même sort que lors de sa propre expérience de jeunesse, au printemps de 1948. À cette époque, vu les nombreux *feux du large*** scrutés à la longue-vue, la goélette *Teaser* qui s'était rendue chasser aux environs du Rocher-aux-Oiseaux avait fait naufrage. Il se rappelle fort bien que le tout avait débuté lorsque la goélette avait été coincée par des glaces poussées par des vents du nord à plus de 95 km/h, qui avaient fait cambrer les bordages jusqu'à ce que le pont se bombe pour se déchirer. Après un changement subit du courant, les glaces s'étaient retirées de leur proie, pour laisser la goélette avec d'énormes gouffres d'eau qui l'avaient fait sombrer avec plus de 7000 peaux de loup-marin dans ses cales.

Les chasseurs de la *Teaser* durent quitter en toute hâte le navire, en prenant soin d'emporter avec eux des provisions et se mettre à l'abri dans des igloos de fortune. Ils attendirent pendant plus de 18 heures la dérive de leur banquise jusqu'à ce qu'ils puissent apercevoir la lueur de lumières leur indiquant l'approche de la terre ferme, en l'occur-

---

* Feux du large : éclaboussures que font les femelles en plongeant au soleil couchant pour nourrir leur nouveau-né.

rence l'île Saint-Paul C'est ainsi qu'après une longue attente qui les fit souffrir à mort, ils entreprirent une marche hasardeuse d'une dizaine d'heures. L'équipage s'en tira indemne quoique Frédérik se rappelle que plusieurs de ses compagnons d'armes moururent peu de temps après.

Fermant les yeux pour s'endormir, il se dit que, connaissant l'intensité de l'instinct de survie de son fiston, il est au mieux en train de charger l'*Ariès* à ras le bord de peaux de loup-marin ou, au pire, il est sain et sauf et en voie de revenir à terre en compagnie de son équipage. Par contre, il sait très bien que sa fragilité sur le plan émotif a bien pu lui jouer de sales tours.

Passant sa main une dernière fois dans ses longs cheveux grisonnants avant de s'endormir, il se dit chanceux d'avoir installé la fameuse balise, même si sa présence sur l'*Ariès* n'est connue que de lui. Cependant, si l'inquiétude persiste, il faudra bien qu'un jour ou l'autre il en dise plus long aux autorités compétentes en matière de sauvetage. Il prend alors la décision d'informer, au petit matin, les responsables du transport aérien aux Îles. Un dernier détail, et non le moindre, dont il doit s'occuper, est de recruter le plus tôt possible un groupe de chasseurs d'expérience qui l'assisteront dans une expédition de reconnaissance à partir de la côte noroît des Îles, jusqu'à l'île du Corps-Mort, s'il le faut.

CHAPITRE 2

L'avenir appartient à celui
qui se lève avant le soleil

— Salut, Frédérik! Quel bon vent vous amène? lui dit le responsable du transport aérien aux Îles en le voyant entrer dans l'aérogare.

— C'est que je voudrais vous parler dans le particulier au sujet de l'*Ariès*.

— Ha oui! Mais on est déjà au courant, vous savez. Je devine que vous devez avoir un service à nous demander vu que l'avion qui fait escale à Gaspé à chaque jour s'apprête à s'envoler pour les Îles?

— C'est à peu près ça. Mais dites-moi avant tout: qu'est-ce que vous savez de l'*Ariès*? qu'il lui demande en espérant qu'il ne connaît pas la présence de la balise à bord du bâtiment.

— Écoutez, au ministère, il ne se passe pas grand-chose sans qu'on ne le sache un jour ou l'autre. Si on ne l'apprend pas par des voies terrestres, ce sont des satellites qui nous en informent.

— Vous ne me l'aurez pas fait dire. Par contre, vous ne faites pas grand-chose pour régler les problèmes de transport aux Îles.

— Voyons, Frédérik, on n'est pas pour commencer à se chicaner. Vous voulez que nous vous aidions à localiser l'*Ariès* et son équipage, n'est-ce pas?

— C'est bien ça. Tenez, je vais vous indiquer sur cette carte les différents endroits où il pourrait possiblement se situer, lui dit-il en pointant du doigt le mur. N'oubliez pas que l'équipage a bien pu quitter le navire et que les hommes pourraient être en train de s'en revenir à terre, qu'il poursuit d'un ton ferme.

Frédérik tente d'expliquer tant bien que mal au responsable du transport aérien ses appréhensions sur la destinée plausible du navire et de son équipage, sans toutefois faire mention de la balise.

— Avez-vous terminé, Frédérik? L'avion décolle de Gaspé dans une demi-heure à peine. Au rythme où vous débitez votre affaire, je suis à la veille de manquer de papier pour faire mon rapport.

— C'est que... si l'*Ariès* avait eu une balise à son bord, cela vous aiderait-il dans vos recherches?

— Pourquoi vous me demandez ça? qu'il lui rétorque, l'air perplexe.

— Simple question, lui répond-il en cherchant sur le visage de son interlocuteur l'effet de surprise.

— C'est tout, Frédérik?

— Non. Le rapport que vous remettra le pilote après son survol des bancs de chasse entre les Îles et Gaspé, à qui allez-vous le transmettre?

— Mais à mes patrons, qu'est-ce que vous imaginez?

— C'est ça. Et moi, je devrai faire des pieds et des mains pour en avoir une copie sans savoir si je suis le premier à l'avoir obtenue. Ah! ces *godash* de fonctionnaires, qu'il ajoute d'un air de mépris.

— C'est à prendre ou à laisser, Frédérik.

— Je le prends, sauf qu'il y a un détail important, je compte bien que vous me fassiez rapport en premier. Vous m'avez bien compris?

— Et qu'est-ce qu'il y a de si crucial?

Frédérik s'efforce bien malgré lui à indiquer au responsable la présence de la balise ainsi que la description de son système de fonctionnement.

— Très intéressant, qu'il lui répond. Mais où l'avez-vous placée sur l'*Ariès*?

— Bonne question, surtout que mon fiston n'en connaît pas l'existence. Au fait, je l'ai installée à l'arrière du bâtiment, près de certains équipements de survie. Ainsi, si mon neveu doit de toute urgence quitter l'*Ariès* avec son équipage, sa responsabilité de capitaine l'obligera à prendre avec lui tout le nécessaire à la survie de ses hommes.

— Pas si mal. Mais à quel endroit plus exactement?

— Entre le mât arrière et le tuyau d'échappement, afin que le froid n'ait pas trop d'effet sur les batteries. De plus, cela devrait éviter un déclenchement accidentel par les vagues qui pourraient s'abattre sur les ponts.

— C'est bien pensé, Frédérik. Mais pour en revenir au fait, vous voulez que l'on fasse une détection sonore d'abord et visuelle par la suite, n'est-ce pas ?

— C'est bien ça, et le résultat des recherches remis à l'homme qui est devant vous.

— Mais ce n'est pas de même que ça se passe dans la vraie vie ! Vous savez, la Garde côtière doit être tenue au courant pour entreprendre par la suite les recherches.

— C'est que j'ai un mandat d'incapacité de la part d'Érik, ce qui me fait dire que ce n'est pas à vous de décider à ma place. Tenez, lisez ces documents.

Le fonctionnaire lit en diagonale les documents que lui remet Frédérik pour constater qu'il a affaire à un petit futé. Non seulement a-t-il en sa possession un mandat d'inaptitude en bonne et due forme, mais également un écrit établissant son pouvoir de décider, de concert avec ses proches et les autorités médicales, de la forme d'acharnement médical nécessaire.

— On fera tout ce qui est en notre pouvoir, Frédérik, ne soyez pas inquiet.

— Et aussi de votre responsabilité, qu'il lui réplique en le quittant promptement.

Frédérik, en sortant des bureaux du ministère, est presque certain que son fiston a dû quitter l'*Ariès* avec son équipage. Il se réconforte du fait qu'il n'a pas encore dévoilé l'existence du filament attaché à la base de la balise, ce qui lui permettra, au moment opportun, de retrouver l'emplacement de l'*Ariès* et, du même coup, son précieux chargement.

« Allons voir Samy maintenant, qu'il se dit, peut-être aura-t-il quelque chose de spécial à m'apprendre. »

Après une bonne heure de pourparlers, il quitte la résidence de Samy avec un peu moins d'enthousiasme, cependant. En effet, le marchand a voulu faire d'une pierre deux coups. D'une part, il a demandé à ses hommes de chasser les loups-marins tout en cherchant la présence de l'équipage de l'*Ariès*. D'autre part, vu la contestation sur la chasse qui commence à naître aux Îles, il leur a exigé de revenir avec une charge maximale de peaux de blanchons. Seule Claudia lui a semblé plus intéressée aux vies en danger qu'aux biens en perdition.

Frédérik a cru déceler chez elle un certain attachement à son neveu, non pas pour ce qu'il représente mais bien pour ce qu'il est.

Aussi, dans le but de préparer son expédition de recherche du lendemain, il s'en va retrouver son guetteur préféré pour lui demander ce qu'il avait aperçu ces derniers jours au large des côtes des Îles.

— Ça fait plus de trois jours qu'au soleil couchant, je ne vois plus les *feux du large*, lui annonce-t-il au début de leur conversation.

— Et ça veut dire que les femelles ne plongent plus pour nourrir leurs petits, qu'elles les ont abandonnés à leur sort pour s'accoupler aux mâles en rut, lui réplique Frédérik.

— C'est bien ça. Ça adonne aussi que je ne vois plus de *bous-coulis** au large, signe que la mouvance des glaces a bien débuté.

— Pour sortir du golfe ? questionne Frédérik.

— Pas nécessairement. Plusieurs d'entre elles vont dériver vers les côtes nord-ouest des Îles à partir de l'île du Corps-Mort jusqu'à la Pointe-aux-Loups.

— Ça veut donc dire qu'il vaudrait mieux que j'aille à la rencontre de mon fiston avant qu'il ne soit trop tard.

— C'est à peu près ça. Mais faites bien attention, Frédérik, vous prenez de l'âge, vous savez.

— Merci bien pour ces informations, qu'il lui répond en le quittant, pressé d'organiser en après-midi son escouade de reconnaissance.

Revenu chez lui, il avale son dîner à toute vitesse, fait un petit roupillon et s'en va aux nouvelles fraîches. Une deuxième rencontre avec le responsable du transport aérien aux Îles le déçoit au plus haut point. Le pilote, malgré qu'il volait à plus basse altitude que d'habitude, n'a pu voir de près si quelque chose d'anormal était arrivé. En effet, un banc de brume collait à la surface de la mer avec des banquises dérivant à toute vitesse vers l'Atlantique. De plus, l'avion n'étant pas équipé adéquatement, il n'a pu détecter de signal sonore.

Comme une mauvaise nouvelle n'arrive presque jamais seule, Frédérik rencontre à nouveau le guetteur pour essayer de se rassurer quelque peu.

— Vous ne savez pas quoi, Frédérik ? lui dit-il d'une voix grave.

— C'est quoi encore, qu'il lui répond les bras tendus vers le ciel.

---

* Bouscoulis : amas de glace qui touche les hauts-fonds marins.

— C'est que… un reporter de Radio-Canada a filmé un jeune chasseur sans aucune expérience en train de tuer un blanchon.

— Et alors, qu'est-ce que ç'a à faire avec mon fiston? qu'il lui riposte en se disant qu'Érik avait toujours eu un certain dédain pour cette forme de gagne-pain.

— C'est que les médias vont se servir de l'affaire pour en faire tout un plat. Voyez-vous votre neveu revenir du grand large avec une pleine charge de peaux, en grande partie de blanchons, se faire accueillir aux Îles par une meute de journalistes? D'après moi, c'est fini l'argent vite fait avec la chasse au loup-marin.

— Tu as probablement raison, qu'il lui répond tout en ajoutant qu'il doute de plus en plus du retour miraculeux de son fiston.

Le soir venu, le Vieux sort de sa maison en pleine noirceur afin de scruter, avec ses yeux profonds, l'horizon de la mer. Comme rien d'anormal ne lui apparaît, il se met au lit de bonne heure, étant donné son départ aux petites heures avec son escouade de reconnaissance.

Il essaie de s'endormir, mais sans succès. Il se recueille en prenant dans sa main son scapulaire attaché à sa chemise de nuit. « Mon Dieu Seigneur de la Vie, faites donc qu'il ne soit pas arrivé un malheur », qu'il répète sans cesse en se levant à l'occasion pour regarder aux fenêtres de sa maison.

Afin de conjurer le mauvais sort, il place sur son vieux tourne-disques la chanson porte-bonheur d'Érik qui est aussi la sienne: *L'amour brillait dans tes yeux*. Tout en écoutant le refrain, il se dit que la vie de résume à un simple mot: « l'amour ». L'amour qu'on éprouve pour quelqu'un, pour quelque chose, qui sans lui ferait de nous des bêtes sauvages. « Fiston, reviens-moi vite, j'ai encore tellement de choses à t'apprendre », qu'il fredonne à voix basse.

— Baisse le volume, lui crie sa femme. Ça m'empêche de m'endormir.

— OK Maria, qu'il lui répond tout en pensant qu'elle ne l'a jamais tout à fait compris.

Tout en se couchant, il joint ses deux mains en frottant sa vieille bague en or, sertie d'une ancre piquée de minuscules diamants, et s'adresse à ses compagnons de chasse de la *Teaser*, morts depuis: « Hé! vous autres, là-haut, arrêtez de jouer aux cartes et aidez-moi à trouver mon fiston, bande de *snorauds*. »

* * *

Se levant de bon matin, Frédérik se dirige aussitôt à la pointe de l'Étang-des-Caps, là où l'attendent les chasseurs qui participeront à l'expédition de reconnaissance. Le Vieux traverse le village au même moment que le jour point en imaginant la sensation qu'a eue son fiston le matin même du départ de l'*Ariès*. Le dicton qui dit que l'avenir appartient à celui qui se lève avant le soleil est bien vrai. Voir les étoiles du matin se noyer dans le firmament orangé d'un soleil levant, ce n'est là qu'une partie des émotions fortes réservées aux lève-tôt.

Aujourd'hui le temps est idéal, avec à peine une *haleine de vent**, constate Frédérik lorsqu'il arrive près des hommes qui le saluent amicalement.

— Qu'est-ce qu'on fait? lui demande Alfred qui piétine sur place.

— On a pour mission de chercher des traces et, encore mieux, de trouver les membres de l'équipage de l'*Ariès*. Il nous faudra donc nous diriger en premier lieu vers l'île du Corps-Mort en prenant garde aux *bouscoulis* qui sont en train de se disperser. Allez, je fais l'appel de la présence de chacun et de tout le nécessaire à notre expédition.

Il débute avec les six hommes qui sont habillés de vêtements chauds et d'un couvre-tout blanc afin de ne pas dévoiler leur présence au loup-marin chef de *mouvées*, toujours dangereux lorsqu'il se sent épié. Il fait de même avec les fournitures et gréements indispensables, constitués d'un canot à glace bien ferré contenant la nourriture essentielle à la survie, quelques vêtements de rechange si quelqu'un faisait trempette, des garcettes en cuir servant à haler le canot, deux fusils de calibre 34, une trousse de secours, quelques lunettes d'approche, deux compas, enfin tout le nécessaire à une expédition de la sorte.

Muni d'une longue gaffe, Frédérik se place à quelques mètres en avant du canot de façon à choisir les meilleurs endroits où passer, en sondant la neige durcie qui recouvre, à l'occasion, de profondes et dangereuses crevasses. Munis de leur garcette respective, les six hommes de l'escouade se placent en deux groupes de trois de chaque côté du canot et attendent l'ordre de départ.

— Que Dieu nous vienne en aide, leur lance Frédérik de sa voix forte. Allez, mes amis, on décolle pour le large.

------

* Haleine de vent: léger souffle de vent.

34

Les premiers *débarris** de terre étant franchis sans trop de difficultés, Frédérik constate l'instabilité des glaces qui ne cessent de
dériver dans tous les sens. La présence de nombreuses saignées d'eau,
qu'il leur faut traverser à la rame, confirme au Vieux qu'il est peut-être
trop tard. En effet, la mouvance des glaces est bel et bien commencée
depuis plusieurs jours et nul ne peut prétendre en connaître la fin.
Plus loin de terre, il constate que des hauts-fonds qui ont coutume de
contrecarrer la dérive des glaces en les faisant s'accumuler les unes
sur les autres en de majestueux *bouscoulis* n'existent plus. En fait, ils
ont été disloqués et sont partis à la dérive vers l'océan.

Après plus de trois heures d'une marche et d'une navigation
hasardeuses, Frédérik ordonne une halte à ses hommes pour faire un
bien triste constat. En effet, il remarque, en regardant le relief des Îles
à l'horizon, que la dérive des glaces où ils se situent risque qu'ils
n'atteignent jamais l'île du Corps-Mort et, pire encore, qu'elle les
ramène au retour à plus de trois kilomètres de leur point de départ.
Même s'il est habitué à un tel phénomène, il doit se rendre à l'évidence en constatant qu'il leur faudra encore trimer dur avant d'en
avoir le cœur net.

Assis dans le canot, le souffle court, il pense à son fiston. « Pourquoi
n'ai-je pas encore vu des traces de lui et de ses hommes ? Pourtant, je
lui ai inculqué jadis un fort sens de l'orientation et de survie. Combien
de fois je lui ai répété que ce qui importe dans de telles circonstances,
ce ne sont pas les gros bras, mais bel et bien une bonne tête. »

Après avoir entrepris une autre randonnée accompagnée d'une
navigation dangereuse d'environ une heure, l'escouade fait face
maintenant à une large saignée d'eau qui entoure l'île du Corps-Mort.
Frédérik s'arrête et scrute les alentours de l'Île à la lunette d'approche,
en réfléchissant à cette macabre légende. Le jour où Dieu créa les
Îles-de-la-Madeleine, le démon jaloux voulut en faire autant. Celui-ci
ne réussit cependant qu'à construire ce rocher sur lequel ne pousse
aucune végétation et dont la forme représente un mort sur son
suaire.

Voulant remettre sa lunette dans son étui, il perd soudainement
l'équilibre et trébuche.

---

* Débarris : bordures de glace attachées au rivage.

— Qu'est-ce qu'y vous arrive, Frédérik ? lui disent plusieurs de ses hommes en le remettant sur pied.

— C'est rien. C'est que… je suis désappointé, c'est tout.

— Voyons, il doit y avoir autre chose, lui réplique Elzéar.

— Bon ça va. Vous voulez le savoir, eh bien voici. Premièrement, mon angine de poitrine s'est réveillée et puis il m'apparaît inutile d'essayer de naviguer en direction du Corps-Mort. À l'heure qu'il est, on risque de ne pas être de retour avant que la noirceur arrive.

— On fait quoi alors ? lui demande Alfred, pressé de retourner sur la terre ferme.

— Vous allez vous diriger de chaque côté de la banquise, trois hommes à gauche et trois à droite. Vous marcherez l'un à côté de l'autre jusqu'à ce que vous soyez près de perdre de vue votre voisin. Moi, je reste assis dans le canot, je suis complètement vidé. Je m'en vais tirer un coup de fusil à toutes les trois minutes pour que vous puissiez vous situer par rapport au point de rassemblement.

— Et on cherche quoi ? lui lance Omer.

— *Godash*, vous cherchez Éric, c'est pas compliqué, ou n'importe qui d'autre. En passant, lorsque vous longerez le bord de la banquise, soyez très attentifs. Si jamais vous apercevez une petite boîte blanche qui flotte avec une lumière clignotante, vous utiliserez votre sifflet pour m'avertir.

— C'est quoi, votre petite boîte blanche ? qu'ils questionnent presque à l'unisson.

— C'est une balise de détresse, un point c'est tout. Allez, partez au plus vite.

Pendant plus d'une heure, les hommes arpentent les abords de la banquise sans apercevoir qui que ce soit, si ce n'est quelques *charcois* en décomposition ainsi que plusieurs loups-marins adultes qui plongent pour se nourrir à qui mieux mieux.

Frédérik qui est resté assis dans le canot, tenant la carabine dans ses mains, voit une famille de loups-marins qui sort de l'eau et qui *godille* en sa direction. Il est tenté de les abattre au fusil en se disant qu'ils sont peut-être la source du désespoir qui lui trotte dans tête depuis les derniers jours.

Il se rappelle tout à coup avoir déjà expliqué à son fiston qu'un loup-marin, quoi qu'on en dise, ça ne se tue pas au fusil. « Tu vois ça, lui avait-il dit, plein de coups de fusil à gauche et à droite, ça serait la pagaille dans la *mouvée*. Un loup-marin, même blessé, se sauvera dans son trou d'air pour mourir de sa belle mort.

Les chasseurs revenant bredouilles, Frédérik donne l'ordre de retourner vers la terre ferme. Il s'assoit de temps en temps dans le canot afin de prévenir une forte crise d'angine toujours possible.

En fin d'après-midi, ils arrivent au rivage encore plus loin de leur point de départ qu'il ne l'avait calculé. Au fait, ils mettent pied à terre près de l'épave du *Corfu Island* située à proximité du village de l'Étang-du-Nord.

Sans plus attendre, le Vieux va aux nouvelles qui le rendent encore plus songeur. En effet, l'avion de la Garde côtière n'a rien vu ni entendu qui vaille, pas même une petite onde de son, si faible soit-elle. Le rapport du pilote indique qu'il a ratissé, à partir des Îles, la grande majorité du Banc-Bradelle jusqu'aux environs de l'Orphelin. La présence de survivants ou du navire n'a pu être constatée visuellement, vu un brouillard et de forts vents de travers qui les empêchaient de voler assez près des glaces à la dérive.

Après un souper à l'*accomodé**, Frédérik s'en va chez Samy pour quérir de ses nouvelles. Cette fois-ci, par contre, il est accueilli par une servante qui lui annonce que Samy est encore à son magasin. S'il le désire cependant, Claudia, qui est au piano, est disponible pour le rencontrer.

— Bonjour, ou plutôt bonsoir, Frédérik, lui dit-elle d'un air grave en l'accueillant au petit salon. Et puis, qu'est-ce qu'il y a de nouveau avec l'*Ariès* ?

— Heu ! Pas grand-chose. Au fait, je suis de plus en plus persuadé qu'Érik est en train de s'en revenir à terre, sain et sauf, en compagnie de son équipage.

— Et qu'est-ce qui vous fait dire cela ?

— Ma propre expérience avec la goélette *Teaser*. Vous connaissez l'histoire ?

— Oui, mais ça ne veut pas dire que l'histoire se répète.

— Peut-être bien, mais tel que je connais mon fiston, il a certainement su relever tous les obstacles qui se présentaient à lui. Et vous, Claudia, qu'est-ce que vous pensez de toute cette affaire ?

---

* Accomodé : purée de poisson et de pommes de terre.

— Moi, vous savez, lui répond-elle d'un air plutôt nostalgique, je me fie à mon père et j'espère de tout mon cœur qu'il ne lui est rien arrivé de grave.

— Rien de grave à qui ? insiste Frédérik, désireux de sonder son attirance envers son neveu.

— Bien, à Érik, à Alpide et à tous les autres enfin.

— Oui, mais c'est qui, à vos yeux, le plus important parmi eux ?

— Écoutez, Frédérik, on n'est pas au confessionnal. Oui, j'éprouve une certaine attirance envers votre neveu. Par contre, Alpide est le choix de mon père et vous savez sans doute que j'aime mon père plus que tout au monde.

En disant cela, Claudia ne peut s'empêcher de penser qu'Érik, quant à lui, préfère peut-être Julianna, sa petite cousine au physique de poupée de luxe, qui s'évertue à le garder prisonnier dans son filet tissé d'érotisme passionné.

— Mais c'est quoi, Claudia, les palabres que vous désireriez entrer dans les ordres ?

— Ce n'est pas vraiment les ordres, vous savez. Ça pourrait aussi bien être comme missionnaire laïque ou encore bénévole auprès des invalides. Il y a tant de gens qui ont besoin de nous les jeunes, pour qu'on les écoute et qu'on leur fasse savoir qu'on les aime.

Frédérik, tout en écoutant Claudia, se dit : « Et pourtant, il faudra bien que je lui pose la question… »

— Et puis, lui dit-elle en terminant, puisque je n'ai pas vraiment de problèmes d'argent, pourquoi ne pas faire bénéficier les nécessiteux de ma disponibilité ?

— Claudia, lui demande Frédérik impatient, lequel des deux vous préférez ?

— Vous voulez dire des trois : mon père, Érik ou Alpide ?

— Non. Seulement Érik et Alpide, insiste Frédérik.

— Bon, qu'est-ce que ça donne de vous répondre puisque ni l'un ni l'autre n'a été encore retrouvé ?

— Peut-être bien, lui dit-il finalement, mais vous ne pensez pas qu'à votre âge il faudrait penser à fonder une petite famille ?

— Ah ! vous les hommes ! Vous êtes toujours pressés d'en arriver à vos fins. Ça viendra dans le temps comme dans le temps, comme on dit. Érik, avec Julianna, n'en a-t-il pas pour son argent ?

Restant sur son appétit, il la quitte en se disant que ça ne se peut pas qu'une si belle et charmante fille se retrouve un jour dans les ordres. « Peut-être qu'elle regarde trop souvent *The Sound of Music* et qu'elle attend le prince charmant. »

Après une courte visite au magasin de Samy, Frédérik constate qu'il devient de plus en plus évident qu'une catastrophe s'est produite. Il apprend ainsi que jusqu'à maintenant, il n'y a aucune preuve positive de la présence du bâtiment ou de l'équipage dans les parages du Bradelle ou de l'Orphelin.

Pas plus intéressant non plus du côté de chez sa sœur qui l'accueille les yeux larmoyants.

— Frédérik, lui dit-elle lorsqu'elle l'aperçoit, je suis persuadée maintenant qu'il est arrivé un malheur à mon plus vieux.

— Et comment ça? qu'il lui demande en la prenant dans ses bras pour la consoler.

— C'est que Nathaël a trouvé le chien d'Érik raide mort. Il refusait de se nourrir depuis son départ pour la chasse. À part de ça, les palabres disent que l'*Ariès* a coulé avec son équipage à son bord, étant donné le rapport négatif de la Garde côtière.

— Et toi, Nathaël, qu'il voit étendu sur le canapé avec son air d'un chien battu, qu'est-ce que t'en penses?

— Moi, vous savez, si le gouvernement ne nous avait pas coupé l'assurance-chômage, Érik n'aurait pas risqué d'aller à la chasse au loup-marin.

— Toi, Nathaël, tu es le meilleur exemple d'un homme qui est resté bien *en arrière de sa bouée*, qu'il lui réplique. Oublies-tu qu'à peu près tous les chasseurs de loup-marin que je connais l'ont déjà à portée de la main et même dépassée?

— C'est ça. Comme d'habitude j'en ai trop dit. Si ça te fait rien Fred, pourrais-tu nous laisser pour qu'on puisse aller se coucher? Esthèle a besoin de beaucoup de sommeil ces temps-ci.

— Et toi, ça va te permettre de lambiner comme d'habitude devant la télévision, qu'il lui dit en s'accaparant de son parka.

De retour chez lui, Frédérik essaie d'avaler une collation, mais l'émotion qui lui sert la gorge le restreint à n'ingurgiter que quelques biscuits soda nappés de foie de morue. Lorsque la pleine noirceur arrive, il se couche et ne cesse de ruminer les derniers événements.

Il se demande si son neveu a été capable de gérer une crise comme celle d'un navire qui se fait coincer dans les glaces. Et si c'est le cas, aurait-il quitté la goélette le tout dernier, de façon à respecter le code d'honneur de tout capitaine de navire ? Enfin, son fiston, malgré sa volonté de chasser le loup-marin pour la noble cause d'obtenir un revenu d'appoint, aurait-il ordonné d'arrêter le massacre, surtout avec Alpide, ce chasseur reconnu pour travailler à la va-vite ?

Il décide donc que demain, avec l'aide de son escouade, il va arpenter toute la dune nord-ouest des Îles, à partir de l'Étang-du-Nord jusqu'à la Pointe-aux-Loups, s'il le faut. Et si après cette dernière expédition de reconnaissance rien n'a été vu, il devra se rendre à la triste évidence d'un désastre majeur.

S'apprêtant à fermer l'œil, il se lève pour regarder pour une dernière fois aux fenêtres de sa maison. Il ne voit rien qui éveille son attention si ce n'est que, malgré l'heure tardive, la lueur des lumières aux fenêtres de la maison de sa sœur lui indique qu'elle doit être, elle aussi, dans un état d'inquiétude approchant le désespoir. Curieusement, il s'aperçoit du même phénomène chez le marchand Samy.

Il se recouche et visualise le retour de son fiston arrivant sur la terre ferme et lui présentant la fameuse balise en ces mots : « Tenez, mon oncle, voici la preuve que vous pouvez me faire confiance à tout jamais. »

Se torturant de nouveau l'esprit, il se demande si en cas de naufrage de l'*Ariès*, le système d'éjection de la balise a bien fonctionné et si la longueur du filament qui l'attache à sa base a été suffisante. Enfin, il n'écarte pas la possibilité que les glaces auraient pu l'empêcher de faire surface.

Ouvrant l'œil, il constate qu'il ne lui reste qu'une couple d'heures à dormir. « Allez mon vieux, qu'il se dit, fais donc confiance à la Divine Providence et endors-toi au plus sacrant. »

CHAPITRE 3

Quand tu donnes à manger à un cochon, c'est pas long qu'il vient faire sur ton perron

— Hé! Fred, lève-toi. Un de tes hommes est au téléphone. Ils t'attendent à la côte de l'Étang-du-Nord depuis une bonne heure.

— Qu'est-ce qui se passe, Maria? lui demande le Vieux, les yeux encore bouffis par le sommeil. J'ai dû passer tout droit. Dis-leur que j'arrive dans une heure ou deux.

— C'est que... il y a aussi Samy qui est avec eux.

— Lui? Mais qu'est-ce qu'il a encore à vouloir tout contrôler?

— Qu'est-ce que je leur dis, Fred?

— Dis-leur qu'ils ne bougent pas d'une semelle. Je déjeune et je m'en vais aller les retrouver après avoir vérifié certaines choses.

— Et faites bien attention à vous autres! leur dit Maria en raccrochant le combiné.

Après avoir avalé son petit déjeuner de travers, Frédérik se dirige sur l'île du Cap-aux-Meules pour escalader une bonne partie de la Butte-du-Vent avec son *pick-up* et le reste à pied. Scrutant plus soigneusement le large, il voit, au nord de l'île du Corps-Mort, une minuscule tache qu'il identifie comme devant être le bateau des hommes de Samy. Continuant minutieusement son examen pendant plusieurs minutes, il croit entrevoir, près des côtes, un léger filet de fumée. Croyant qu'il avait peut-être affaire à des formes de réverbérations du soleil sur la glace, il se dirige à toute vitesse à Fatima pour y escalader la Butte-de-l'Église.

En arrivant au village, voyant que plusieurs voitures se trouvaient dans le stationnement de l'église, il décide d'assister à la messe du matin, ou du moins ce qui en reste. «Après tout, ça ne peut pas nuire dans les circonstances », se dit-il en sachant que le célébrant est en fait le vieux vicaire de Bassin, le directeur spirituel de son fiston.

Jetant un coup d'œil sur le perron de l'église avant d'y entrer, il voit Julianna faisant les cent pas en fumant cigarette sur cigarette.

— Enfin, vous voilà, Frédérik ! qu'elle lui dit d'un air triste. Mon instinct me disait que j'allais vous rencontrer ici, étant donné les rumeurs qui circulent sur Érik et son équipage.

— Rumeurs ou pas, qu'est-ce que vous attendez de moi, Julianna ?

— C'est que… je voulais vous dire de faire vite. Ça fait deux nuits de suite que je fais des cauchemars et celui de la nuit dernière m'a vraiment terrorisée. En fait j'essayais de prendre Érik dans mes bras pour l'embrasser et le séduire. Cependant, le nuage noir qui le coiffait le retenait comme une sangsue qui buvait son sang.

— Hein ! c'est drôle, Julianna, j'ai eu la même vision, mais d'une autre façon. Allez, ma belle, ne désespère pas, qu'il ajoute en faisant son entrée dans le temple saint.

— J'aimerais vous parler en privé, Monsieur le vicaire, qu'il lui glisse à l'oreille en revenant de communier.

— Ça adonne bien, moi aussi, Frédérik, qu'il lui répond, en l'invitant à prendre un café avec lui au restaurant du village.

Assis face à face, les deux hommes ne savent plus par quoi commencer. C'est que Frédérik ne connaît pas toute l'ampleur des confidences que son neveu aurait pu faire au vicaire sur son attirance pour Claudia, ni de son laisser-aller avec Julianna.

— Croyez-vous, Monsieur le vicaire, que mon fiston, s'il s'en tire, puisse aimer Claudia au point de vouloir la marier un jour ?

— Probablement, mais en autant qu'il suive au préalable le processus normal d'enquête.

— Vous voulez dire…

— Voyons, Frédérik ! Vous ne vous rappelez pas d'avoir fait publier les bancs avant votre mariage ?

— Oui, oui, j'oubliais. C'était pour savoir si quelqu'un voulait s'opposer à mon mariage avec Maria. Vous qui avez eu à donner si souvent les derniers sacrements à des malades en fin de vie, comme à des accidentés, pensez-vous que s'il est arrivé quelque chose de grave à mon fiston, les docteurs vont le découper en mille morceaux pour examiner tout son corps ?

— Mais oui, Frédérik, et ils vont souvent jusqu'à faire des analyses comparatives des cellules génétiques si le corps en entier ou en partie n'est pas facilement identifiable.

— *Godash* de *godash* ! Pardon, Monsieur le vicaire. Dans ce sens-là, ils pourront savoir si c'est bien Érik à Nathaël ou à n'importe qui d'autre.

— Frédérik, vous me demandez de vous dévoiler des aveux reçus en confession qui ne pourront m'être arrachés, même par force de loi. Cessez de regarder le futur et occupez-vous du présent. Votre fiston, comme je le connais, a tellement foi en la vie qu'il doit déjà être en train de s'en venir à terre avec plusieurs membres de son équipage,

— Et qu'est-ce qui vous fait dire cela, Monsieur le vicaire ?

— Mon intuition, Frédérik. Et chaque fois, ça réussit. Mes nombreuses invocations en prières au Seigneur ont fait que plus souvent qu'autrement mes vœux ont été exaucés. Cependant, comme il y a toujours un prix à payer pour nos fautes sur terre, j'ai l'impression que tous les membres de l'équipage ne réussiront pas nécessairement à s'en sauver.

— Et Érik ? insiste Frédérik.

— Lui, probablement. Quant aux autres, je ne le sais pas vraiment.

— Merci beaucoup pour m'avoir donné de l'espoir, Monsieur le vicaire, que Frédérik lui dit en ingurgitant une dernière lampée de café.

En quittant le vicaire, toujours muni de sa lunette d'approche, Frédérik escalade la Butte-de-l'Église. Il s'attarde à regarder l'Anse-aux-Baleiniers qu'il voit à l'arrière-plan de l'église. Puis tout à coup, un gros frisson lui parcourt le corps quand il aperçoit une masse inerte qu'il croit être d'abord un *charcois* de loup-marin ou encore un des membres de l'équipage de l'*Ariès*. Descendant de la butte à toute vitesse, il se dirige au point de rassemblement à la côte de l'Étang-du-Nord.

— Salut, vous autres, qu'il leur dit en apercevant son escouade. Excusez le retard, mais j'ai dû vérifier mes impressions sur l'endroit possible que pourrait atteindre l'équipage de l'*Ariès* sur la terre ferme.

— *Comme on*, Frédérik, lui dit Samy. Toi, tu as des intuitions et moi, j'ai des nouvelles fraîches de la Garde côtière.

— Hein? Quelles sont-elles?

— *Well...* l'avion de la Garde côtière a capté ce matin de bonne heure un faible signal d'une balise de détresse au sud-est du Banc-de-l'Orphelin.

— Je t'avais bien dit que mon neveu avait atteint et chassé l'Orphelin, lui réplique le Vieux, tout fier de lui mais cependant fort inquiet sur la destinée de son équipage.

— Oui, mais par contre, s'ils ont capté une onde sonore, les grosses vagues parsemées d'infimes morceaux de glace qui se brisaient en écume les ont empêchés d'identifier positivement la source du signal.

— Voilà une assez bonne nouvelle, lui rétorque Frédérik, satisfait tout au moins que le système d'éjection de la balise ait fonctionné.

— Toute la journée et demain, s'il le faut, ils feront d'autres vols de reconnaissance, lui déclare Samy d'un air plutôt méprisant.

— Et ils feront rapport à qui?

— À qui de droit, comme de raison.

— En tout cas, moi je sais fort bien ce qu'il me reste à faire, qu'il lui dit en pensant à ce qu'il a aperçu plus tôt. Allez, suivez-moi vous autres, qu'il poursuit en laissant Samy bouche bée.

L'escouade de Frédérik arpente en tout premier lieu le chemin du Phare qui mène au Cap-Hérissé. Arrivé sur les lieux, le Vieux se force à calculer dans sa tête la vitesse et le sens des courants marins qui transportent les glaces encore plus au nord que ce qu'il avait imaginé au départ.

— Il n'y a rien à faire ici, qu'il dit à ses hommes. Grouillez-vous, on s'en va explorer les anses et cavernes du chemin Belle-Anse.

Arrivés là, ils perdent un temps fou à regarder en bas des hautes falaises de grès rouge et à arpenter de nombreuses cavernes. Frédérik s'aperçoit, une fois de plus, que son calcul est biaisé par la vitesse de la marée montante.

— On perd notre temps, qu'il annonce à ses hommes dont plusieurs commencent à désespérer. On s'en va vers le chemin de la plage de l'hôpital. C'est là que je crois avoir aperçu un petit filet de boucane.

— Un filet de boucane? qu'ils lui répondent en cœur.

— C'est bien ça. Allez, grouillez-vous.

Rompu de fatigue après plus d'une heure de fouilles minutieuses à l'intérieur des *débarris* de terre qui font face à l'Anse-aux-Baleiniers, Frédérik ne sait plus où donner de la tête. Il s'apprête à annoncer un rassemblement quand il aperçoit, tout à coup, dans une crevasse d'eau, un corps inerte à demi immergé. Une grande douleur à lui couper le souffle s'empare de tout son être quand il s'approche pour mieux regarder la figure de l'homme qui gît sur la glace. Il prend son sifflet pour avertir ses hommes mais est incapable d'en faire sortir le moindre son.

— Frédérik! entend-il comme venant de loin. Amenez-vous, on a trouvé des bouts de papier à moitié brûlés.

Levant la tête, la vue brouillée, le Vieux aperçoit l'un de ses hommes qui lui fait signe. Il réussit tout de même, dans un effort surhumain, à le contrer pour qu'il vienne plutôt à lui.

L'homme ainsi interpellé accourt auprès du corps pour le retourner sur le dos. Frédérik, en reconnaissant son fiston, s'effondre à genoux sur la glace en criant sa douleur :

— Ah non! Pas ça! Pour l'amour de Dieu, qu'est-ce qui t'est arrivé, mon fiston?

Érik, les yeux fixes comme ceux d'un mort, a le visage recouvert de plusieurs plaies rouge sang. Une longue barbe remplie de frimas et de détritus lui donne plutôt l'air d'une bête sauvage que d'un être humain. Un filet de sang et de bave qui s'écoule de sa bouche laisse croire aux hommes qui ont tous accouru qu'il n'est pas tout à fait mort.

L'un des hommes compose aussitôt le 911 sur son téléphone portable. Les autres allongent Érik sur un brancard qu'ils placent sur une traîne attachée à une motoneige. Son oncle, quant à lui, est assis tant bien que mal sur le siège arrière d'une autre motoneige et deux des hommes les accompagnent vers le rivage, les autres désirant poursuivre les recherches.

Les deux ambulances qui venaient d'arriver près de la plage quittent à toute vitesse pour amener les deux patients à l'urgence du Centre hospitalier de l'Archipel. Une fois arrivé, Érik est immédiatement pris en charge par le personnel des soins intensifs tandis que Frédérik, en fauteuil roulant, est examiné par les médecins de l'urgence de l'hôpital.

Esthèle, informée de la découverte, entre dans l'établissement comme un coup de vent. Elle s'évertue à supplier la préposée à l'accueil de la laisser voir son fils, mais celle-ci ne peut que la diriger vers son frère qui commence à reprendre ses sens.

— Pour l'amour du ciel, Fred, qu'est-ce qui est arrivé ?

Après une lente et douloureuse inspiration, il lui explique en quelques mots ce qui s'est passé.

— On n'a pas… le choix d'attendre… lui dit-il par mots saccadés, le docteur… est censé venir… nous voir d'ici… une heure ou deux…

— Mon Dieu Seigneur de la Vie, faites en sorte qu'il sauve Érik, ne cesse de répéter Esthèle, les yeux remplis de larmes.

C'est ainsi que pendant plus d'une heure, Esthèle questionne sans relâche le personnel de l'hôpital, cherchant à savoir ce qui se passe avec son plus vieux. Son frère Frédérik qui est branché à un soluté commence à respirer plus à l'aise quand, subitement, le médecin traitant fait son apparition.

— Et puis, docteur, comment va-t-il ? lui demande Esthèle dont le frère ajoute : « Avez-vous espoir de lui sauver la vie ? »

— D'abord, il faut que vous sachiez qu'Érik est actuellement dans un coma profond de niveau 2 ou 3. Les examens ont démontré une enflure au côté gauche du crâne et de nombreuses contusions aux bras et au dos. Les radiographies, quant à elles, ont relevé des traces d'une sévère commotion cérébrale.

— Ça veux-tu dire qu'il va mourir ? questionne le Vieux.

— Pas nécessairement, Frédérik, votre neveu réussit tout de même à respirer presque normalement.

— Vous savez, docteur, j'ai un mandat d'inaptitude de même qu'un papier sur le genre de soins à lui prodiguer.

— Vous allez trop vite, Frédérik. Votre sœur veut probablement en savoir autant que vous. Pour en revenir aux faits, Érik souffre en plus d'une hémorragie interne d'une plaie au bras gauche qui commence à gangrener. Ses mains, ses lèvres et ses pieds sont si gelés et gercés qu'on peut voir la chair vive par endroit.

— *Godash* de *godash* qu'il est magané !

— Du calme, Frédérik. S'il vous plaît, du calme.

— Allez-vous l'opérer ? lui demande Esthèle.

— Pas nécessairement, en tout cas pas immédiatement. Surtout pas avant qu'il ne soit stabilisé. Tous les espoirs sont permis puisque ses signes vitaux sont passablement bons.

— Pouvons-nous le voir? l'interroge-t-elle, le visage défait par l'inquiétude.

— Certainement, mais vous devez au préalable vous couvrir de vêtements stérilisés ainsi que d'un masque antibactérien.

Frédérik et sa sœur entrent dans la chambre et sont frappés de stupeur. Ils aperçoivent Érik, les yeux hagards, la bouche entrouverte avec le corps et la tête recouverts de pansements de toutes sortes. Les appareils qui émettent des sons, des graphiques et des clignotements de lumières laissent pantois surtout Frédérik, qui ne sait pas à quoi s'en tenir avec toute cette nouvelle technologie.

— Écoutez, docteur, à quoi servent tous ces équipements? qu'il s'informe à voix basse.

Le médecin veut bien lui expliquer dans ses propres mots les principales fonctions des appareils, mais déjà l'infirmière préposée au chevet de son neveu lui fait signe qu'il est temps de sortir.

— Dernière question avant de quitter la chambre, docteur.

— Faites vite, Frédérik.

— Éric nous entend-il?

— Pas nécessairement lui, mais son subconscient peut-être. Allez venez, Frédérik. Vous aussi, Esthèle… Il doit l'arracher du chevet de son fils.

Sortis de la chambre, le médecin se fait un devoir d'expliquer ses pronostics du mieux qu'il le peut à Esthèle et Frédérik.

— Au contraire d'un grand brûlé, Érik a souffert d'hypothermie mais les résultats sont presque les mêmes. Dans ce sens, les trois prochains jours seront déterminants pour sa survie.

— *Godash*, avec tous ces appareils et la science que vous possédez, il n'y a pas d'autres choses à faire que d'attendre? lui demande Frédérik d'un ton bourru.

— Oui et non. Après que les trois prochains jours seront passés et dépendamment du diagnostic à ce moment-là, il faudra votre collaboration et celle de votre sœur afin de l'aider à revenir à lui. Saviez-vous que ce sont les pensées qui soignent le corps et non l'inverse?

— C'est bien compliqué, votre affaire, docteur. Il n'y aurait pas un remède autre que de gaver mon fiston de toutes sortes de liquides et d'en faire la vidange avec les innombrables tubes que j'ai vus tout à l'heure?

— Écoutez-moi bien, Frédérik, et vous aussi, Esthèle. Un homme dans le coma tel qu'Érik, qui a subi une importante commotion cérébrale, lance un défi de taille à la médecine moderne. On ne connaît pas grand-chose de la conscience d'une personne humaine et encore moins de son subconscient. On pense — mais on n'en est pas certain du tout — qu'Érik, dont les signes vitaux sont encore bons, n'est pas affecté par son subconscient qui est resté intact, mais bien plutôt par sa conscience qui, elle, devrait réagir à son environnement à un moment donné. Malgré les souffrances que peuvent lui infliger ses nombreuses blessures, avez-vous remarqué que son visage reste paisible? Voilà une preuve... ou presque de ce que j'avance.

— Ma foi damnée, que c'est dur à comprendre. Y a-t-il quelque chose qu'on peut faire pour les connecter ensemble, ces deux-là? Je veux dire la conscience et le subconscient, s'enquiert Frédérik.

— Ho là! mais vous avez compris. Je vous demande donc, à vous deux qui avez une très grande influence sur lui, de commencer dans les prochains jours à lui parler de souvenirs heureux qu'il a vécus tout en le caressant doucement.

— Vous êtes un vrai savant, docteur. Merci beaucoup.

— Il n'y a pas de quoi. Je ne fais que mon devoir.

Sur ce, ils se quittent et chacun s'en va à ses exigences respectives. En soirée, Esthèle ramène son frère chez lui avec une quantité phénoménale de médicaments dont un puissant somnifère. Ce dernier, en entrant chez lui, est surpris de voir Samy qui l'accueille avec sa femme Maria. Le marchand le renseigne d'abord des derniers développements qui apparaissent aux yeux de Frédérik sans importance, sauf que l'avion de la Garde côtière a perdu le signal capté le matin même. Cette situation le fait réfléchir sur l'obligation qu'il a pour demain de tout dévoiler aux autorités, incluant évidemment le fameux filament qui devait retenir la balise attachée au navire. «Finalement, à la nuit tombante, lui fait savoir Samy, le pilote de l'avion aurait entrevu la présence de deux masses qui flottaient sur un morceau de glace à la dérive. Sans doute deux loups-marins adultes, selon eux.»

Samy informe également le Vieux que sa fille Claudia est complètement déboussolée. Ses nombreuses dévotions et visites à l'église lui font croire qu'elle prie à la fois pour la réhabilitation d'Érik et pour la découverte d'autres membres de l'équipage. Elle ne sait plus quoi penser — Samy non plus — vu qu'Érik est l'unique survivant, jusqu'à ce jour, de cette expédition de malheur.

Après que Samy l'a quitté, Frédérik sort de sa poche de manteau les bouts de papier à moitié brûlés que ses hommes avaient récupérés près de l'endroit où son neveu avait été retrouvé. Il y lit des segments de textes incomplets qu'il identifie comme étant des rapports du livre de bord de l'*Ariès*. Les diverses coordonnées, chiffres et écrits l'empêchent cependant de savoir si son fiston avait effectivement chassé l'Orphelin et, encore pire, de comprendre ce qui s'était vraiment passé.

Tenant fermement dans sa main la médaille de Notre-Dame-de-l'Assomption, patronne des Acadiens, qu'il avait détachée d'un vêtement de son fiston, le Vieux se met au lit et tombe finalement endormi, les somnifères aidant.

* * *

Pendant les trois jours qui suivirent l'hospitalisation d'Érik, ses proches parents n'ont effectué que quelques visites à chaque jour, d'une durée d'environ dix minutes chacune. Ces visites ont été faites en grande majorité par Esthèle et Frédérik, Nathaël se refusant d'entrer dans un hôpital qu'il dit être une institution faite pour apprendre de mauvaises nouvelles plutôt que pour guérir. Claudia s'est rendue au centre hospitalier une seule fois et ce fut en compagnie d'Esthèle. Elle a souhaité un prompt rétablissement à son fils et lui a offert son support moral. Quant à Julianna, Frédérik s'est organisé avec le personnel soignant pour restreindre ses visites même si elle continue à l'appeler candidement son amoureux.

Au cours de cette période, l'avion de la Garde côtière a continué ses recherches. Rien de plus normal puisqu'ils ont l'obligation de survoler plusieurs fois par semaine le site du naufrage du *Irving Whale*. De ce fait, ils doivent vérifier l'étendue et la présence de mazout et autres polluants s'échappant de l'épave qui a coulé en septembre 1970.

Malgré une description complète que leur a faite Frédérik du système d'éjection de la balise, la Garde côtière n'a rien constaté qui vaille. En calculant le temps écoulé depuis le naufrage présumé du navire, ils se disent que les batteries sont probablement à plat ou encore que le système d'éjection n'a pas fonctionné adéquatement. Ils décident donc d'en informer Frédérik avant de rejoindre leur base à Halifax en Nouvelle-Écosse.

— Vous savez, Frédérik, malgré qu'on ait déjà capté un faible signal au sudet de l'Orphelin, il y a plus de trois jours de cela, plus rien ne s'est produit depuis.

— Et pour les deux masses qu'on m'a dit que vous aviez aperçues l'autre jour sur une banquise à la dérive, avez-vous poursuivi vos recherches pour en connaître plus? qu'il leur demande en plissant les yeux.

— En fait, les masses qui ont défilé sur les écrans de nos caméras à infrarouge pouvaient fort bien être soit des loups-marins adultes, soit des chasseurs de terre ou encore des rescapés de l'*Ariès*. Qui sait? Et comme on survolait les banquises de nuit, qu'est-ce qu'on pouvait faire de plus, si ce n'est que d'explorer les banquises jusqu'à la limite de nos réservoirs d'essence?

— C'est bien vrai. Mais en retournant demain à votre base, pourriez-vous parcourir les environs du naufrage du *Irving Whale*, vous savez cette barge qui laisse fuir du mazout?

— Mais pourquoi à cet endroit?

— Mon intuition, tout simplement, sur la dérive possible de l'*Ariès* qui, à mon humble avis, n'est pas retenu au fin fond de la mer.

— Voyons, Frédérik, vous fabulez. Si l'*Ariès* a fait naufrage, il a coulé à pic comme un caillou.

— Oui, si ses cales étaient pratiquement vides. Par contre, si elles étaient remplies de peaux de loup-marin, dont chacune est recouverte d'un bon pouce de lard, c'est pas si sûr que ça. J'ai d'ailleurs vécu une expérience semblable, il y a très longtemps, avec un canot à glace rempli de peaux. Impossible de le faire caler, croyez-moi, même avec deux hommes à son bord.

— En tout cas, si ça peut vous faire plaisir, on va le survoler le *Irving Whale*, que lui répondent l'un avec un sourire en coin et l'autre avec les yeux rétrécis par un profond soupçon.

Au cours de sa quatrième journée d'hospitalisation, Érik est transféré dans une chambre mieux appropriée pour son genre de cas. Le médecin traitant indique à ses proches que l'état de son patient, devenu célèbre dans de si tristes circonstances, n'est pas totalement irréversible malgré qu'il soit encore branché à plusieurs appareils. Il entrevoit même la possibilité de lui éviter l'amputation d'orteils et de doigts. Cette nouvelle encourage la famille qui, enfin, voit un faible rayon de lumière au bout du tunnel. Toutefois, le plus inquiétant est la plaie ouverte au crâne qui refuse de guérir, ce qui, aux dires du médecin, est peut-être dû à une hémorragie interne au cerveau. Afin de mieux évaluer les nécessités d'une opération difficile, il s'en remet à un confrère spécialiste de l'Hôtel-Dieu de Montréal qui l'a informé dans ces termes : « Vous vous organisez pour m'amener votre patient avant qu'il ne soit trop tard, à moins évidemment qu'il ait repris conscience et que ses fonctions cérébrales reviennent à la normale. »

Esthèle et plus particulièrement Frédérik saisissent l'occasion, avec l'aide d'un professionnel de la santé, pour procéder à une tentative de réhabilitation. Profitant d'une visite qui, cette fois-ci, peut durer plus d'une heure, Frédérik, toujours pressé, prend les devants. S'approchant de son cher fiston, tout en se promettant de ne rien lui dévoiler sur les disparus présumés de l'*Ariès*, il lui dit :

— Éric, m'entends-tu ? Si c'est le cas, je vais te remémorer des activités qu'on a faites ensemble. Pour commencer, te rappelles-tu la fois qu'on a chassé ensemble les loups-marins au Corps-Mort ?

— Vous allez trop vite, Frédérik, lui dit le professionnel de la santé. Laissez Esthèle lui parler d'abord des moments heureux de son enfance.

— Ah bon ! Ça doit être que j'ai pas le tour. Vas-y ma sœur, essaie-toi.

Pendant plus d'une heure, les deux se relayent pour lui parler tout en lui caressant les mains et le visage avec, comme résultat, de légers spasmes abdominaux qui s'accentuent lorsqu'ils lui confèrent certains moments forts vécus avec la chasse au loup-marin.

— C'est assez pour aujourd'hui, leur indique le docteur. Je vais faire rapport au médecin traitant et revenez demain si vous le pouvez.

— Mais, lui demande Frédérik, pensez-vous que les tremblements qu'il a occasionnellement, c'est bon signe?

— Je ne sais pas vraiment. Je vais faire rapport et on verra par la suite.

À peine est-il revenu chez lui que Frédérik apprend que trois agents de la GRC ont rencontré le médecin traitant pour essayer de lui tirer les vers du nez. Il leur a heureusement répondu avoir officiellement déclaré son patient *non maître de son esprit*.

— C'est bien correct, qu'il déclare à sa femme, s'ils veulent en savoir plus, qu'ils viennent donc me voir. J'ai un mandat à leur montrer.

Et comme s'ils l'avaient entendu, au moment même où il entreprenait son roupillon coutumier, il entend sa femme lui crier : « Fred, lève-toi! On cogne à la porte. »

— Entrez donc, Messieurs de la police. Je vois que vous êtes pas mal nombreux pour une si petite affaire, qu'il leur dit d'un air mal engagé en les faisant passer au salon.

— Messieurs, auriez-vous besoin de quelque chose? leur demande Maria. Une boisson chaude peut-être, le froid perdure vous savez…

— Non merci Madame, lui répond l'agent le moins galonné dans un français assez cassé.

— Va chercher ma sœur et amenez-vous au plus sacrant, demande Frédérik à sa femme. Plus il y a de témoins, mieux ça vaudra.

Quelques minutes par la suite, l'interrogatoire débute en ces termes :

— Voici de quelle manière on va procéder, leur dit l'agent responsable. Un de nous vous questionnera sur Érik à Nathaël, comme il est appelé communément aux Îles. Un autre vous demandera des explications sur le navire, son équipement, etc. Enfin, un troisième se penchera sur les coordonnées des divers membres de l'équipage. Ça va?

— Pas du tout, lui répond Frédérik. D'abord, avez-vous des motifs raisonnables pour procéder à une enquête de la sorte? Vous savez, j'ai un mandat d'incapacité, je peux vous le montrer si vous voulez.

— Écoutez, Frédérik. On sait tout ou à peu près. Certes, vous avez un mandat d'inaptitude et également un testament biologique, mais malgré tout, vous avez installé une balise sur la goélette à l'insu de son équipage, ce qui n'est pas peu dire.

— Ah bon! C'est ça, vous savez tout. Et alors, vous voulez m'accuser de quoi justement?

— Mais non, Frédérik, voyons donc. On ne veut que corroborer les diverses données que nous avons recueillies jusqu'à maintenant.

— Et de qui viennent-elles ces *godash* de données?

— Vous savez bien qu'on n'a pas à dévoiler nos sources.

— OK, j'ai compris. Allez-y, posez-les vos questions.

— Mais faites attention à son angine de poitrine, lui déclare sa femme en signe de prévention.

— Ah bon! On ne savait pas ça.

— C'est la preuve que vous ne savez pas absolument tout, lance Frédérik avec un sourire malicieux aux coins des lèvres.

Après plus d'une heure d'interrogatoire, force est de constater que les agents en savent peut-être plus que Frédérik ne se l'était imaginé au départ. « De vrais fins finauds de policiers », se dit-il.

Les agents, connaissant l'antipathie de son neveu pour la chasse au loup-marin, ne peuvent s'expliquer pourquoi celui-ci avait mis en danger des vies humaines en allant chasser au grand large avec un vieux rafiot plus ou moins bien équipé, surtout du point de vue sécurité. Même si son capitaine avait choisi d'investir dans l'acquisition d'un puissant moteur plutôt que d'un radiotéléphone neuf, il n'en reste pas moins qu'aucun Madelinot n'aurait reçu des messages de détresse de l'*Ariès*. Érik avait sans doute omis ou, pire encore, négligé d'installer les pièces de rechange qu'il avait apportées avec lui.

— Frédérik, lui dit l'agent en toute fin de l'interrogatoire, nous savons déjà que l'*Ariès* n'était pas équipé d'un radiotéléphone fonctionnel dès son départ de la terre ferme. Cela a sans doute empêché votre neveu d'appeler au secours au moment opportun.

— C'est peut-être vrai, lui répond Frédérik en passant sa large main dans sa barbe. Mais qu'est-ce qui vous dit qu'il ne l'a pas réparé et qu'il n'en a pas fait l'essai avec les Norvégiens?

— Peut-être. D'ailleurs, on pourrait faire enquête auprès d'eux, lui répond l'agent très sûr de lui.

Frédérik se sent pris dans un piège dont il lui faut trouver l'issue avant que les agents ne le quittent.

— Vous savez, même s'il est obligatoire par règlement en sécurité navale de posséder un radiotéléphone, la portée de celui de l'*Ariès*, à ce que je sache, était probablement insuffisante pour la chasse sur l'Orphelin. Comme on dit, toute la preuve reste encore à faire.

— En autant que le navire de votre neveu ait fait naufrage dans ces environs, n'est-ce pas ?

— Et qu'est-ce qui vous fait dire le contraire ? qu'il leur réplique.

En fin de rencontre, Frédérik s'aperçoit que les agents ne connaissent pas le fondement même des rumeurs sur l'existence d'autres rescapés. Par contre, il voit bien que ces derniers sont au courant que les règlements de base sur la chasse au loup-marin ont été plus ou moins observés et que les titres sur la propriété de l'*Ariès* n'auraient pas encore été cédés.

En dernier lieu, les enquêteurs vont discuter de l'affaire avec le marchand Samy qui prend garde de ne pas trop s'incriminer sur les questions de transfert de titres, de permis de chasse, de quotas et de crédit accordé sous forme de troc. Tout en discutant, les agents essaient d'en savoir un peu plus sur l'existence d'autres membres de l'équipage de l'*Ariès* qui seraient sains et saufs et cachés par ils ne savent qui. Samy, cependant, reste très évasif sur la question.

Frédérik et surtout sa sœur Esthèle, ainsi que son mari Nathaël, doivent faire face maintenant à une forme de gêne, voire d'antipathie, lorsqu'ils rencontrent les membres des familles des présumés disparus en mer. Toutes les raisons étaient bonnes à l'origine, se rappellent-ils, lorsque ces familles disaient qu'Érik savait très bien ce qu'il avait à faire lors de cette expédition au grand large. Ils se félicitaient aussi qu'il ait donné une chance unique à leur homme *de rattraper leur bouée*. Maintenant, cependant, c'est plutôt de sa faute si tous ces malheurs sont arrivés. C'est justement ce qui fait dire au Vieux que « quand tu donnes à manger à un cochon, c'est pas long qu'il vient faire sur ton perron ». Et ce dernier sera en mesure de mieux le constater puisque deux agents de la Sûreté du Québec ont pris rendez-vous avec lui pour lui poser beaucoup de questions. Ces policiers qui, au préalable, avaient passé au crible les proches des présumés disparus, s'amènent donc un bon matin chez lui.

— Frédérik, nous voudrions que vous nous parliez de votre neveu Érik, que lui dit d'emblée l'agent le plus gradé, après les présentations d'usage.

— Avant de vous en parler, Messieurs les policiers, saviez-vous qu'il y a eu des constables de la GRC qui sont venus m'interviewer?

— On sait déjà cela. Nous autres, c'est autre chose. Le navire, les permis, les règlements et tout ce qui entoure la chasse au phoque, ce n'est pas notre domaine.

— Et c'est quoi votre domaine?

— C'est que nous voulons que vous nous parliez de votre fiston, comme vous vous plaisez à l'appeler.

— Heu! Je voudrais d'abord savoir si vous avez discuté avec d'autres rescapés, si évidemment il y en a.

— Écoutez, qu'on ait déjà parlé ou pas avec d'autres rescapés, là n'est pas la question. Ce que nous voulons connaître, c'est tout ce que vous savez au sujet de votre neveu qui était capitaine de l'*Ariès*, donc la personne la plus susceptible de connaître les événements qui ont eu lieu depuis qu'il s'est embarqué à bord pour l'expédition sur le Banc-de-l'Orphelin.

— Holà! Vous vous placez sur une pente très glissante quand vous parlez de responsabilités.

— Mais non. Nous serions plutôt intéressés à discuter avec vous des fonctions propres à un capitaine de navire. Mais pour en revenir aux faits, allez-vous enfin vous mettre à table et nous parler de votre neveu?

— Comme, par exemple…?

— Eh bien… Aurait-il eu des démêlés dans le passé avec d'autres personnes, ou encore comment allaient ses relations avec les employés du marchand Samy?

— Ça alors, vous allez loin. Vous pensez sans doute à Alpide qui faisait partie de l'équipage?

— Ce n'est pas nous qui sommes interrogés. C'est vous, Frédérik. Allez, déballez votre paquet!

Frédérik se met donc à table en leur racontant détail par détail comment son fiston avait été capable de poursuivre ses études secondaires et collégiales tout en aidant son père à la *gagne* de la famille. Devenu aide-pêcheur, il leur dit combien son neveu avait su profiter d'expériences vécues avec le résultat qu'il est maintenant considéré comme l'un des pêcheurs les plus en vue de toutes les Îles-de-la-Madeleine. Il les tient ainsi en haleine pendant plus d'une heure en espérant leur faire perdre patience suffisamment pour qu'ils foutent le camp.

— Pouvons-nous vous demander la permission de vous enregistrer, Frédérik?

— *Godash* que vous êtes difficiles. Mais si ça peut vous faire plaisir.

— Merci bien. Parlez-nous maintenant de la façon dont se comporte votre neveu face à une controverse.

— Une quoi?

— Quelque chose qui ne fait pas son affaire.

— Et pourquoi?

— C'est que… On aimerait bien éliminer la possibilité qu'il y aurait peut-être eu négligence criminelle.

— Quoi? Êtes-vous *chavirés* pour de bon!

— Du calme, du calme, Frédérik. On sait déjà que vous souffrez d'une angine de poitrine. J'ai bien dit «peut-être», pas plus.

— J'imagine que vous pensez au genre homicide.

— Écoutez, tant et aussi longtemps que votre neveu ne sera pas rétabli, il ne pourra nous dire exactement ce qui s'est passé. Il n'y a pas autre chose à faire que de questionner à gauche et à droite.

— Et peut-être bien avec d'autres rescapés, que Frédérik tente de lui poser comme question.

L'agent restant muet, il poursuit:

— Ma femme, apporte donc leurs manteaux à ces messieurs, je crois bien qu'ils sont pressés de partir.

— Attendez, Frédérik, il y a autre chose.

— Non et non, j'en ai assez dit. Tant et aussi longtemps que je ne connaîtrai pas à fond vos intentions pour me questionner de la sorte, rien à faire.

— Comme vous voudrez, mais ça viendra peut-être plus vite que vous le pensez, qu'il ajoute en franchissant la porte.

— Allez au diable! leur crie Frédérik, en furie.

* * *

Quelques jours après cet épisode d'enquête plus ou moins bien menée, Frédérik, de même que sa sœur, sont appelés à décider à la place d'Érik. En effet, le médecin traitant, en accord avec son collègue de l'Hôtel-Dieu de Montréal, n'a pas d'autre choix que de lui envoyer son patient pour des examens approfondis.

— Vous savez, Frédérik, lui dit le médecin, que la guérison ça vient autant de l'intérieur que de l'extérieur. Comme votre neveu est dans un état comateux et qu'il ne semble pas s'améliorer, on n'a pas d'autre choix que de l'envoyer à Montréal sur l'avion ambulance du gouvernement.

— Ça ne vous ferait rien, Docteur, d'attendre encore une journée? J'ai quelque chose à régler avec Samy avant de vous donner mon accord, puisque évidemment vous en avez besoin.

— Ça va Frédérik, mais cependant pas plus d'une journée.

Satisfait de cet ultime délai, le Vieux rencontre sa sœur de même que Samy pour les convaincre d'envoyer Érik à Montréal par bateau. De cette façon, il va tenter de lui faire revivre les moments les plus gratifiants vécus avec l'expédition de l'*Ariès* vers l'Orphelin. «L'étendue de la mer, le grand air du large, les cris des oiseaux de mer, le bruit des vagues, tout l'environnement habituel d'un pêcheur ne peuvent qu'aider à son "revenez-y"», qu'il leur dit pour les convaincre.

* * *

— Docteur, dit-il en s'adressant à ce dernier le lendemain matin, j'ai ma réponse. On envoie mon fiston à Montréal par bateau.

— Voyons donc! Vous ne pouvez pas décider ça tout bonnement.

— Non mais lisez d'abord ces papiers signés par mon neveu.

Le médecin parcourt le document et s'aperçoit d'une particularité à l'égard de la meilleure décision à prendre pour son patient. Habituellement, c'est à une personne compétente en la matière de décider ce qui est le plus approprié pour un malade tenu en vie d'une façon plus ou moins végétative. Cette fois-ci, par contre, c'est à ses proches parents à décider et, à défaut, son oncle Frédérik.

— J'ai pas le choix, lui dit le médecin, c'est la volonté de votre neveu. Cependant, si c'est par bateau, il faudra l'accompagner avec du personnel de soutien de même que les appareils nécessaires. Comment allez-vous faire alors?

— Tout est planifié depuis une bonne semaine avec les professionnels de la santé de même qu'avec Samy pour qu'on soit prêts demain matin à l'aube.

— Ça va. Je fais préparer les papiers que vous devrez signer, vous, votre sœur Esthèle ainsi que son père, Nathaël.

— Une dernière chose, Docteur, se pourrait-il qu'à un moment ou l'autre quelqu'un vous demande de faire faire une analyse du sang d'Érik pour connaître son vrai père?

— Mais pourquoi vous me demandez ça, Frédérik?

— Ben… C'est seulement pour savoir, c'est tout.

— On verra ça, dans le temps comme dans le temps, comme on dit aux Îles. L'ordre ne peut nous être donné que par consentement des individus concernés ou encore par une ordonnance judiciaire.

— J'ai compris. En tout cas, je l'espère. Comme ça, on se voit demain matin sur le quai des pêcheurs de Cap-aux-Meules, n'est-ce pas?

— Certainement, j'y serai comme un seul homme, lui répond le médecin en lui faisant miroiter son inquiétude mais surtout qu'il était pressé d'effectuer des visites à ses patients.

CHAPITRE 4

Ce n'est pas le type de maladie qu'une personne a qui importe, mais bien plus la sorte de personne qui a cette maladie

C'est au début du mois de mai, soit une dizaine de jours avant l'ouverture de la lucrative pêche aux homards, qu'on amène Érik emmitouflé sur une civière au quai des pêcheurs de Cap-aux-Meules. La journée est idéale. Il fait beau et chaud avec une petite brise du suroît, embaumée d'une senteur de laitance provenant des bancs de harengs qui fraient dans la Baie-de-Plaisance.

Le navire, propriété du marchand Samy, a été affrété et équipé comme s'il s'agissait d'un bateau ambulance. Le personnel de bord est constitué d'un pilote, de trois hommes de pont, de deux professionnels de la santé ainsi que de Frédérik, nommé commandant pour l'occasion.

Ce qui intrigue le plus les gens venus surveiller le départ du bateau est que Claudia fera, elle aussi, partie du voyage. Plusieurs disent que Samy, comme d'habitude, a voulu faire d'une pierre deux coups. Comme il a pris à sa charge toutes les dépenses encourues pour la traversée, il a sûrement incité Claudia à rendre visite à son frère, un marchand de poisson réputé de l'avenue des Pins à Montréal. Il espère ainsi remettre en cause l'avenir de sa fille avec un homme qui, faute de mourir, pourrait rester avec de graves séquelles.

Il y a passablement de gens qui, sachant l'existence de la fameuse balise, se disent que Frédérik va sûrement tenter quelque chose lors du voyage. Les rumeurs selon lesquelles l'*Ariès* aurait stocké dans ses cales une pleine charge de peaux de loup-marin sont de plus en plus vraisemblables.

Parmi les personnes qui sont sur le quai surveillant le départ, il y a le marchand Samy, le médecin traitant d'Érik, sa mère Esthèle de même qu'un agent de la SQ et un de la GRC qui ont remis une missive à Frédérik dont il prendra connaissance au moment voulu. Plusieurs proches parents des présumés disparus en mer font partie également des gens présents dont plusieurs essaient, tant bien que mal, de répondre aux questions des médias locaux soucieux de suivre l'affaire de près. Julianna, quant à elle, reste en retrait, évitant ainsi une possible scène de jalousie avec sa petite cousine Claudia.

Esthèle n'est pas consolable de voir son fils aîné la quitter pour la grande-terre et peut-être pour toujours. Égrenant son chapelet dans une poche de son vieux manteau de drap, elle a le regard vide avec des larmes qui ne cessent de couler sur ses joues.

Tout en récitant son *Notre Père* à chaque dizaine de *Je vous salue Marie*, elle réfléchit sur les mots « délivrez-nous du mal » pour s'apercevoir que le marchand Samy, debout près d'elle, marmonne lui aussi ses propres dévotions. S'approchant d'elle, il lui dit:

— Tu perds ton fils pour les docteurs de Montréal et moi ma fille pour je ne sais quoi encore. Je te dis, ce n'est pas fameux comme avenir.

Reprenant ses esprits, Esthèle lui répond:

— Surtout que Nathaël me disait encore hier soir que tu allais sûrement nous exiger les garanties qu'on t'a données sur le crédit que tu avais consenti à Érik.

— *Well...* laisse faire Nathaël et son *pifomètre*. Pour te montrer mon grand cœur, Esthèle, j'oublie tout. Je sais que ça vous ramène une fois de plus en arrière de votre bouée, mais j'ai confiance en la vie et surtout en toi ainsi qu'à ton fils.

— Mais... c'est trop de bonté! Merci beaucoup, Samy. On t'en sera reconnaissants pour le restant de nos jours, qu'elle lui bredouille, toute surprise et gênée à la fois.

— Et peut-être avant, qu'il lui répond d'une voix mielleuse en s'approchant d'elle pour ajouter: Tu sais, Esthèle, que le malheur ne t'a pas vieillie d'un pli.

— Merci encore mille fois, Samy, lui dit-elle, confuse, en le quittant.

On largue les amarres et le bateau appareille pour ce long voyage qui ne devrait pas dépasser une quarantaine d'heures, dépendant de la force des marées. Esthèle, un peu troublée, s'en va aussitôt terminer ses dévotions à la Vierge Marie, tandis que Samy se dirige sur les plus hautes buttes des Îles pour surveiller, à la longue-vue, son bâtiment qui vogue déjà dans la grande Baie-de-Plaisance.

Grimpé sur l'une des buttes des Demoiselles de Havre-Aubert, il aperçoit son navire qui traverse le chenal de la passe de l'Île-d'Entrée quand il entend sur son radiotéléphone portatif:

— Le *Cap-Vert* appelle la base à Samy. À toi.

— Ici la base à Samy. À l'écoute. À toi.

— Place-toi sur le canal 23. À toi.

— Ici la base à Samy. Qu'est-ce qu'il y a de nouveau? À toi.

— Ici le *Cap-Vert*. Tout va pour le mieux et je m'apprête à faire le nécessaire. À toi.

— Ici la base à Samy. C'est bien correct. Je me place sur le canal de veille et on se rappelle si l'occasion s'y prête. À toi.

— Ici le Cap-Vert. J'ai bien compris. Terminé.

Peu de temps après, lorsque le navire passe le long de la plage du Bout-du-Banc, Frédérik demande qu'on sorte son fiston de la timonerie pour lui faire prendre un coup d'air frais. Debout, tout près de lui sur le gaillard d'avant, il profite de l'occasion pour lui parler:

— Eh bien! fiston, ça fait un bon bout de temps que je n'ai pas bavardé avec toi. Je ne sais pas si tu m'entends, mais je prends quand même la chance. Te rappelles-tu de ta toute première expérience à la chasse au loup-marin, ici même à tribord du bateau? Ça n'a pas été très facile, je te le concède. Incapable de tuer ces bêtes de sang-froid et risquer sa peau en même temps, ça me dépasse. Tu te souviens avoir failli te noyer et d'avoir gelé? Mais tu t'en es bien sorti, tout comme cette fois-ci, n'est-ce pas?

Jetant un coup d'œil à son fiston, Frédérik s'aperçoit qu'il a le visage crispé et qu'il râle plutôt qu'il ne respire.

— Garde, venez et apportez de l'oxygène. Érik a l'air mal en point.

L'infirmière accourt en compagnie de Claudia et de l'autre professionnelle dont l'une place le masque à oxygène pour aider Érik à mieux respirer.

— Frédérik, que s'est-il passé ? lui dit l'infirmière en l'écartant de la civière.

— Bien…heu !… J'étais en train de lui parler de sa première expérience à la chasse au loup-marin lorsqu'il était adolescent et puis…

— Frédérik, qu'elle lui dit d'un air sévère et accusateur, je vous avais bien averti de ne lui parler que de choses heureuses qui comblent en quelque sorte un besoin affectif comme l'amour envers quelqu'un.

— Mais, vous savez, ces choses-là, c'est pas mon fort.

— En tout cas, modérez vos transports et laissez votre fils se détendre suffisamment pour qu'on puisse lui enlever au plus vite son masque à oxygène. Autrement, ce n'est pas du testament biologique dont on va avoir besoin, mais bien plus d'un corbillard.

Frédérik ne sait plus à quel saint se vouer et de grosses larmes de tristesse perlent sur ses vieilles joue pour disparaître dans sa barbe grisâtre. Il se retire à l'écart, s'allume une bonne pipe de façon à faire fondre la boule d'angoisse qui lui serre la gorge. Il sort de sa poche la missive que les policiers lui avaient remise au départ. Il en fait la lecture pour s'apercevoir qu'en fait, les agents ont bien hâte de questionner son fiston, aussitôt qu'il aura suffisamment repris ses esprits. « Sans doute qu'ils connaissent bien des choses, se dit-il, mais de qui les ont-ils apprises ? De Samy ? D'autres rescapés, je suppose ? Et puis, pourquoi la GRC ne dit-elle mot dans la missive sur le dernier vol de reconnaissance de la Garde côtière ? » Il s'aperçoit ainsi qu'il n'est pas plus avancé qu'auparavant dans sa recherche de la vérité et que seul son neveu, en qui il a une confiance inébranlable, saura mettre les pendules à l'heure.

Sur l'heure du midi, s'approchant de l'île du Corps-Mort, un des hommes de roue prépare le repas constitué d'un *tchaude** agrémenté de petits lardons grillés. Les détritus du repas sont jetés à la mer et font aussitôt le délice de nombreux goélands qui suivent le bateau en se laissant glisser sur l'air chaud dégagé par les émanations du moteur. Les quelques loups-marins gris qui nagent dans les parages, se voyant privés de ces restes de table, attrapent plusieurs goélands trop gourmands avant qu'ils ne réussissent à reprendre à temps leur envol.

---

* Tchaude : chaudrée de poisson et de fruits de mer.

Passant par-dessus son petit roupillon, Frédérik regarde à la longue-vue les îles qui disparaissent à l'horizon en espérant que Samy fasse de même depuis que son bâtiment a quitté son port d'attache.

Juché sur la Butte-des-Picotte à Bassin, le marchand est plutôt en train de se faire du mauvais sang. Il s'allume d'abord un de ses cigares préférés, s'assure que son radiotéléphone est bien positionné sur le canal commun et se met à *jongler* avec nostalgie au passé. « Comme les choses ont changé aux Îles depuis la fin des années soixante », se dit-il.

Il s'aperçoit d'abord qu'il y a maintenant beaucoup plus de maisons éparpillées au gré des vents qui, avec leurs couleurs vives, font l'orgueil de nombreux pêcheurs. Ces derniers se sont maintenant organisés d'eux-mêmes en coopératives afin de se soustraire à la forme de contrôle qu'il exerçait il n'y a encore pas si longtemps. Ces pêcheurs propriétaires de gros bateaux et en partie d'usines de transformation sont si bien équipés que leurs appareils de navigation peuvent leur montrer à coup sûr les possibilités de captures les plus propices à leur genre de permis. En retour, les quotas deviennent de plus en plus réduits et l'application des règlements plus stricte.

L'avenir de la chasse au loup-marin étant très incertain avec le reportage d'un journaliste de Radio-Canada, Samy se dit que le marché va réagir négativement et que les moratoires sur les produits dérivés apparaîtront de partout. Il y a toujours le tourisme pour compenser, mais il se rappelle avoir lu dans l'hebdomadaire local que les prestations d'assurance-emploi aux Îles dépassent de plusieurs millions les revenus bruts de la lucrative pêche au homard. Et comme la population ne cesse de diminuer, son avenir à lui, en tant que marchand indépendant aux Îles, n'est pas certain.

Ayant perdu de vue son bâtiment depuis plus de trois heures, Samy fait un dernier essai avec Frédérik dans l'espoir que de bonnes nouvelles lui remettent le cœur à l'endroit.

— La base à Samy appelle le *Cap-Vert*, à toi.

— Ici le *Cap-Vert* à l'écoute, à toi.

— Place-toi sur le canal 13, à toi.

— Ici le *Cap-Vert*. Tu me déranges, *godash* de *godash*. J'étais justement en train de me…

— Ici la base à Samy. Excuse-moi, mais n'oublie pas de me tenir au courant. À toi.

— Ici le *Cap-Vert*. Tu m'as coupé, Samy. Je voulais te dire que…Bon, laisse faire ; je me place sur le canal de veille, lui déclare le Vieux en replaçant son micro.

. Rendu au nord du Banc-Bradelle, Frédérik décide de procéder à une nouvelle tentative de réanimation avec son fiston. « Ou il revient à lui, ou il n'y a plus rien à faire », se dit-il.

Entubé et couché sur une civière dont on a relevé quelque peu la tête, Frédérik se doit de forcer Érik à utiliser dans son subconscient la technique de visualisation comme le lui avait recommandé l'une des professionnelles de la santé. S'approchant de son fiston, il lui prend les deux mains et lui dit :

— Érik, si tu voyais comme il fait beau. La mer est d'huile et le soleil brille de tous ses feux. Prends une bonne respiration et tu verras comme l'air salin ça fait du bien, qu'il ajoute en constatant que son fiston cligne quelque peu des paupières. « Ça y est, je pense bien qu'il m'entend maintenant », qu'il se dit. D'après mes calculs, on se situerait à l'heure qu'il est à proximité de l'Orphelin. Tu sais, ce fameux banc de chasse qui t'a permis de couillonner ces *godash* de Norvégiens ? qu'il poursuit en constatant que les yeux d'Érik clignent de plus belle.

Frédérik, ne voulant pas perdre le fil de ses idées, fait signe à Claudia et aux professionnels de la santé d'approcher.

— Tu sais, fiston, si tu voyais comme tu es bien entouré ! Il y a Claudia ainsi que plusieurs personnes qui vont t'aider à reprendre tes esprits. À part de ça, pour en revenir à l'Orphelin, je suis absolument certain que tu as pu le localiser et remplir les cales de l'*Ariès* de belles peaux de loup-marin. Ne voulant pas lui dévoiler le naufrage présumé de l'*Ariès*, il poursuit : Comme de raison, tu y as trouvé ton compte et tu as rendu tout ton monde heureux, n'est-ce pas fiston ?

Subitement, Frédérik sent un doigt de son fiston qui se contracte. Au début il n'en croit rien, pensant qu'il s'agit plutôt du sien. Cependant, plus il lui parle de l'exploit invraisemblable d'avoir été à la hauteur de ses ambitions, plus il sent que toute sa main, en se crispant, réagit à ses appels.

— C'est bien ça, fiston, lâche pas le morceau et viens-t'en à la surface. N'aie pas peur, je suis tout près de toi pour t'accueillir.

Quelques secondes suffisent à peine pour que le visage d'Érik se crispe et que sa bouche se mette à marmonner quelques mots qui font comprendre à l'infirmière qu'il a soif. À peine a-t-il ouvert les yeux et ingurgité quelques gouttes de liquide qu'il s'applique à regarder autour de lui en disant, par mots à peine audibles : « Qu'est-ce… que… je fais… ici ? »

— Mais c'est que tu arrives d'un très long voyage dans les ténèbres, mon Érik. Garde, faites quelque chose ; je ne voudrais pas qu'il s'en retourne.

— Laissez-moi l'approcher, Frédérik, pour que je fasse le nécessaire.

L'infirmière, en compagnie d'une autre professionnelle de la santé, demande au Vieux de continuer son manège pendant qu'elles examinent les signes vitaux du malade, de même que toutes les fonctions essentielles à la vie. Après quelques minutes, elles déclarent d'emblée que leur patient est sorti de son coma. « Mais il faut y aller à petite dose », ajoute l'infirmière en regardant Frédérik.

Heureux comme pas un, ce dernier se met à fredonner le refrain préféré de son fiston, *L'amour brillait dans tes yeux*. Il s'accapare de Claudia et se met à danser devant elle en proclamant haut et fort : « Mon Dieu, que la vie est belle ! »

Peu après il se rassoit et s'adresse à son entourage en ces termes :

— Garde, je pense qu'on peut maintenant tourner de bord. Et vous, Claudia, qu'en pensez-vous ?

— Moi, vous savez, je suis prête à faire tout ce qu'il faut pour la réhabilitation complète de votre neveu.

— Ah oui ? Ça veut dire que vous allez m'aider pour qu'il redevienne comme avant ?

— C'est à peu près ça, Frédérik.

— Parfait, j'avertis votre père par radiotéléphone.

— Attendez, lui dit l'infirmière. Il faut que je demande d'abord l'autorisation au médecin traitant avant de décider quoi que ce soit.

— Faites ce qu'il faut, qu'il lui répond, plein d'enthousiasme. Quant à moi, j'appelle Samy sur-le-champ.

Le marchand, qui s'apprêtait à quitter son perchoir, reçoit un appel de Frédérik tout excité de lui apprendre la nouvelle.

— Le *Cap-Vert* appelle la base de Samy. J'espère que tu es à l'écoute. À toi.

— Ici la base à Samy à l'écoute. Sur quel canal ? À toi.

— Ici le *Cap-Vert*. Laisse faire le canal. Imagine-toi que mon fiston a repris conscience et que ta fille se dit prête à faire demi-tour avec nous. À toi.

— Ici la base à Samy. C'est bien compris mais… Ça va, ça va Frédérik. À toi.

— Ici le *Cap-Vert*. On va accoster au grand quai de Cap-aux-Meules à la tombée du jour. À toi.

— Ici la base à Samy. C'est bien correct, qu'il lui répond pour clore la conversation.

Frédérik, s'étant assuré qu'il n'y avait pas d'objections du médecin traitant, donne l'ordre au capitaine de virer de bord. Il retourne auprès de son fiston qui sommeille légèrement.

— Et puis, garde, c'est quoi l'espoir qu'il se rappelle du passé ? qu'il lui demande en regardant du même coup Claudia qui tarde à s'éloigner.

— Vous savez, ça ne se fait pas du jour au lendemain. Votre neveu vous a sûrement reconnu et ça, c'est une très bonne nouvelle. Par contre, étant donné qu'il nous entend avec un certain décalage, il va falloir l'aider à réhabiliter sa voix qui aura tendance à hésiter dans le choix des paroles appropriées. De plus, et on ne peut encore en être certain, Érik aura probablement de la difficulté à se souvenir de…

— De quoi ? lui demande rapidement Frédérik en lui coupant la parole.

— … du passé.

— *Godash* que c'est compliqué ces affaires-là ! En tout cas, on verra à ça dans le temps comme dans le temps. En autant que je sache vraiment ce qui s'est passé au grand large, pour le reste ç'a moins d'importance.

— Frédérik, lui dit Claudia, faites donc confiance à la vie, comme vous vous plaisez à le répéter si souvent. Qu'est-ce que vous attendez pour aller faire votre petit roupillon pendant que je m'occupe de votre fiston ?

— Ah vous ! C'est tout comme si j'avais affaire à un ange du bon Dieu. Je m'en vais justement dans le *fourgacelle** mais, avant cela, j'ai quelque chose à vérifier.

---

* Fourgacelle : de l'anglais fore castle (gaillard d'avant d'un navire).

Frédérik s'en va aussitôt dans la timonerie pour s'accaparer de ses meilleures lunettes d'approche. Pendant plus d'une heure, il scrute la surface de la mer à la recherche de la fameuse balise. N'ayant rien aperçu, il se satisfait tout de même en se disant que si la balise se retrouve actuellement quelque part à la surface de l'eau, elle ne se situe pas dans le secteur. Cela viendrait confirmer ses appréhensions que l'*Ariès* dériverait encore plus au sud-est, peut-être bien dans les parages du Rocher-aux-Oiseaux. Après tout, à chaque printemps, n'est-ce pas par là que les glaces *dégolfent* pour franchir le détroit de Cabot et parvenir par la suite dans l'océan Atlantique ?

Exténué, il entre dans le gaillard avant et s'écrase sur l'une des couchettes pour faire son somme habituel. Allongé, complètement détendu, il entend le gouvernail du navire qui grince en mordant dans l'eau, preuve que le bâtiment a déjà amorcé son virage à la Pointe-de-l'Est. Les yeux à demi clos, il glisse sa main dans une ouverture de son épaisse chemise. Dans un geste de recueillement, il tâte son scapulaire en remerciant le Ciel d'avoir exaucé ses prières. Sentant le sommeil l'envahir, il ferme les yeux pour mieux apprécier encore ce moment de bonheur et de sérénité.

* * *

— Frédérik, levez-vous ; on accoste dans une vingtaine de minutes environ, lui crie l'homme de pont.

Le Vieux se lève, étire sa vieille échine et se rend auprès de son fiston qui récupère très bien, aux dires du personnel soignant. Sans plus tarder, il accroche Claudia pour lui parler à l'écart.

— Claudia, vous êtes sans doute au courant que votre père, dans son jeune âge, a fréquenté Esthèle, la mère d'Érik.

— Oui. Pourquoi ?

— C'est parce que… si Érik en vient à être guéri complètement, seriez-vous intéressée encore à lui ? qu'il lui demande en tentant de savoir si elle connaît le mariage obligé de sa sœur.

— Ah vous, les hommes ! Vous voulez toujours tout savoir d'avance. Je ne peux pas vous répondre tout de suite. De toute façon, il faut que je discute de cela avec mon père. En passant, puis-je me servir du radiotéléphone pour l'appeler ?

— Aucun problème. Allez-y, qu'il lui répond en se mordillant les lèvres.

Quelques instants plus tard, toujours empressée de satisfaire la curiosité de Frédérik, Claudia lui dit :

— C'est fantastique ! Imaginez, il y a une grosse foule qui nous attend sur le quai, incluant les proches des disparus. Et vous savez quoi ? Azade est également du nombre qui attend fébrilement de voir Érik.

— Ah ces rumeurs ! lui ronchonne le Vieux. C'était donc vrai, il y a effectivement au moins un autre rescapé.

— Il y a aussi mon père, ma mère, le médecin d'Érik et plusieurs policiers, mais je ne sais pas pourquoi.

— Moi, je m'en doute, lui répond Frédérik, en demandant aux hommes de pont de commencer à préparer le nécessaire pour l'accostage du navire.

Aussitôt le bateau attaché au quai, on fait descendre Érik. Ce dernier embrasse du regard la foule qui ne cesse de se bousculer pour s'approcher de lui. Les agents ont beaucoup de difficulté à faire un passage à la civière qui l'amène vers sa mère Esthèle qui, pour l'occasion, est accompagnée du médecin traitant.

— Maman… Maman… qu'il balbutie.

Esthèle se précipite au cou de son fils pour lui chuchoter à l'oreille : « Mon Dieu, que c'est bon de te voir revenu à toi, mon grand. »

Le médecin écarte Esthèle et la dirige aussitôt vers Frédérik dans le but de prendre charge de son patient qu'il conduit vers l'ambulance qui le transportera au Centre hospitalier de l'Archipel. Samy, qui a suivi la scène des yeux, ouvre grand les bras pour accueillir sa fille Claudia qui le couvre d'innombrables bécots en lui disant tout bas :

— J'espère, papa, qu'en décidant de faire demi-tour, ç'a fait ton affaire ?

— Tu sais, Claudia chérie, qu'Érik soit revenu a lui, c'est une bonne chose. Mais qu'il y ait d'autres rescapés, c'est encore bien mieux.

— Ah oui ? Où sont-ils ?

— Regarde par là, lui répond son père en pointant du doigt l'ambulance qui s'apprête à embarquer Érik. Viens, on va s'approcher d'eux.

— Érik, comme je suis heureux de te voir revenu à toi, lui dit Samy. Me reconnais-tu? Et l'homme qui est à côté de toi? Il faisait partie de ton équipage.

— Samy… Azade… mais… mais les autres…? bredouille faiblement Érik.

— Laisse faire pour les autres, lui lâche le Vieux, en faisant signe au médecin d'introduire son fiston au plus vite dans l'ambulance.

Azade à Polyte, un vieux garçon dans la quarantaine, qui agissait comme maître mécanicien sur l'*Ariès*, a été retrouvé, peu de temps après Érik, sur la Dune du Nord. Il errait et divaguait autant en paroles qu'en gestes, ne sachant plus où il se trouvait. Naïf sur les bords, il a toujours su se placer du côté du plus fort, celui qui lui mettra du beurre sur son pain. Haut comme trois pommes, sa démarche nonchalante exprime fort bien ses traits de caractère qui, aux dires de plusieurs, en a pris pour son rhume avec le naufrage présumé de l'*Ariès*.

Frédérik, qui le suit des yeux depuis une vingtaine de minutes en l'écoutant donner sa version des faits aux proches des disparus, dit aux policiers:

— Saviez-vous, Messieurs de la police, qu'Azade était rescapé au moment où vous m'avez questionné l'autre jour?

— Oui et non, ça dépend.

— C'est bien ce à quoi je m'attendais comme réponse. Mais je m'en vais quand même vous dire quelque chose que vous ne savez peut-être pas. Si au départ de l'*Ariès* pour l'Orphelin, il *lui manquait un bardeau*, actuellement, c'est tout le paquet qui lui fait défaut.

— Et ça veut dire quoi? demande l'agent d'un air offusqué.

— C'est qu'étant donné que mon fiston est en voie de guérison, vous connaîtrez toute la vérité, quoi qu'en dise Azade ou n'importe qui d'autre.

— Et quand est-ce qu'on pourra questionner votre neveu?

— Ce n'est pas à moi qu'il faut demander ça, même si j'ai un mandat. Ça regarde maintenant son docteur en qui j'ai mis toute ma confiance. Tenez, qu'il leur dit en fouillant dans sa poche, je vous retourne la missive que vous m'aviez remise ce matin même.

— Merci, Frédérik. Rappelez-vous par contre que cette obscure affaire ne fait que débuter et qu'on aura sûrement à en discuter encore avec vous dans le futur.

— Pas de problème. Mais tiens, j'y pense, avez-vous eu des nouvelles sur le dernier vol de reconnaissance de la Garde côtière lors de son retour à sa base de Halifax?

— Pour cela, vous vous présenterez au bureau dans les prochains jours et on vous informera, qu'ils lui disent en le quittant.

Frédérik, sentant une extrême fatigue, veut rentrer à la maison au plus vite malgré que les proches des disparus soient presque au garde-à-vous à la sortie du quai. Il s'approche d'eux et les tient au courant de ce qui s'est passé lors du voyage. Le frère d'Aristide à Nazaire –l'un des présumés disparus en mer –, qui agit comme porte-parole du groupe, lui fait savoir en ces termes que son fiston n'est pas sorti du bois pour autant:

— Une chose est certaine, votre neveu ne va pas s'en tirer comme ça.

— *Godash*, beugle Frédérik, êtes-vous en train de porter des accusations?

— Non, mais ça pourrait venir plus vite que vous le pensez. On a hâte qu'il soit capable d'avouer ses erreurs.

— Vous voulez dire celles qu'Azade à Polyte vous a racontées. Croyez-moi, ça ne vaut pas cher.

— Peut-être bien venant de lui, mais de quelqu'un d'autre qui confirme ses dires, ça commence à avoir pas mal de sens.

— Sauf si mon Érik, qui était capitaine de l'*Ariès*, est en mesure de démontrer que ce malheureux accident n'est en fait qu'un *Act of God*, comme on dit.

— De toute façon, qu'il répond à Frédérik en s'éloignant de lui, l'avenir nous dira qui de nous a raison.

Le Vieux entre chez lui complètement exténué. Sa femme, Maria, qui a été tenue au courant de son retour, lui a préparé son repas préféré, un pot-en-pot aux fruits de mer, agrémenté d'une sauce homardière qu'il avale comme un ogre, tellement l'air du large lui a ouvert l'appétit.

Deux bonnes heures par la suite, il s'étend sur son lit, le visage rayonnant du bonheur d'avoir fait revenir à lui son cher fiston. « Ouais! se dit-il, Azade doit être influencé par quelqu'un d'autre. Peut-être Samy qui, tout comme moi, a de la parenté parmi les disparus. » Son fiston est bel et bien revenu à lui et c'est ça le plus important, d'autant plus que le médecin a bon espoir qu'il sera complètement réhabilité d'ici une quinzaine de jours. À ce moment-là, il pourra enfin connaître la vérité, rien que la vérité. Fermant les yeux pour s'endormir, il se promet d'aller aux nouvelles au bureau de la Garde côtière aussitôt l'ouverture des portes de l'établissement de Pêches et Océan Canada.

* * *

— Et puis, qu'est ce qu'il y a de nouveau? qu'il dit à la préposée au comptoir.

— Oh! Vous m'avez fait peur, Frédérik, lui répond celle-ci qui était en train de se concentrer sur un nouveau logiciel. Qu'est-ce qu'on peut faire pour vous?

— Avez-vous le rapport de la Garde côtière sur le dernier vol de reconnaissance de l'*Ariès*?

— Mais oui, Frédérik. Jean! qu'elle crie en détournant la tête, est-ce toi qui as le rapport de recherche sur l'*Ariès*? Il me semble que je te l'ai remis hier?

— Oui, Denise, je le prends en filière et je te l'apporte dans une minute.

Peu après, Frédérik parcourt, en diagonale, les divers rapports de la Garde côtière et s'attarde sur celui faisant état des lieux entourant l'épave du *Irving Whale* pour constater qu'il n'est pas le premier à en prendre connaissance et sûrement pas le dernier.

— Parfait, lui dit Frédérik en lui remettant le dossier.

— Quoi? l'interroge la préposée. Avez-vous bien lu que le rapport n'indique rien qui aurait été vu ou entendu dans les parages du site du *Irving Whale*?

— Bah! Ce que je veux dire par là, c'est que je me suis fait avoir avec l'achat de cette balise. Les batteries n'ont sûrement pas répondu au délai indiqué dans les instructions ou, encore pire, le système d'éjection n'a jamais fonctionné correctement.

— C'est un point de vue comme un autre.

— Comme un autre…? Qui d'autre?

— Bah! Comme tous ceux qui sont venus ici avant vous pour examiner ces rapports.

— Et qui sont ces personnes?

— Holà, vous allez trop loin, Frédérik! Il faudrait que vous remplissiez une réquisition pour que nous puissions décider s'il y a lieu de vous dévoiler ces noms.

— Bon, laissez donc faire. Il faut que je m'en aille voir mon fiston à l'hôpital, dit-il en pensant qu'il est bien difficile de faire bouger ces *brasseux de papier.*

— En passant, faites-lui nos meilleures salutations. Votre neveu est tellement sympathique.

— Je m'en occupe. Merci tout de même pour vos informations, qu'il lui dit en la quittant.

* * *

Faisant son entrée dans hall du centre hospitalier, Frédérik rencontre sa sœur Esthèle.

— Bonne journée, lui dit-elle. Tu as l'air soucieux; qu'est-ce qui se passe?

— C'est que, ma très chère sœur, imagine-toi donc que tout le monde aux Îles, ou à peu près, cherche à savoir où se situe l'épave de l'*Ariès.*

— C'est tout à fait normal. Pourquoi t'en faire avec ça?

— Je ne m'en fais pas. C'est plutôt le contraire. Imagine-toi donc que tout ce beau monde pense pouvoir la localiser à un endroit complètement différent de celui où je suis presque assuré de la retrouver.

— Et alors? lui répond Esthèle, pressée de rendre visite à son garçon.

— C'est que ma ruse avec la Garde côtière a fonctionné, qu'il lui dit à voix basse. Je connais à coup sûr l'endroit présumé de sa dérive qui est...

— Laisse faire, lui lance Esthèle en l'interrompant. Les murs ont des oreilles. Viens, on va rencontrer le docteur pour avoir des nouvelles sur l'état de mon fils.

Le médecin traitant les rencontre dans son bureau adjacent à l'aile des soins crâniens pour les informer de son diagnostic. Il leur dit, en premier lieu, que son patient récupère bien, qu'il a passé une bonne nuit et que toutes ses fonctions vitales sont revenues à la normale. Cependant, c'est avec ses blessures à la tête qu'il a de la difficulté.

— Votre fils, Esthèle, souffre d'une forme d'amnésie.

— Une quoi? lui demande Frédérik, inquiet par ce mot beaucoup trop savant pour lui.

— C'est que l'amnésie partielle dont souffre Érik se traduit par la perte de mémoire d'événements passés à court et moyen terme. Je vous donne un exemple : il se souvient parfaitement de sa jeunesse et même de certaines activités de chasse au loup-marin avec vous, quoique ces passages semblent l'affecter. Cela est probablement dû à une première commotion cérébrale qu'il avait subie en votre présence, Frédérik. Vous vous souvenez?

— Oui, oui, continuez. J'ai hâte de connaître la suite.

— Érik reconnaît les gens, les objets, enfin tout son environnement. Nous avons tenté d'en savoir plus sur l'expédition de l'*Ariès*, mais à chaque fois que nous abordons les journées de chasse sur le Banc-de-l'Orphelin, il n'y a rien à faire, c'est le *black-out* complet.

— Est-ce que cela veut dire qu'on ne connaîtra jamais de lui ce qui s'est vraiment passé au grand large?

— Vous savez, son amnésie peut être temporaire comme aussi bien permanente. Le cerveau est très complexe et nos connaissances sont limitées. Comme on prétend que sa perte de mémoire a été occasionnée par des blessures accompagnées d'émotions fortes telle la disparition d'êtres chers, par exemple, il n'est pas dit qu'il ne s'en souviendra pas un jour. Pour l'aider à sa réhabilitation, il doit être confronté à un nouvel espoir de relever des défis qui l'amèneront à compenser pour ses échecs.

— C'est bien, votre exposé, lui répond Esthèle en soupirant. Pensez-vous, par contre, qu'on peut commencer à aborder avec lui les pertes en vies humaines?

— Non, non, pas tout de suite. Laissez les professionnels vous indiquer le moment propice pour le faire. Autre détail important : Azade à Polyte a été affecté, lui aussi, par l'hypothermie, ce qui en résulte qu'il divague encore plus que par le passé.

— Suffisamment pour conter des menteries? lui demande Frédérik.

— Ça, c'est une autre affaire. Cependant, il est de mon devoir de vous demander de vous assurer que votre neveu ne puisse être confronté à lui ou à n'importe qui d'autre qui faisait partie de l'équipage de l'*Ariès*.

— Mais qui d'autre, Docteur? lui demande Frédérik. N'est-ce pas Alpide à Johnny, comme les palabres le répètent?

— Des palabres?

— Ce sont des rumeurs, Docteur, et je vois dans votre regard que vous ne pouvez me le confirmer. Vous ne m'avez rien dit, rassurez-vous.

— Bon, il faut que j'aille maintenant.

— *Godash* de *godash*, lâche Frédérik en se retournant vers sa sœur, si Alpide se montre la face aux autorités, mon fiston a besoin de se rappeler du tout au tout au plus sacrant.

* * *

Pendant plus d'une semaine, Esthèle et Frédérik rendent visite à Érik qui remonte la pente d'une façon extraordinaire. Il mange bien, dort ses pleines nuits et parle presque couramment. Le personnel soignant s'applique à lui faire faire des exercices pour que ses muscles se détendent et qu'il reprenne son équilibre d'antan.

Au fait, Érik reprend peu à peu son anatomie d'avant. Faisant plus de six pieds, il tient plutôt de la physionomie de sa mère que celle de son père Nathaël. Ses yeux bruns perçants reflètent une intelligence vive. Coiffés d'une forte chevelure châtaine, ses traits réguliers le rendent très séduisant auprès de la gente féminine. Même s'il est au début de la trentaine, il a quand même gardé son petit sourire narquois d'adolescent. Un ricanement qui désarme souvent ses détracteurs et qui le rend encore plus attachant auprès de ses proches.

Dès sa tendre enfance, Érik est considéré un enfant peu turbulent qui ne cesse de vouloir connaître avec acharnement le pourquoi des choses. Premier de classe à l'école primaire, il fait tellement de remontrances sur la façon d'enseigner à son institutrice qu'elle le renvoie chez lui plus souvent que l'ensemble de tous ses compagnons. Tout comme son père Nathaël avant lui, il considère cela comme étant un mal pour un bien puisqu'il en profite pour aider à la *gagne* de la famille dans un métier qu'il adore plus que tout autre.

À l'école secondaire aux Îles ainsi qu'au collégial dans les Maritimes, on le considère comme ayant une bonne tête, et pour cause: il se voit mériter de nombreuses distinctions et mentions d'honneur pour ses mérites scolaires. Peu sportif, il a toujours le nez fourré dans les livres, essayant tant bien que mal d'étancher sa grande soif d'apprendre.

Considéré autrefois comme un libre penseur, son esprit analytique n'est plus ce qu'il était avant son passage dans le coma pendant plus de six semaines. Il s'informe quand même de sa famille et surtout de la pêche au homard qui est actuellement en pleine effervescence. Malheureusement, il fait de même avec les membres de l'équipage de l'*Ariès* dont ses proches essaient tant bien que mal de lui cacher la vérité. Au fait, ils attendent qu'Érik soit suffisamment bien rétabli pour qu'il soit en mesure d'encaisser le traumatisme occasionné par l'annonce de la perte de tant de vies humaines.

Frédérik a effleuré avec lui les aléas de l'expédition de l'*Ariès* en lui faisant miroiter les possibilités réelles de récupérer une partie, sinon la totalité, de sa cargaison. Avec toutes les nouvelles qui circulent à l'effet que la chasse au blanchon ne sera plus permise dans un très proche avenir, le Vieux l'a informé que son *Ariès* contiendrait peut-être une petite fortune dans ses cales.

Les agents ont tenté, une fois de plus, de s'introduire dans la chambre d'Érik pour le questionner, mais le médecin traitant leur a fait faire demi-tour. Pour les satisfaire, il leur a dit que son patient devrait être de retour chez lui d'ici une semaine ou deux. À ce moment-là, ils pourront le questionner comme bon leur semble.

Claudia et son père Samy n'ont rendu qu'une seule visite à Érik, que le Vieux a qualifiée de courtoisie plutôt que de sympathie. Claudia, en particulier, n'a pas eu l'air de s'intéresser plus qu'il ne faut à son neveu. Cela lui semble étrange considérant les promesses qu'elle lui avait faites lors du voyage avorté vers Montréal. Julianna, en retour, ne cesse de le visiter en lui racontant toutes sortes d'histoires farfelues sur leur avenir.

Le médecin traitant suggère à Esthèle et Frédérik que son patient quitte le plus tôt possible le centre hospitalier pour retourner à la maison. Arrivé chez lui, il pourra retrouver ses affaires personnelles et une vie un peu plus normale tout en leur garantissant les services d'appoint du CLSC. De concert avec un psychothérapeute, ils choisiront le moment le plus propice pour lui dire la vérité sur le sort des autres membres de l'équipage de l'*Ariès*. Satisfait, le Vieux sent que le vent a tourné du bon bord. Il a bon espoir que son fiston, en faisant face à un nouveau défi, saura relever celui d'accepter une malencontreuse situation où il y a eu perte de biens et de vies humaines. Il décide donc de rendre visite à sa sœur Esthèle afin de préparer le retour de son neveu à la maison paternelle.

— Allô? Il y a quelqu'un? qu'il dit en entrouvrant la porte d'entrée dépourvue en permanence de serrure.

— Oui, je suis en haut en train de faire les lits. Est-ce toi Fred qui es en bas?

— C'est bien moi, qu'il hurle à sa sœur.

— J'arrive dans un instant.

Écoutant les craquements des marches de l'escalier, Frédérik l'aperçoit, tout à coup, se diriger vers lui.

— Oh Frédérik! quelle belle surprise, viens ici que je t'embrasse. Et puis, quoi de neuf?

— Bah! Pas grand-chose. Je vois que tout est prêt pour l'arrivée de ton plus vieux.

Comme elle s'apprête à lui répondre, le téléphone sonne.

— Oui, allô? Qui est à l'appareil? Quoi… Ah non, ça se peut pas!… Quoi?… OK nous arrivons dans les prochaines minutes. Oui, oui, avec mon frère.

— Qu'est-ce qui se passe, Esthèle? lui demande le Vieux, le visage crispé par l'inquiétude.

— C'est que… Érik est complètement bouleversé et ils ont dû le placer dans une chambre à sécurité moyenne.

— Hein! Une prison?

— Laisse faire. Je me prépare et je te rejoins dans ton *pick-up*.

Frédérik traverse le Havre-aux-Basques à une si grande vitesse qu'il oublie même de rendre le salut aux occupants des voitures rencontrées, une coutume bien ancrée dans les mœurs des Madelinots.

En entrant au centre hospitalier, ils se dirigent vers l'aile qu'on leur avait indiquée, pour apercevoir un gardien à la porte d'une chambre qu'ils croient être celle d'Érik. Les reconnaissant, le gardien ouvre la porte et ils constatent avec horreur qu'effectivement Érik est couché avec un survêtement muni de courroies attachées au pied et à la tête d'un lit.

— Mon Dieu Seigneur de la Vie, qu'est-ce qui t'arrive, mon grand?

Le médecin, qui est présent en compagnie d'une infirmière, l'informe que son fils s'est endormi à la suite d'une forte médication.

— Ouais!… Mais comment cela est-il arrivé pour qu'on le retienne attaché comme un prisonnier? s'enquiert Frédérik.

Le médecin leur explique qu'au petit déjeuner, son patient a reçu la visite impromptue d'Azade qui lui a parlé des autres naufragés et en particulier de…

— Ah non, pas Alpide à Johnny, lance Frédérik, la voix irritée par la surprise. Excusez-moi Docteur, vous pouvez continuer.

— Lorsque Azade fit savoir à Érik — c'est ce qu'on m'a raconté — qu'il avait parlé de toute l'affaire avec ce dénommé Alpide, c'est là que les choses se sont gâtées. En se racontant, Azade a impliqué Érik comme l'unique et seul responsable du naufrage de l'*Ariès*.

— Ça ne se peut pas, de lui riposter Frédérik en hochant la tête. Et quoi d'autre, tant qu'à faire, aussi bien boire toute la coupe?

— C'est que le préposé qui servait le petit déjeuner à ce moment-là a acquiescé à plusieurs occasions aux dires d'Azade. Cela a rendu Érik hors de lui-même et il s'en est pris physiquement aux deux qui n'ont pas eu d'autre choix que d'appeler à l'aide. Hélas, vous avez le résultat devant vous.

— Mais qu'est-ce qu'on peut faire? lui demande Esthèle. Ça n'a pas de bon sens de le laisser comme ça.

— Venez, sortons. Je vais vous expliquer la situation du mieux que je peux.

Tout en leur demandant de revenir le lendemain pour une courte visite, le médecin leur expose son point de vue.

— Si nous l'avons placé dans une chambre expressément aménagée pour son cas, c'est qu'Érik souffre d'une forme de dépression grave qui s'apparente à de la maniaco-dépression. D'ailleurs, en examinant son dossier médical, j'ai cru comprendre qu'il avait tendance à éprouver des hauts et des bas et de s'y réfugier pendant de longues périodes.

— Comme ça mon Érik serait devenu maniaque? de lui demander le Vieux.

— Du calme, du calme, Frédérik. Vous savez que votre neveu a déjà subi au moins deux commotions cérébrales, que son corps a été privé, pendant plusieurs jours, d'éléments nutritifs essentiels à la vie. Également la durée de son coma, même s'il s'en est sorti, a pu avoir un effet sur l'un des gènes responsables de la dépression chronique.

— C'est trop compliqué pour nous, dit Esthèle. Allez-y plutôt avec nos mots de tous les jours.

— Bon! Nous avons remarqué que depuis hier Érik a perdu l'appétit, qu'il a des troubles du sommeil ainsi qu'une baisse d'énergie et de concentration. Il n'y a qu'un pas à franchir pour déclencher chez lui le sentiment de culpabilité avec la visite d'Azade. Au fait, Érik souffre beaucoup plus intérieurement qu'autrement. Ses pensées sont plutôt négatives et il se sent coupable des malheurs des autres. Il n'a plus tellement le goût de vivre et dans certains cas extrêmes, les dépressifs comme lui pensent au suicide comme remède pour se débarrasser, une fois pour toutes, de leurs souffrances qui sont réelles, vous savez. Nous, les médecins, avons coutume de dire : « Ce n'est pas le type de maladie qu'une personne a qui importe, mais bien plus la sorte de personne qui a cette maladie. »

— J'ai bien compris, lui dit Frédérik, et toi, Esthèle ?

— Moi, j'aimerais surtout connaître la façon de s'en sortir pour mon fils que j'aime tant.

— Érik est possiblement à l'heure actuelle dans une forme de *down*, lui répond le médecin. Cet état peut durer aussi longtemps qu'on ne lui aura pas fait miroiter un rêve futur auquel il pourrait s'accrocher. Une médication appropriée pourrait également apaiser ses tensions et l'aider à faire le vide afin de lui permettre de mieux espérer en un avenir heureux. Malheureusement, ce n'est pas tout. Sorti d'un *down*, il pourrait fonctionner normalement pendant plusieurs mois et être tenté, par la suite, de se prendre pour le nombril du monde si son estime de soi est réactivée. C'est ce qu'on appelle communément un *high*. C'est peut-être pas aussi difficile de s'en sortir que d'un *down*, mais il faut tout de même prendre soin de le ramener à la normale.

— *Godash*, que ça devient compliqué, de lui répliquer Frédérik.

— Pas autant que vous le pensez, surtout si vous voulez nous aider à modifier son discours intérieur.

— Et comment ? lui demandent à l'unisson Esthèle et Frédérik.

— Revenez dans quelques jours, le temps qu'on le stabilise. En suivant les conseils d'une psychothérapeute, vous verrez que tout ira bien. C'est pas si compliqué que ça en a l'air, qu'il poursuit en s'adressant à Frédérik. Ça ressemble un peu à ce que vous avez fait avec lui, lors de votre voyage avorté vers Montréal.

De retour chez lui, le Vieux a cependant sa petite idée sur ce que lui a conseillé le médecin. En tout premier lieu, il se dit qu'aussitôt que le médecin traitant leur fera signe, il choisira le moment opportun pour questionner Azade ainsi qu'Alpide sur le bien-fondé de leurs palabres. Ne sachant pas à l'avance s'il obtiendra la vérité, il confrontera par la suite son neveu sur leurs affirmations afin qu'une fois pour toutes il connaisse la justesse des faits qui se sont déroulés sur l'Orphelin.

* * *

Comme le hasard fait bien les choses, le lendemain après-midi, Frédérik rencontre Azade qui, de toute évidence, se rend voir Alpide qui fouine dans un des entrepôts de Samy. L'ayant suivi pas à pas, il fait son entrée en catimini dans la bâtisse immédiatement après lui.

— Salut à vous deux ! qu'il leur dit en leur apparaissant comme un fantôme dans une demi-obscurité.

— Quel bon vent vous amène ? lui répond Alpide avec un sourire vaguement gêné.

Alpide à Johnny, au visage taillé au couteau, laisse peu voir ses émotions si ce n'est par un clignement rapide des yeux. Plutôt beau bonhomme, il a la carrure d'un athlète avec ses cheveux noirs coupés en pointes, assortis de grands yeux bruns, d'un nez fin et d'une grande bouche qui ne cesse d'exprimer les aléas du métier de chasseur de loup-marin. Érik à Nathaël, son éternel rival qu'il se plaît à appeler « le jeune », accapare la plupart de ses introspections. Même s'il a l'air d'un vrai dur à cuire, bien des jeunes femmes tournent autour de lui, plus parce qu'il est le contremaître préféré du marchand que pour ce qu'il est en réalité. En l'absence d'un vocabulaire approprié, il exprime souvent son désaccord par violence verbale ou physique. Soucieux d'être fidèle à son bourgeois, il courtise Claudia, la fille unique de Samy, en espérant ainsi bénéficier à la fois du beurre et de l'argent du beurre.

— Ça adonne que c'est plutôt un mauvais vent qui m'amène, leur dit Frédérik, le plus sérieusement du monde. Je veux savoir, avant tout, Alpide, les raisons qui font que tu as déjà décidé qu'Érik était l'unique responsable du désastre avec l'*Ariès*.

— C'est ça, vous voulez que je vous raconte ce qui s'est passé au grand large avec « le jeune ».

— Érik… le reprend Frédérik. Après tout, tu n'as que quelques années de plus que lui.

— Quant à moi, un homme qui n'a jamais été capable de tuer un seul loup-marin de toute sa vie ne mérite pas plus que ce surnom, surtout avec les ordres plus ou moins logiques qu'il nous donnait.

— Laisse faire les ordres et vide ta valise, Alpide. Et toi, Azade, en le pointant du doigt, ferme-la. Je sais déjà que tu ne contrarieras pas ton allié de toujours. Vas-y, Alpide, et débute ton récit après que vous ayez quitté le Bradelle, les Norvégiens nous ont déjà informés pour cette partie de l'expédition.

— Bon… heu… on était enfin rendus, ou presque, sur l'Orphelin qui était en train de se disloquer. Il était temps, après un bon sept à huit jours à endurer « le jeune », excusez… Érik, à nous ordonner quand et quoi chasser. Vous savez, Frédérik, les résultats jusque-là n'étaient pas extraordinaires avec à peine un 1500 peaux à bord, n'est-ce pas Azade ?

Ce dernier veut approuver, mais Frédérik ne lui laisse aucune marge de manœuvre en répliquant :

— *Godash*, Alpide, arrête de piétiner et de fuir mon regard. Je sais fort bien à l'avance que tu t'arranges pour ne pas dire la vérité. Après tout, tu avais été nommé par Érik deuxième officier et Odias, premier maître, n'est-ce pas ?

— C'est ça. Voilà où j'en étais. Le chargement de peaux, sous les ordres de votre neveu, avait été mal conçu si bien qu'en combinant ce facteur avec une bonne houle qui glaçait les ponts, l'*Ariès* se retrouvait avec une forte bande à tribord. Il n'y avait qu'un pas à faire pour qu'un naufrage se produise et c'est ça qui est arrivé.

— C'est arrivé exactement comment ? le questionne le Vieux.

— C'est que… Érik ne réussissait pas à se décider. On s'attache à une banquise et on continue à chasser la grande *mouvée*, ou on s'en retourne sur nos pas.

— Et ç'a été quoi sa décision, Alpide ?. en le fixant droit dans les yeux.

— C'est malheureux, mais il n'en a pas eu de décision. Edgar et moi avons convenu de la première option, mais avec une certaine réserve, vu la forte bande à tribord du navire. Le soir venu, on était tous couchés dans le *fourgacelle*, sauf Simon qui agissait comme veilleur de nuit et votre neveu dans sa cabine de capitaine (en appuyant fortement sur le mot « capitaine »). Vers les cinq à six heures du matin, je me suis réveillé en entendant l'eau qui entrait à travers la porte du *fourgacelle* à gros torrents. Ç'a été le sauve qui peut pour nous tous. J'ai été l'un des premiers à sortir en soutenant Azade par les avant-bras. Arrivé sur le pont, j'ai accroché Simon et nous nous sommes dirigés tous les trois sur un gros morceau de glace où se trouvait déjà votre neveu qui pleurnichait en disant : « Mon *Ariès*, mon *Ariès*, j'ai perdu mon *Ariès*. »

Frédérik, soucieux d'en connaître un peu plus, se tourne vers Azade dont le regard s'était déjà soustrait au sien ainsi qu'à celui d'Alpide.

— Et par après ?

— Ensuite, tous les autres membres de l'équipage nous ont suivis, sauf Edgar et Placide qui sont restés coincés dans le *fourgacelle*.

— C'est croyable ton histoire, mais comment se fait-il qu'il n'y a eu que trois survivants ?

— À vrai dire, votre neveu n'a jamais été à la hauteur, surtout après que l'*Ariès* se soit fait écrabouiller par les glaces. Le premier dilemme que j'ai eu avec lui, ce fut le petit mât arrière qui était resté en partie à la surface de l'eau, ce qui m'a fait dire qu'à ce moment-là le navire n'avait pas coulé à pic et que les peaux suffisaient à elles seules à le retenir entre deux eaux, comme on dit.

— Ça, c'est vraiment vrai, affirme tout bonnement Azade.

— Oui, oui, je sais, de lui répondre Frédérik qui ajoute à l'endroit d'Alpide : Et par la suite, comment vous êtes-vous organisés pour revenir à pied sur la terre ferme ?

— Tout d'abord, je dois vous avouer que votre neveu a décidé d'attendre avec les autres le miracle, tandis qu'Azade et moi, on a pris les devants. Nous avons choisi de marcher en direction des Îles en sautillant de l'une à l'autre sur les glaces qui dérivaient rapidement, pour nous retrouver après 24 heures environ à proximité de la Pointe-aux-Loups.

« C'est bien possible ce qu'il dit », réfléchit le Vieux en lui demandant toutefois :

— Mais pourquoi avoir gardé secret votre retour sains et saufs pendant aussi longtemps ?

— Bah ! C'est un peu à cause de Samy, vous le connaissez avec ses manigances à n'en plus finir.

— Et de Claudia, peut-être, poursuit le Vieux, avec qui tu as repris tes flirts amoureux, n'est-ce pas ?

— Écoutez-moi bien, Frédérik. Samy, je peux le mettre *dans ma petite poche* si je le veux et sa fille Claudia avec. C'est à moi de décider si elle fait oui ou non mon affaire. Est-ce assez clair ?

— Tu n'y vas pas avec le dos de la cuillère, mon Alpide.

— Et ce n'est pas tout. Je suis au courant pour la balise. Mes contacts avec la Garde côtière m'ont appris bien des choses sur vos propres conspirations.

— Pour me parler sur un tel ton, tu dois avoir sûrement été influencé par certains membres des familles des disparus, qu'en penses-tu ?

— Je n'ai plus rien à ajouter sauf que je m'en vais vous demander ce que vous pensez de ceci : Pourquoi, *simonac*, votre fiston, comme vous l'appelez, a-t-il été retrouvé avec les restes calcinés du livre de bord de l'*Ariès*, si ce n'est pour détruire les preuves ?

Sans rien ajouter, Frédérik, éberlué, les quitte sur-le-champ.

Aussitôt après les avoir laissés, il se met en quête d'informations supplémentaires sur les dernières allées et venues des deux comparses. Il apprend, entre autres, qu'Alpide aurait souffert d'hypothermie grave au point où il se serait fait amputer plusieurs orteils. D'ailleurs, il aurait convaincu Azade de la responsabilité inhérente de son fiston dans le naufrage de l'*Ariès*. Ainsi, si jamais Alpide devient le premier à localiser l'épave, il lui sera possible de récupérer sa précieuse cargaison et arrangera les preuves pour lui donner raison.

CHAPITRE 5

J'ai jamais vu personne mener quelqu'un d'autre plus loin que là où il est rendu lui-même

Compte tenu des informations qu'il a obtenues depuis les dernières semaines, Frédérik n'a plus le choix. Il doit faire en sorte que son neveu se rappelle autant des journées qui ont précédé le naufrage de l'*Ariès* que celles qui ont suivi.

Bonne nouvelle, s'il y en a une, il apprend du personnel soignant que son fiston n'est plus vêtu de son survêtement de rétention et qu'il parcourt lentement le chemin vers une réhabilitation complète. En effet, Érik est maintenant capable d'entretenir une conversation sauf, évidemment, lorsqu'il est question des épisodes dont il se souvient plus ou moins.

« Le subconscient ne peut pas ou plutôt ne veut pas se souvenir de ce qu'il considère contre-nature », lui avait dit la psychothérapeute. « En fait, avait-elle ajouté, l'ambition démesurée de votre neveu est-elle suffisante pour contrer son antipathie apparente pour la chasse au loup-marin ? »

Le Vieux réalise qu'il a devant lui tout un défi. Même si le corps de son neveu a repris du mieux, il doit maintenant l'aider à faire de l'espace dans son esprit pour lui inculquer des rêves prometteurs de satisfaction et d'estime de soi. En accord avec une spécialiste qui l'aidera à mieux orienter une certaine forme de psychanalyse, il rencontre son fiston qui se trouve toujours sous observation au Centre hospitalier de l'Archipel.

— Salut, le « mon oncle » que je n'ai pas vu depuis un bon bout de temps, qu'il lui dit avec l'air d'un moribond, en le voyant faire son apparition dans sa chambre.

Frédérik est d'abord frappé par l'aspect las et désintéressé de son neveu qui, allongé sur son lit, semble considérer que cette rencontre est agaçante plutôt que bienfaisante.

— C'est pas drôle, mon Érik, qu'on nous tienne tous les deux responsables du désastre qui s'est produit, qu'il lui annonce en s'asseyant dans un fauteuil. J'espère que ça ne t'empêche pas de dormir et d'avoir de l'appétit? Tu connais le dicton : « Un esprit sain dans un corps sain. »

— Bah! On me gave de protéines et de médicaments, mais ça n'empêche pas que les responsabilités qu'on m'incombe ne cessent de me torturer.

— C'est pas à toi à tout prendre sur tes épaules. Je suis autant responsable que toi. Et puis à part de ça, je ne crois rien de ce que racontent Alpide et Azade. Je suis persuadé que le naufrage de l'*Ariès* est un *Act of God*, comme on dit.

— *Act of God* ou pas, il reste cependant que sept vies se sont envolées et que moi, qui étais le capitaine du navire, je suis encore vivant.

— Avec deux autres rescapés, lui réplique le Vieux. Il va falloir que tu acceptes les faits tels qu'ils sont. Peu importe ce qu'en disent ou en pensent Alpide, Azade, Samy et même sa fille, Claudia, que tu n'as pas vue depuis fort longtemps, je crois?

— Vous savez très bien, mon oncle, que Samy n'a pas hésité à l'embarquer dans les âneries d'Alpide et qu'elle penche plutôt vers la raison du plus fort.

— Laisse faire ça et force-toi donc les méninges pour te rappeler, finit par lui demander Frédérik. C'est ça qui est le plus important pour l'instant, ne crois-tu pas?

— Ouais! je veux bien essayer, qu'il lui répond d'un ton exprimant un sérieux embarras.

— Commençons d'abord, si tu le veux bien, par le jour où tu chassais le Bradelle avec ton *Ariès*. Te rappelles-tu avoir rencontré les Norvégiens à qui tu as fait un pied de nez?

— Il me semble bien. Mais par après, c'est le néant. Rien à faire : tout est noir jusqu'au moment du voyage avorté vers Montréal où je vous entendais comme venant de loin me parler de l'*Orphelin*.

— Force-toi encore un peu, fiston. Te souviens-tu qu'à un moment donné l'*Ariès* faisait de la bande à tribord et que le déglaçage des ponts était resté en suspens ? Peut-être avais-tu oublié d'ordonner de fermer les écoutilles ?

En réponse à autant de questions en même temps, Érik se prend la tête à deux mains. Ses muscles jusqu'alors détendus se contractent, ce qui incite la psychothérapeute qui se tient à l'écart à faire signe à Frédérik de ne pas trop insister.

— Ouais !… c'est que mon oncle, à l'heure qu'il est, je n'ai plus vraiment le goût de vivre, vous savez. Pourquoi ferais-je des efforts ? Il n'y a plus personne qui m'aime sauf, peut-être, ma mère et puis vous… Qui aurait besoin de mes services après tout ce qui est arrivé ? Non, aussi bien me laisser aller. Et puis, ça va faire l'affaire de bien du monde.

— Peut-être, mais pas la mienne, de lui répliquer le Vieux, accablé. Revenons au début, si tu le veux bien. Veux-tu faire au moins l'effort d'accepter la situation telle qu'elle est en oubliant définitivement le passé, même si c'est pas aisé du tout ?

— C'est facile à dire pour vous, mais pour moi, c'est pas pareil.

— Ah oui ! C'est ce que tu penses. Laisse-moi te dire une chose, je t'aime comme si tu étais mon vrai fils et de te voir dans un tel état, ça me crève le cœur. Si tu fais pas ton bout de chemin, moi aussi j'abandonne. Ça fait que, plutôt que d'avoir une seule personne de chavirée pour de bon, on en aura au moins deux et peut-être même ta mère, qu'il lui déclare les yeux bouffis de larmes.

Érik ne sait que répondre à de telles réalités de la vie. Il se lève et se dirige vers la fenêtre de sa chambre. Écartant les rideaux, il regarde vers la grande Baie-de-Plaisance en cherchant du plus profond de son être à se souvenir sans y parvenir tout à fait. Il essaie tout de même d'évacuer les pensées négatives et faire de la place pour mieux saisir celles qui parlent d'amour, d'espoir et de pardon.

— Ça va un peu mieux, mon oncle, qu'il lui dit après quelques minutes d'hésitation. Mais changeons de sujet, si vous le voulez bien. Il me semble que cette discussion m'a ouvert l'appétit. Pourquoi ne prendrions-nous pas le dîner ensemble ?

— Ça adonne bien, qu'il lui répond, avec son air de bonne humeur d'antan. Ta mère nous a préparé ton plat préféré qui est évidemment aussi le mien.

En accord avec le personnel du Centre hospitalier, les deux compères prennent leur dîner ensemble. Ils en profitent pour se remémorer certaines situations qui ont amené la controverse sur la chasse au loup-marin au diapason de certains grands problèmes de l'humanité.

— Dites-moi donc, mon oncle, à quel moment tout cela a commencé? lui demande Érik qui paraît prendre un peu plus goût à la vie.

— Ç'a débuté avec ce *godash* de Serge Deyglun, un journaliste à la solde de *La Presse* et de Radio-Canada. À ce moment-là, tu étais encore un jeune adolescent et je crois que c'était à l'époque où tu avais tenté l'expérience d'aller à la chasse avec ton cousin Edgar.

— Pour ça, je m'en rappelle comme si c'était hier. À part cette fois-ci, je ne me souviens pas d'avoir frôlé la mort de si près.

— C'est justement ce que je souhaite à ce damné Deyglun qui ne cessait de raconter dans la gazette qu'on n'aimait pas les *étranges*, nous traitant de trafiquants dévergondés, d'idiots et même de criminels de la pire espèce. Il avait la certitude que le troupeau de loups-marins du golfe allait disparaître étant donné que les bateaux phoquiers norvégiens, suédois, danois et autres s'accaparaient chaque année de centaines de milliers de loups-marins.

— Mais il avait peut-être raison, en partie en tout cas, de lui répliquer Érik le plus sérieusement du monde. Vous avez sans doute constaté qu'il faut maintenant aller chasser de plus en plus au large des côtes.

— Peut-être bien, mais ce qui m'enrage le plus est que ce reporter de malheur et ses aides de camp ont payé un jeune chasseur sans expérience pour tuer un blanchon avec une prime qui dépendait de la rapidité avec laquelle il allait lui enlever la peau. Ça fait que tu peux imaginer ce qui s'est passé. Tout le Canada et même le monde entier ont visionné ce film truqué pour y découvrir non pas une coutume inscrite dans nos mœurs depuis des lunes, mais une forme de tuerie sauvage.

— Oui, mais le monde est comme ça, mon oncle. Si c'est pas dans leur cour, ils se donnent le droit de critiquer, surtout que personne n'aime voir un animal se faire tuer de sang-froid.

— C'est bien vrai mais savais-tu, mon Érik, que nos prises, à cette période-là, se situaient dans les 20 000 têtes de pipe et que celles des étrangers à plus de 100 000? Quant à vouloir en faire une bataille, il aurait dû la livrer sur le front principal et cesser de nous pointer comme des assassins pervers. Deyglun, en voulant régler le supposé problème de la cruauté envers les loups-marins, a isolé du monde entier les Canadiens et, en particulier, les Madelinots et les Terre-Neuviens. On sait toujours quand ça commence mais on ne sait jamais à quel moment ça prend fin. Je te prédis que bien avant que je disparaisse de cette terre, le troupeau de loups-marins va plus que tripler. C'est plutôt nous autres, aux Îles, qui allons crever de faim parce que les poissons de fond seront dévorés bien avant leur âge adulte. J'ai jamais vu personne amener quelqu'un d'autre plus loin que là où il est rendu lui-même, qu'il lui déclare d'un ton des plus solennels.

— Quel beau discours, mon oncle !

— C'était un peu mon intention, fiston, qu'il lui dit les yeux à demi clos, l'appel du petit roupillon quotidien se faisant ressentir de plus en plus.

* * *

Une bonne demi-heure plus tard, Érik s'approche de son oncle, qui, étendu sur un sofa douillet, ronfle de toute son âme.

— Hé ! mon oncle, réveillez-vous, qu'il lui lâche en le secouant. D'après moi, vous étiez parti pour un bon bout de temps.

Le Vieux ouvre légèrement les yeux pour constater qu'un changement s'est produit dans la physionomie de son neveu.

— Oh, là, là ! mon Érik, comme tu as l'air en grande forme ! Es-tu prêt pour la suite de notre discussion ?

— Oui, vous pouvez y aller et on verra bien qu'est-ce que ça donnera.

Guettant du coin de l'œil les réactions de la psychothérapeute qui assiste à l'écart à cette ultime mémorisation du passé, Frédérik lui dit :

— Tu sais bien que je suis croyant, mon Érik. Ça veut dire que je crois d'abord en moi, en mes capacités de vivre la vie que le bon Dieu m'a prêtée. Il faut que tu t'accroches à quelque chose ou à quelqu'un de plus fort que toi. C'est pas toujours facile, surtout lorsqu'on est jeune comme toi. Tu connais la maxime : « Si jeunesse savait et que vieillesse pouvait. » Rendu à mon âge, j'essaie de t'inculquer mon savoir qu'on appelle couramment la sagesse. Le pouvoir de faire ou de changer les choses, par ailleurs, il est trop tard pour moi. C'est toi, fiston, qui doit décider si tu veux le faire à ma place. Tu sais combien ta mère t'aime et quoi que tu en penses, Samy avait mis beaucoup d'espoir dans l'expédition de l'*Ariès*.

— Ouais! Pour faire de l'argent encore plus, se risque de lui dire Érik, la mine rabougrie.

— Pas nécessairement. C'est certain que l'argent n'a pas d'odeur, mais l'amour, le vrai, est encore plus fort que tout ce que tu peux imaginer. Qu'est-ce qui te fait croire vraiment que Samy et même Claudia ne t'aiment pas?

— Les preuves, mon oncle, les preuves avec ce *désespoir* d'Alpide.

— Même si ça te surprend, je suis d'accord avec eux.

— Mais voyons donc! lui répond Érik d'un ton nettement hostile.

— Comment alors peuvent-ils aimer et espérer dans quelqu'un qui n'accepte pas les faits qui sont vraisemblablement ou faussement racontés? Pourquoi s'associer à quelqu'un qui a perdu espoir de s'en sortir, n'a plus le courage de vivre sa vie telle qu'elle est et non pas celle qu'il voudrait qu'elle soit?

— C'est peut-être vrai, mais n'empêche que c'est moi et seulement moi qui porte le fardeau de la preuve.

— Je sais, Érik, que ce n'est pas facile. Mais dis-toi qu'il faut oublier le passé, vivre le présent et s'arranger pour faire sa chance avec l'avenir.

— Je vais essayer de toutes mes forces, mon oncle. J'espère cependant que vous allez continuer à m'aider à m'en sortir.

— Ça adonne bien parce que j'ai quelque chose de spécial à te confier.

— Oui, je sais déjà pour l'affaire de la balise. Vous voyez comme je m'améliore en acceptant que vous vouliez de ce fait me protéger contre moi-même.

— C'est un peu ça, mais beaucoup plus encore. Si ça vous fait rien, qu'il ajoute à l'endroit de la psychothérapeute, pourriez-vous nous laisser seuls pour quelques minutes? ce à quoi elle acquiesce avec un léger sourire de bienveillance.

— Oh, là, là! C'est d'intérêt démesuré, votre affaire.

— De la plus haute importance, mon Érik. Imagine-toi donc que j'ai réussi à savoir, de la part d'Azade, sans trop de certitude cependant, que les cales de l'*Ariès* étaient pleines de peaux de loup-marin. J'ai appris également qu'Alpide et sa gang étaient en train de chercher l'épave dans le quadrilatère survolé par l'avion de la Garde côtière.

— Et c'est quoi, l'astuce? lui demande Érik dont l'expression du visage indique un certain intérêt.

— C'est que moi, ton vieil oncle, je sais où il se trouve probablement ton *Ariès*. Ça fait qu'en récupérant l'épave avant eux, on va démontrer hors de tout doute que tu n'es pas responsable de son naufrage et que sa cargaison te revient de droit. Après tout, n'étais-tu pas l'armateur de ce navire?

— C'est bien beau votre affaire, mais si l'*Ariès* est retrouvé avant nous et que tout ce qui a été raconté s'avérait vrai, je vous dis que je ne suis pas sorti du bois pour autant.

— *Godash* de *godash*, lui riposte le Vieux, ça ne pourra pas être pire qu'actuellement. Après tout, si cela devait arriver, ils ne vont pas t'enlever la vie pour tes supposées erreurs de parcours. Tout le monde, un jour ou l'autre, commet des fautes. Par contre, les accepter comme une expérience bénéfique pour l'avenir, voilà ce qui sépare les hommes des enfants. Moi-même, j'en ai fait des erreurs, et même ta mère en a fait, qu'il poursuit en songeant à son mariage obligé, sans le lui avouer pour autant. Prends Samy, par exemple : combien de fois que je l'ai vu se buter à un mur? Plutôt que de vouloir le traverser envers et contre tous, il s'arrangeait pour le contourner, par ruse ou autrement.

— C'est peut-être vrai, mon oncle, de lui répliquer Érik, un peu plus déterminé. Quant à savoir si j'embarque dans votre galère, on verra ça dans le temps comme dans le temps, comme on dit. Vous savez que le médecin m'a avoué qu'avec les antidépresseurs, ça pourrait être assez long, merci.

— Si tu embarques, mon Érik, c'est déjà une très bonne nouvelle. Ça prendra le temps qu'il faudra et sois assuré que d'ici là, je veillerai au grain. Le plus vite que tu pourras sortir d'ici, le mieux ça vaudra. Pas question que je tente quoi que ce soit sans toi.

— Mais si toute cette affaire échoue, comment je ferai pour gagner ma vie? À l'âge où je suis rendu, il serait temps que je me prenne en main et que je ne dépende plus des permis de pêche de mon père qui en a besoin pour les autres membres de ma famille.

— Je te vois venir tendre ta ligne pour voir si je vais mordre. Mais oui, je ne te le dirai jamais assez, tu as l'étoffe pour devenir un marchand aussi respectable que Samy, surtout avec ce qui s'en vient avec les Américains.

— Les Américains? Ils sont en majorité contre la chasse au loup-marin!

— Mais non, mais non, pas ça. Je veux te parler du homard, du crabe des neiges et des pétoncles qu'ils sont prêts à payer en argent américain. Tu vois, il n'y a qu'un pas. Tu achètes en dollars canadiens et tu vends en devises américaines.

— Oui j'ai compris, mais ça prend des contacts.

— Pour ça, fais-moi confiance. J'y verrai au moment voulu.

— J'apprécie votre geste, mon oncle. Je peux vous assurer que je ferai tout en mon possible afin de m'enlever les fils d'araignée qui me hantent encore le cerveau, qu'il lui déclare en abandonnant la discussion.

* * *

Peu après avoir pris congé de son fiston, Frédérik demande à la psychothérapeute de lui expliquer la meilleure thérapie à suivre pour que son neveu puisse retrouver au plus vite tous ses moyens. Il apprend ainsi que les maniaco-dépressifs, comme lui, ont une forte tendance à la récidive et que le meilleur remède demeure la modification du discours intérieur. Les médicaments tels que les antidépresseurs assurent un certain équilibre neurologique au cerveau. Combinés avec la psychanalyse, les deux forment une thérapie qui donne de très bons résultats après deux à six mois de traitements.

Malheureusement, les médicaments ont quelquefois des effets secondaires. Aussi plusieurs patients éprouvent une certaine accoutumance et ils devront un jour ou l'autre se sevrer, s'ils en sont capables évidemment.

Pour rassurer Frédérik, soucieux de connaître plus à fond un traitement rapide et efficace dans 90 % des cas, la spécialiste lui dit:

— Pour un cas aussi lourd que celui d'Érik, on peut faire appel à la sismothérapie, appelée communément électrochoc. Les avantages sont nombreux même si chaque cas est unique. On a vu des patients qui, après le traitement, ont recouvré toute leur énergie d'antan et n'ont plus eu besoin de médicaments qu'en de très rares occasions. Dans 5 à 10 % des cas cependant, le patient retombe dans une dépression extrême nécessitant une médication très forte qui peut malheureusement augmenter ses trous de mémoire.

— Vous voulez dire qu'il y a un risque calculé et que c'est à lui de décider ? lui demande Frédérik.

— C'est également à vous et à ses proches de juger de la pertinence de ce traitement, lui répond-elle en le quittant.

* * *

Le lendemain, Érik reçoit la visite de sa mère qui est tout heureuse de le voir dans un état apparent de regain d'énergie.

— Comme tu sembles bien, mon grand, lui dit-elle en l'embrassant. Ça prouve que « lorsqu'on veut, on peut ». Je te dis que ton père a hâte que tu reviennes à la maison. Savais-tu que Samy a tout effacé du crédit qu'on lui devait ?

— Bah ! Celui-là, vous savez bien, maman, qu'il place ses pions de façon à gagner quoi qu'il arrive. Ça fait une éternité que je ne l'ai pas vu. Il est sans doute très occupé à aider Alpide et sa gang à trouver l'épave de l'*Ariès*.

— Et qu'est-ce qui te fait dire cela ?

— Rien, seulement une intuition.

— Et si je te disais qu'il attend, derrière la porte, ta permission pour entrer dans la chambre…

— Ah oui ? Vous pouvez entrer, Samy, qu'il lui hurle.

— Érik, comme tu parais bien, lui dit le marchand en s'approchant de lui. Comment vas-tu ?

— Ça va pas si pire que ça. Ça fait longtemps *en désespoir* que je ne vous ai pas vu.

— *Well*… les affaires sont toujours compliquées, tu sais, et de plus en plus à part de ça. Depuis la venue aux Îles du journaliste de Radio-Canada, on dirait que même la pêche éprouve des difficultés et que…

— Et encore plus depuis le naufrage de l'*Ariès*, de renchérir Érik en l'interrompant.

— Tu oublies que j'ai investi une petite fortune dans ton expédition de même que dans ton voyage avorté vers Montréal. Tu penses peut-être que j'attends l'occasion propice pour te réclamer mon dû? Eh bien non. Ta mère te l'a sans doute déjà appris, j'efface tout et on recommence à neuf.

— C'est pas à dédaigner. Par contre, qu'est-ce qui me dit que votre fille Claudia n'a pas *viré capot* pour Alpide et que vous êtes parfaitement d'accord avec les allées et venues de ce dernier pour retrouver l'épave de l'*Ariès*?

— *Bâtard de bâtard*, tu devrais savoir, Érik, que je t'ai toujours traité comme un fils, qu'il lui dit en se tournant vers Esthèle qui feint de ne pas comprendre. Dans la vie, c'est à chacun de se faire valoir pour mériter sa dulcinée. Tu ne peux pas dire le contraire. À l'heure actuelle, qui de toi ou d'Alpide est physiquement et moralement le plus fort?

— *Désespoir*, ce n'est pas de ma faute si je me retrouve dans un lit d'hôpital!

— C'est de la faute à qui, alors?

— Ça va, ça va, qu'Érik lui répond, en se tournant vers sa mère. Maman, que dirais-tu si je jouais le tout pour le tout?

— Le tout pour le tout…?

— C'est que je suis prêt à prendre certains risques avec les électrochocs dont m'a parlé mon médecin, et si jamais ça marche, attendez-vous à voir un votre fils comme un neuf.

Esthèle reste bouche bée devant l'annonce d'un traitement dont elle avait déjà entendu parler, mais qui demeure tout de même encore controversé. Elle se demande si son fils n'a pas été influencé dans sa décision par son frère qui ne veut pas perdre son pari d'être le premier à retrouver l'épave de l'*Ariès*.

— Est-ce ta décision, lui demande-t-elle, inquiète, et c'est pour quand, ce fameux traitement?

— Ce n'est pas encore vraiment décidé. J'aimerais auparavant avoir une autre discussion avec mon oncle à qui j'ai déjà remis un mandat d'inaptitude.

— Ah oui? lui rétorque Samy, surpris.

— De toute façon, je n'ai pas le choix, qu'il leur annonce en apercevant le médecin traitant qui entre pour sa visite quotidienne et qui en profite pour les informer des bienfaits de la sismothérapie.

Quelques jours plus tard, rassuré par son oncle que l'épave de l'*Ariès* est loin d'être retrouvée et qu'il ne veut rien savoir d'entreprendre des recherches sans lui, Érik décide de débuter son traitement le plus tôt possible.

CHAPITRE 6

Le bonheur ne réside pas dans la possession d'un bien, mais surtout dans les démarches pour l'obtenir

Force est d'admettre qu'après une semaine de cette thérapie les résultats sont plus que probants. En effet, sorti du centre hospitalier depuis peu, Érik est de plus en plus énergique et positif. Il mange avec appétit, dort des nuits complètes sans interruption ni aucune forme de médication. Il fait part à sa mère, entre autres, qu'il est maintenant confiant de faire la lumière sur les causes du naufrage afin que sa famille ne soit plus rejetée par la communauté madelinienne et, surtout, par certains proches des disparus en mer.

Il informe également son oncle de son intention que, quoi qu'il advienne, il est prêt à payer un juste prix pour ses erreurs. En retour, s'il n'est pas trouvé responsable du désastre, il s'imposera toute sa vie durant l'obligation de rembourser une dette d'honneur envers les familles des disparus. Le Vieux trouve les promesses de son fiston d'une noblesse qu'il voit rarement, si ce n'est avec le préfet de comté qu'il incite à rencontrer afin de l'aider à s'*amariner** à sa nouvelle vie.

— Entre, Érik, et assois-toi, que le préfet de comté lui dit en l'accueillant. J'ai encore quelques papiers à terminer et je suis à toi.

Érik, qui voit son interlocuteur d'aussi près pour la première fois, l'observe plus attentivement. Coiffé d'une chevelure épaisse de couleur noire, avec des yeux perçants et vifs, un nez moyen et une bouche laissant passer un sourire presque constant, l'homme révèle une respectabilité à tous égards. Il aime avant tout discuter de politique et

---

* S'amariner : s'habituer progressivement à une situation.

des ingérences gouvernementales à outrance. Connu pour ses discours à l'emporte-pièce, il affectionne bavarder avec les plus démunis de façon à les aider, comme on dit aux Îles, à *attraper leur bouée.*

— Ça ne sera pas long, qu'il ne cesse de lui répéter, tout en répondant au téléphone d'une main et en signant de l'autre des documents que sa secrétaire lui présente. Et puis, qu'est-ce que je peux faire pour toi, Érik ? Avec tout ce qui s'est passé avec ton expédition sur l'Orphelin et ce qui s'est ensuivi, je compatis avec toi et tes proches. Je te dis que ça n'a pas été plus drôle pour moi pendant ce temps-là, puisque j'ai eu toute la misère du monde à évincer des Îles ce damné Brian Davies.

— C'est justement ce dont que je voudrais vous parler, Monsieur le préfet. Mais avant tout, laissez-moi vous remercier pour votre intervention auprès de Samy pour qu'il accorde un crédit supplémentaire à mon père Nathaël pour l'achat de nouveaux agrès de pêche.

— Il n'y a pas de quoi, on est là pour ça.

— Et pour bien d'avantage, qu'il lui réplique. Je veux vous faire savoir comment j'ai été bien traité au Centre hospitalier de l'Archipel dont, je crois, vous faites partie du conseil d'administration. Même si Samy vous trouve un peu trop visionnaire à son goût en vous impliquant dans le domaine corporatif, il faudra bien qu'un jour il comprenne que se prendre en main est la solution de tout peuple qui veut s'affranchir. En fin de compte, en faisant d'une île une ville, avec la fusion des villages de l'île du Havre-Aubert, vous avez tracé la route à d'autres municipalités qui, un de ces jours, n'auront pas d'autres choix. Quant à la mine de sel, elle n'aurait sûrement pas vu le jour si vous…

— Je t'arrête, Érik, que le préfet lui dit en lui coupant la parole. C'est trop de louanges à la fois. Tu comprendras que le don de soi est encore plus grand que l'offrande que tu verses, si importante soit-elle. Mais dis-moi donc, ne voulais-tu pas savoir ce qui s'est passé au printemps avec Brian Davies ?

— C'est que vous savez fort bien ce qui m'est arrivé avec l'*Ariès* dont tout le monde recherche l'épave qui contiendrait, dit-on, jusqu'à douze mille peaux de loups-marins. Comme le marché de la fourrure est tributaire des actions des opposants à la chasse, je voudrais en connaître un peu plus sur ce Brian Davies qu'on surnomme communément « le croisé des bébés phoques ». Bien connaître ses ennemis afin de les contrecarrer dans leurs actions, n'est-ce pas là la sagesse d'une personne comme vous, Monsieur le préfet?

— Tu peux me tutoyer, Érik, après tout j'arrive à peine à la fin de la trentaine, tandis que toi, je crois que tu en es près du début, n'est-ce pas?

— C'est bien ça, Monsieur le préfet.

— Laisse-moi te dire, mon cher Érik, que ce soit Davies, Watson, Weber ou encore « la Bardot », comme on se plaît à la nommer, c'est du pareil au même. Lorsque ces individus, qu'on considère aux Îles *persona non grata*, ne réussissent pas à obtenir sur la place publique le pavé qu'ils se croient en droit d'obtenir pour la défense des droits humains, ils bifurquent vers ceux des animaux. C'est plus facile et surtout plus payant, puisqu'une bonne partie de la population mondiale croit qu'en devenant végétarien, elle va règler tous les problèmes de santé de l'univers.

— Mais tout ce brassage d'idées au sujet de l'extinction de la race des loups-marins, n'y a-t-il pas un peu de vrai dans cela?

— Au début des années soixante-dix, on évaluait le troupeau de loups-marins du Groenland à environ un million et demi d'individus comparé aux deux millions et demi qu'ils étaient dans les années cinquante. Cela dit, l'industrialisation de la chasse, tout comme celle de la pêche, en plus des nombreux retards des gouvernements à établir des règlements sévères ainsi que des quotas, sont les principales causes du déclin de la population.

— *Désespoir!* C'en est rendu qu'il faudrait maintenant remercier les opposants de nous priver d'un revenu d'appoint tout en laissant les loups-marins bouffer notre morue qui se fait de plus en plus rare.

— Oui et non, parce que actuellement, le troupeau approche les trois millions d'individus et que selon les estimations des experts, au rythme où se fait la chasse, il en atteindra six vers 2005.

— Wow! Comme le dit l'adage: « Trop, c'est comme pas assez. » Mais comment vous y êtes-vous pris pour réussir à contraindre Brian Davies à quitter les Îles?

— C'est simple. Je me suis joint à lui lors d'une rencontre amicale d'échanges de points de vue tout en sirotant plusieurs verres de boisson forte. Il m'a appris qu'étant un simple annonceur de radio au Nouveau-

Brunswick, il travaillait à temps perdus à la SPCA. À la fin des années soixante, avec quelques autres écologistes, il a réussi à fonder l'organisation mondiale Green Peace dont il est devenu le président et directeur général en 1971, je crois. De ce fait, il s'est créé un job fort lucratif. Il est parvenu par la suite à amplifier ses revenus personnels en fondant l'International Fund for Animal Welfare dont il se nomme lui-même directeur exécutif. De cette façon, il est certain de couvrir non seulement les espèces vivant sur terre avec Green Peace mais également dans la mer avec la IFAW. Devenu totalement à ma merci après toutes ses confidences, plusieurs verres de gros gin aidant, il m'a juré qu'il quitterait les Îles si je lui en donnais l'ordre. Heureusement, c'est ce qu'il fit le lendemain avant-midi, non sans avoir hésité, en harcelant les chasseurs pour que ses caméras puissent obtenir des scènes fortes en émotions de toutes sortes.

— Eh bien! Il s'en est fallu de peu pour que vous soyez dans de mauvais draps s'il n'obtempérait pas à vos ordres.

— Pas vraiment, étant donné qu'il se rappelait plus ou moins de ce qu'il m'avait laissé savoir la veille en me priant de le garder confidentiel. En retour, il m'a assuré qu'un de ces beaux jours il se vengerait de son extradition rapide des Îles.

— Merci bien pour ces confidences, Monsieur le préfet. En ce qui regarde Watson, Weber, Bardot et compagnie, qu'est-ce que vous pourriez me dire sur eux?

— Beaucoup de choses, mais le temps me manque, Érik. Tu reviendras me rencontrer avec ton oncle Fred et on en discutera à satiété. D'ici là, fait donc en sorte que tes agissements soient d'abord pour le bien d'autrui et tu verras comme c'est revalorisant.

— Merci encore une fois, monsieur le préfet qu'il lui dit en lui serrant fortement la main en signe de son admiration et de sa détermination à suivre ses conseils.

* * *

De retour chez lui, Érik se précipite chez le Vieux qui l'encourage à réaliser ses rêves malgré les quelques complications qui pointent à l'horizon. L'une d'elles est qu'il se doute que le Vieux n'est pas d'accord du tout avec ses dernières sorties à l'emporte-pièce avec Julianna.

— Tu n'as pas perdu de temps pour retomber dans tes bonnes vieilles habitudes! qu'il lui déclare en guise de salutations.

— Vous voulez me parler de mes relations intimes avec Julianna, n'est-ce pas?

— Tu ne me l'auras pas fait dire, fiston. Pourquoi ce besoin de satisfaire tes bas instincts avec une belle fille, certes, mais qui a la tête vide et qui butine avec la moitié des mâles des Îles?

— Vous exagérez, mon oncle. C'est que… je voulais être certain que j'étais encore capable. Je n'ai pas besoin de vous faire un dessin. Ça fait que maintenant que je le sais, c'est fini avec elle. Je vous en fais la promesse formelle.

— Ç'a plein d'allure. Mais Claudia, elle, quand est-ce que tu vas l'entreprendre pour de bon?

— Vous me connaissez, mon oncle. J'ai toujours besoin d'un défi autant en amour qu'en affaires. Claudia, c'est un peu l'amour impossible que je cherche. Si vous saviez comme elle me gêne et me trouble lorsque je la vois et que j'essaie de lui parler.

— Je vais te donner un bon conseil, mon petit. Ne cours pas deux lièvres à la fois, même si l'un d'eux se laisse attraper selon ton bon vouloir. Claudia, étant de nature indépendante, ne se laissera pas séduire par le premier venu, même si elle a un certain béguin pour toi. Alors, pourquoi pas en profiter avant qu'il ne soit trop tard?

— J'y verrai dans le temps comme dans le temps, mon oncle. Mais dites-moi pas que vous m'avez fait venir ici que pour me parler de mes amies de cœur?

Le Vieux, quelque peu mal à l'aise, s'empresse aussitôt de l'informer qu'il a fait l'acquisition d'un vieux chalutier de bois — une copie de l'*Ariès* — qu'il a baptisé l'*Ariès II*. Tout heureux de la nouvelle, Érik apprend du même coup qu'il est nommé capitaine du navire non sans avoir à subir au préalable une batterie de tests sur ses aptitudes de marin, son récent coma y étant pour quelque chose.

* * *

Les quelques sorties en mer avec son oncle pour *s'amariner* aux exigences des nouveaux équipements de navigation et de détection leur en a appris beaucoup sur les allées et venues d'Alpide et de sa gang. Ils ont pu constater également que plusieurs pêcheurs de métier se sont convertis, comme par hasard, en chasseurs de trésors. À cet égard, ils ont découvert une flottille de bateaux de toutes sortes qui simulait la pêche à la morue en sillonnant toute la partie nord-ouest des Îles à partir de l'île du Corps-Mort jusqu'au sud de l'Orphelin.

Malgré l'enthousiasme débordant du Vieux qui constate que le site qui contiendrait potentiellement l'épave de l'*Ariès* n'a pas encore été exploré, Érik a perdu quelque peu de son ardeur d'antan. Il a appris, en effet, que Claudia avait été vue à maintes reprises au départ autant qu'à l'arrivée du bâtiment commandé par Alpide et dont il soupçonne Samy d'être l'armateur. Voulant en avoir le cœur net, il appelle Alpide pour lui demander un tête-à-tête dans un endroit neutre. Au début, ce dernier refuse si son oncle y assiste comme témoin, ce à quoi Érik lui rend la pareille avec son acolyte Azade.

— Ouais, « le jeune » ! Tu as l'air pas mal bien pour un gars sorti des ténèbres, qu'Alpide lui dit en début de leur rencontre qui a lieu dans un petit magasin de la Grave.

— Toi aussi, « les gros bras ». Si tu penses m'humilier en m'appelant « le jeune », oublie ça. S'il y a une chose entre autres que je me rappelle très bien, c'est que lors de notre expédition sur l'*Orphelin*, je t'ai déjà donné des ordres que tu as été contraint de suivre, n'est-ce pas, mon Alpide ?

— Peut-être. Par contre, cela n'a pas duré très longtemps. Si tu ne te rappelles pas le jour du naufrage, moi je m'en souviens très bien. Ton cousin Edgar, que tu avais préféré nommer premier officier à ma place, s'est noyé comme un rat de cale coincé dans le *fourga-celle*.

Voyant le visage d'Érik défait par la tristesse d'un souvenir perdu dans le néant, Alpide poursuit :

— Comme rescapé, je devenais alors automatiquement le premier maître et laisse-moi te dire que ça ne m'a pas vraiment déplu de te relever par la suite de tes fonctions de capitaine.

— Quand ça ? lui demande Érik, qui cherche au plus profond de ses souvenirs.

— Au moment où il fallait organiser la survie de l'équipage, *simonacle*. Et tu vois le résultat. Tu t'es sauvé tout fin seul tandis que moi, j'ai réussi à m'en sortir en incitant Azade à me suivre.

— C'est pas plutôt le contraire? Les sauveteurs m'ont pourtant avoué avoir trouvé Azade qui errait à plus d'un kilomètre où ils m'ont découvert, tandis que toi ils t'ont déniché à plus de dix.

— Dis-moi pas que tu crois ces palabres. Rien à faire avec toi: en plus d'avoir perdu la mémoire, voilà que tu es devenu naïf! qu'il poursuit d'un ton méprisant.

Alpide se dit que plus il va le déstabiliser, plus il en profitera pour lui tirer les vers du nez afin d'en savoir plus sur la localisation présumée de l'épave de l'*Ariès* que lui aurait fait connaître son oncle Frédérik.

— Tu travailles toujours pour le marchand? lui demande Érik en poursuivant: Est-ce toi ou ton bourgeois Samy qui veut être le tout premier à retracer l'*Ariès*?

— Bah… Pas plus l'un que l'autre. L'important dans cette affaire, c'est que tu as fait de grossières erreurs et tu vas en payer le prix.

— Quelles erreurs? qu'il lui demande d'un ton ferme. Au fait, c'est quoi l'histoire que l'*Ariès* prenait de la bande à tribord et que les écoutilles n'étaient pas bien fermées?

— Ça, c'est l'histoire d'Azade et un peu la mienne aussi. J'ai tellement souffert de froid et de faim en plus de t'avoir enduré que ma mémoire peut me faire défaut à l'occasion mais sûrement pas pour des erreurs comme celles-là.

— Si tu es si certain de ton affaire, tu vas me dire maintenant ceci: comment se fait-il que depuis une semaine au moins, tu patrouilles avec tes hommes au nord de l'île du Corps-Mort jusqu'à proximité du Bradelle?

— Et alors, qu'est-ce que ça peut te faire? Ton oncle a d'ailleurs commencé à explorer le même secteur.

— Laisse faire mon oncle et écoute-moi bien. Si lors du naufrage les écoutilles n'étaient pas bien fermées comme tu l'as déjà raconté à bien des gens, pourquoi est-ce que l'épave ne se retrouverait pas à proximité de l'Orphelin plutôt que du Bradelle?

— Qu'est-ce que tu vas chercher là, le jeune?

Voyant Alpide de plus en plus mal à l'aide, Érik insiste en ces termes:

— Même un enfant d'école sait qu'un bateau en perdition fait de bois et dont les cales sont pleines de peaux recouvertes d'une épaisse couche de lard va fortement dériver sur des dizaines et des dizaines de milles nautiques avant de couler.

— Peut-être as-tu raison, mais en autant que les écoutilles soient étanches. Par ailleurs, te souviens-tu, le jeune… c'est vrai que tu t'en rappelles pas, qu'après le naufrage, je t'ai supplié pour qu'on demeure sur place? Au fait, ton *Ariès* dont la moitié du petit mat arrière était encore submergé prouvait qu'il se situait à ce moment-là encore entre deux eaux, comme on dit. Mais non, pas question. Encore une erreur de ta part. Par chance que je t'ai relevé de ton poste de capitaine parce que autrement on y serait tous passés.

— Je crois bien, Alpide, que tu en es rendu à te mêler dans tes propres menteries. Peut-être qu'en essayant de convaincre les autres, tu te crois dur comme fer.

— En tout cas, il y a une chose irréfutable, le jeune, et c'est que Samy me fait encore entièrement confiance.

— Ah oui… et sa fille Claudia, te croit-elle autant que son père?

— Laisse-moi te dire que Samy, je peux le confondre comme bon me semble. Quant à Claudia, quelle fille chaleureuse et intentionnée! Tu ne peux pas savoir quels plaisirs j'ai avec elle…

— En étant chaperonné constamment par son père, lui réplique Érik d'une voix cassante. Samy ne te laissera pas cueillir sa fille comme un fruit mûr. Tu devras la mériter, mais sûrement pas de la façon dont tu t'y prends maintenant. Tu oublies peut-être le flirt qui nous animait avant cette triste histoire…

— *Simonacle*, le jeune, tu voudrais me faire la leçon, toi qui ne cesses de t'envoyer en l'air avec Julianna. Tout le monde connaît l'épopée des amours de jeunesse entre Samy et ta mère qui a choisi de marier ton père après de très courtes fréquentations. Tu sais qu'il n'y a qu'un pas à faire pour supposer que tu es peut-être…

— *Désespoir*, Alpide, comme tu peux être malin! D'abord, Julianna, c'est mon affaire. Quant à ma mère, tu sais fort bien qu'elle me l'aurait déjà avoué s'il y avait eu le moindre doute.

— Tu divagues, le jeune. Au fond, Samy n'attend que je lui ramène les preuves de tes erreurs monstrueuses pour que Claudia soit mienne.

— Tu veux dire l'épave de l'*Ariès* avec sa cargaison?

— C'est exactement ça, d'autant plus que je connais sa localisation présumée plus que quiconque. J'attends seulement le moment le plus propice.

— Quel moment? lui demande Érik qui commence à croire qu'il est en train de l'embarquer.

— À l'instant même où tu reconnaîtras tes erreurs, Érik. Tiens, lis ce document et tu vas comprendre le dicton préféré des avocats qui dit : « Un arrangement à l'amiable vaut bien mieux que le meilleur des procès. »

Érik prend des mains d'Alpide un document qu'il parcourt en diagonale pour constater qu'il s'agit d'un projet de requête pour une action en justice. Signée par un avocat de renom, elle a été établie pour le compte d'Alpide, d'Azade ainsi que des ayants droit des familles des disparus. Il lit rapidement les énoncés qui lui font battre le cœur en chamade surtout lorsque, arrivé à la fin, il s'aperçoit qu'ils lui réclament une somme de 750 000 $ en dommages et intérêts.

Voyant la tension qui se lit de plus en plus sur le visage de son interlocuteur, Alpide lui demande :

— Et puis comment penses-tu pouvoir te sortir de ça?

— Ouais… vous n'y allez pas avec le dos de la cuillère, même si ce n'est qu'un projet. Sois assuré mon Alpide que je vais m'adjoindre les meilleurs spécialistes en la matière pour me défendre. Au fait, as-tu pensé aux risques si mes avocats décidaient de me défendre avec une demande reconventionnelle pour atteinte à la réputation, etc.

— C'est une possibilité, mais je suis prêt à parier que ça ne se produira pas.

— Ah non? et pourquoi?

— Voilà, regarde ces autres papiers qui constituent d'après moi une alternative qui va t'éviter non seulement d'énormes frais d'avocat, mais surtout à devoir miser quitte ou double.

En parcourant le texte, Érik s'aperçoit qu'il a affaire à une forme de convention d'arrangement à l'amiable. S'il la signe, il admet sa responsabilité totale et entière du naufrage de l'*Ariès*. En retour, il cède aux demandeurs la valeur complète de sa cargaison afin de payer en partie les dommages civils constitués de paie de base et de quote-part de la valeur des peaux embarquées sur le bâtiment. Il évite ainsi toute poursuite ultérieure tant au niveau des dommages matériels que moraux. Continuant à lire plus soigneusement le sens de chacune des phrases, il s'aperçoit cependant qu'il ne pourra pas se soustraire d'une poursuite criminelle éventuelle de la part de la Couronne, la justice devant suivre son cours.

Se sentant de plus en plus anxieux et menacé, il entend Alpide lui dire :

— Tu sais, Érik, avec les opposants qui ont commencé à faire du grabuge aux Îles, c'en est fini pour nous tous de faire de l'argent rapidement avec la chasse. Au moins, les familles des disparus pourront profiter quelque peu de cette mésaventure. Quant à toi, Samy a déjà tout effacé de ton crédit, ce qui n'est pas négligeable. De plus, tant les familles des disparus que moi et Azade, on est prêts à te pardonner si tu fais amende honorable.

Érik se sent envahi par une forte angoisse qui lui fait croire qu'il est en train de faire un mauvais rêve. Il remet le document dans l'enveloppe pour chercher dans sa poche ses précieuses pilules qui pourraient peut-être l'aider à surmonter son anxiété.

— Un verre d'eau avec ça ? lui dit Alpide d'un ton amical.

— Non merci, qu'il lui répond, perdu dans ses pensées en serrant dans sa main pendant quelques secondes la petite boîte. Il tourne le dos à son interlocuteur et relâche peu à peu son emprise en essayant de trouver une astuce qui éviterait toute prise de position immédiate. Se raclant la gorge, il lui dit :

— Et si je décide de signer tout de suite, ça va prendre un témoin.

— Pas de problème, il y a mon cousin qui attend dehors. Tu le connais, il est agent des pêches.

— Bah… Je crois bien que je vais attendre à plus tard. Je peux en prendre une copie ? qu'il lui demande afin de voir sa réaction.

— Non, lui riposte Alpide d'une voix ferme. À moins que tu signes, évidemment. Crois-moi, c'est tout à fait légal.

— Je te crois, sauf que ça m'apparaît trop hâtif. Je vais y réfléchir.

— Comme tu voudras, mais oublie pas qu'en attendant, tu prends tous les risques.

— Te rappelles-tu, Alpide, comme j'aimais te lancer des défis en gageant avec toi sur la probabilité qu'un événement quelconque se produise ?

— Oui et tu sais fort bien que j'ai toujours su les relever.

— C'est vrai et en voici un de taille. Écoute-moi bien : je suis prêt à signer ce document en autant qu'il soit accompagné d'une déposition officielle sous serment autant de toi que d'Azade sur ce que vous vous rappelez des événements qui ont précédé et suivi le naufrage de l'*Ariès*.

— Holà ! tu y vas un peu fort, le jeune. C'est à prendre ou à laisser. Tu signes maintenant et je ramène le tout à notre avocat. Tu connais les avocats lorsqu'on les contrarie. Est-ce bien ton dernier mot avant que je disparaisse ?

— C'est bien ça, retourne-toi d'où tu viens et efface-toi de ma vie au plus vite, de lui lancer Érik, plein d'audace. Et n'oublie pas d'avertir ton cousin de ma décision pour qu'il puisse faire son boulot d'agent de pêche en toute quiétude, qu'il poursuit en mettant fin à leur discussion.

* * *

Depuis l'industrialisation de la pêche et de la chasse au loup-marin, les agents de pêche aux Îles-de-la-Madeleine ont vu leur travail fortement évoluer au cours des deux dernières décennies. Antérieurement, les gardes-pêche, comme on les appelait, s'en tenaient à examiner les agrès, les captures et leur transformation de façon à ce que les règlements de base soient tout au moins observés par le plus grand nombre possible de pêcheurs.

Or depuis ces temps immémoriaux, ils se sont équipés de bateaux à grande vitesse et d'équipement sophistiqué de détection et de communications. Ils s'assurent de cette façon que non seulement les outils de pêche sont conformes aux règlements, mais que les quotas combinés aux zones de capture sont adaptés à la dure réalité de la conservation de la ressource hauturière.

Cependant, leurs pouvoirs de sommation et surtout d'arrestation ne les rendent pas très populaires parmi certains pêcheurs madelinots, comme toute forme de police, d'ailleurs. En contrepartie, les agents de la Garde côtière qui s'occupent de sauvetages et de secours en mer sont salués chaleureusement. Ainsi, à moins d'y être obligé, on s'abstiendra de fournir la position de son navire aux agents de pêche, tandis qu'avec la Garde côtière, il en sera tout autrement.

105

Tout récemment, Pêches et Océans Canada s'est muni d'un Système de Détection des Navires, dit SDN. Installé aux Îles depuis peu, ce système consiste à placer sur un navire un module appelé couramment *boîte noire* qui, une fois activé, permet à l'agent des pêches de le suivre pas à pas. Il peut ainsi connaître quand et où il pêche, faisant intervenir, si nécessaire, un bateau ou un avion patrouilleur qui pourra faire le constat des infractions commises.

Frédérik, pour ne citer que lui, est passablement résistant aux changements apportés par cette nouvelle technologie. Non seulement les pêcheurs doivent-ils maintenant enregistrer en bonne et due forme leurs captures, mais en plus, dans certains cas, déposer leur livre de bord. Cette nouvelle exigence lui fait dire qu'il en faudrait de peu pour que les agents les suivent jusque dans leur chambre à coucher pour savoir « si chaque queue de poisson est de bonne dimension » !

* * *

Toujours est-il qu'Érik rencontre le Vieux pour discuter avec lui de l'organisation de recherche de l'épave de l'*Ariès*. Équipé de deux puissants moteurs de 180 chevaux vapeurs chacun, l'*Ariès II* est muni d'appareils et de gadgets des plus récents, en plus du nécessaire à la plongée sous-marine. Ces instruments sont constitués, entre autres, d'un radiotéléphone VHF possédant une portée de 10 milles nautiques pour les communications entre bateaux et de plus ou moins 50 pour celles avec la terre ferme. Doté d'environ 100 canaux, l'appareil permet, par l'intermédiaire des deux tiers des postes, de communiquer de navire à navire, les autres étant pour les transmissions avec le port d'attache de chaque bateau. Deux canaux sont réservés aux postes de veille et d'urgence extrême. Équipé de capteurs puissants, les agents de Pêches et Océans Canada peuvent écouter chaque message et même les relier à qui de droit si nécessaire.

Alpide, qui avait des contacts privilégiés avec certains pêcheurs véreux, pouvait donc compter sur eux pour s'informer des allées et venues des bateaux participant aux recherches sur la localisation de l'épave. Érik avait cependant prévu le coup, sachant fort bien que non seulement Alpide mais également toute une brigade de chasseurs de trésors voudraient tout savoir de ses déplacements. De concert avec le Vieux, il décide donc de mettre en place une stratégie de communication entre eux, de façon à confondre le plus vigilant des balayeurs d'ondes de toutes les Îles.

* * *

Autrefois, les pêcheurs qui exerçaient leur métier près des côtes madeliniennes n'avaient pour seul repère que l'aspect visuel du relief des îles. Équipés d'une boussole et d'un cadran d'horloge, ces appareils leur permettaient de découvrir les meilleurs fonds de pêche et, dans une certaine mesure, d'en conserver le secret. Par contre, l'industrialisation de la pêche et de la chasse au loup-marin a obligé les pêcheurs à se doter des dernières technologies en communication et en positionnement. Qui dit haute technologie, dit également concurrence accrue de la part des pêcheurs qui l'utilisent à profusion jusqu'à ce que leur façon de procéder soit connue de leurs rivaux.

Chaque pêcheur a sa façon bien à lui de communiquer sa position ainsi que le résultat de ses prises. Dépendant s'il transmet ces informations avec son port d'attache, avec les gardes-pêche ou encore avec d'autres pêcheurs reconnus pour leur ruse, il codifiera son message à sa façon. Ainsi, une douzaine de seaux de poisson peut vouloir signifier douze litres (1 seau) ou encore douze barils (120 seaux), dépendant à qui l'on parle à la fois des résultats comme de la position de son bateau.

Les deux comparses s'étaient donc entendus pour chiffrer différemment les données en degrés et en minutes sur la position respective de leurs navires. Quant aux transmissions téléphoniques faisant état de la découverte ou non d'indices pouvant les amener à découvrir l'emplacement de l'épave, ils ont décidé d'insérer dans leurs communications certains mots codés d'utilisation courante par chacun d'eux.

Quant à l'équipement d'exploration du fond marin dont l'*Ariès II* est muni, il est composé d'un échosondeur avec microprocesseur branché à une carte géographique électronique. Cet appareil permet l'enregistrement sur papier non seulement des profondeurs sous le bateau, mais également du profil ainsi que du genre de fond. Une fonction particulière de ce genre de sondeuse est la possibilité de grossir, de mémoriser et d'être prévenu d'un changement brusque de configuration et de type de fond. En faisant état de la présence d'objets importants, une analyse plus approfondie peut être demandée, au besoin, à l'ordinateur de bord. Ce dernier a donc la possibilité de dessiner ces objets en plusieurs dimensions et même d'en capter en différentes couleurs le degré de densité. Finalement, sa mémoire intégrée permet de revenir en arrière et de comparer les diverses images mémorisées.

Cependant l'appareil qui fait l'orgueil des deux complices est le positionneur GPS. Sa principale fonction est de donner en permanence la position du navire, sa vitesse, son cap en terme de durée, et ce, avec une très grande précision. Le traceur de route qui y avait été ajouté permet à l'homme de barre de suivre le trajet préalablement programmé en tenant compte du déplacement du bateau et des écarts que lui font subir les marées, les vents et les courants.

L'équipage de l'*Ariès II* sera composé de cinq hommes, triés sur le volet par Frédérik pour leur savoir-faire, leur vigueur au travail et également leur discrétion. Selon les calculs du Vieux, l'épave se retrouverait au nord-est des Îles dans un quadrilatère partant à l'ouest de Bradelle jusqu'à l'est du Rocher-aux-Oiseaux. Le faible signal capté par la Garde côtière au sud de l'Orphelin, peu de temps après le naufrage, prouverait sa théorie d'une dérive occasionnée par le courant fort du canal Laurentien.

Par ailleurs, si jamais l'*Ariès*, lors de son déplacement, a capté des matières polluantes qui s'écoulent de l'épave du *Irving Whale*, il est à craindre que les peaux soient passablement contaminées. Aux dires des autorités dans ce domaine, cela aura pour effet de réduire leur valeur de plus de la moitié du prix offert pour le lard qui les recouvre et qui sert à fabriquer une huile médicinale contenant une forte concentration d'Oméga 3.

Chercher l'*Ariès*, mais surtout le trouver, demeure tout de même pour Érik un défi de taille. Il se fie aux calculs du Vieux, mais se rappelle fort bien des difficultés éprouvées pour localiser le Banc-de-l'Orphelin. Ainsi le courant froid du Labrador combiné à celui du fleuve Saint-Laurent, lesquels sont alimentés par celui du Gulf Stream, lui ont causé à l'époque beaucoup de contretemps. Ce n'est guère mieux s'il considère que ces mouvements d'eau ont habituellement tendance à charrier vers l'océan tout ce qui se retrouve à la surface, voire à demi submergé. L'*Ariès* s'est-il buté à la zone dite des grenades sous-marines non éclatées? Voilà une possibilité qu'il n'écarte pas pour autant.

Il n'en demeure pas moins que le plus dramatique pour lui est que récupérer l'épave veut également dire retrouver des cadavres restés possiblement emprisonnés dans le gaillard d'avant. Afin de mieux se convaincre d'aller de l'avant, il rencontre le négociant de peaux de loup-marin, Herb Smith, qui pourrait l'aider à évaluer la valeur de la cargaison.

— Bon matin, Monsieur Smith, lui dit Érik en le rencontrant pour le petit déjeuner à son hôtel.

— Enfin, c'est toi, Érik! Que j'avais donc hâte de te rencontrer depuis les jours sombres de l'affaire de l'*Ariès*. Mais changeons de sujet et laissons les autres se torturer les méninges avec ça. Dis-moi, tu as l'air en très grande forme.

Tout en lui résumant sa période de réhabilitation, Érik observe son interlocuteur. Herb Smith, un Cajun de la Louisiane, a le physique de l'emploi, un marchand en pelleteries marines qui se vend bien, quoi! Toujours bien habillé, l'air affable, sa large bouche qui est coiffée d'une moustache bien taillée laisse passer un perpétuel sourire séduisant. Deux yeux bleus perçants et une chevelure châtaine très épaisse, relevée en arrière, complètent ce personnage fort attachant, mais dont les ruses en marchandage sont considérées par plusieurs sans scrupules. Le Vieux lui avait dit un jour : « Fais attention, Érik. Cet homme-là a les *poches profondes**. »

— C'est bien ça, Érik. Vous voulez qu'on regarde de plus près les possibilités de faire affaire ensemble avec les peaux qui seront possiblement récupérées de l'épave, n'est-ce pas? Mais avant tout, en connaissez-vous le nombre?

— Là-dessus, chacun a son opinion. Le moins optimiste, c'est Alpide à Johnny que vous connaissez très bien déjà et qui prétend qu'il n'y en a pas plus de cinq mille. Le marchand Samy, avec qui vous entretenez toujours une certaine concurrence, l'évalue au double et mon oncle Frédérik, toujours débordant d'optimisme, parle de douze mille.

---

* Avoir les poches profondes : vouloir toujours être payé pour ses services.

— Et vous, Érik? Même si vous vous rappelez plus ou moins de ce qui s'est passé sur l'Orphelin, à combien estimez-vous la valeur de la cargaison?

— Tout près de trois quarts de million de dollars, Monsieur Smith.

— Holà! Vous y allez un peu fort à mon goût.

— Pas du tout, qu'il lui réplique d'un ton ferme, et je vais vous expliquer pourquoi. Depuis le triste reportage du journaliste de Radio-Canada, avez-vous vu autant de controverse dans les médias? C'est comme si les Îles-de-la-Madeleine et leurs habitants venaient d'émerger des profondeurs de l'océan, et que les résidants de la grande-terre les découvraient comme d'étranges primates dotés d'une certaine intelligence mais de coutumes barbares.

— C'est un bon discours que vous pourriez très bien faire sur la place publique, de lui répondre Herb Smith avec son air affable habituel. Mais passons aux faits: pourquoi la valeur des peaux a-t-elle tout à coup augmenté du tiers ou presque?

— Prenons en exemple la chasse au blanchon. Vous savez bien que cela n'est plus permis. Conséquemment, la valeur de leur fourrure dans les pays scandinaves et asiatiques va plus que doubler. L'offre et la demande, Monsieur Smith, vous connaissez?

— Oui, c'est plausible. Par contre, une certaine partie de la cargaison est constituée de peaux de jeunes et d'adultes. Ne pensez-vous pas qu'il faudrait alors diminuer un peu vos estimations?

— Vous oubliez sans doute que seulement la moitié de la cargaison est constituée de ces types de peaux et que son prix se maintiendra peut-être malgré les menaces grandissantes de boycottage par la Communauté économique européenne. De plus, le lard qui les recouvre a une valeur inestimable en Oméga 3, un élément médicinal de plus en plus reconnu pour sa valeur de restauration de certaines fonctions organiques dont celles qui provoquent la dépression.

— Vous m'avez l'air de quelqu'un d'assez bien documenté. Cependant, plus vous attendez à récupérer la cargaison de l'*Ariès*, plus vous risquez que les opposants vous mettent des bâtons dans les roues.

— C'est ça que je voulais vous entendre dire, Monsieur Smith. Alors, on fait affaire ensemble?

— Vous savez, Érik, ce ne serait pas la première fois que j'achèterais des peaux qui proviennent du naufrage d'un navire ayant chassé le loup-marin.

— Hein? Et comment ça? qu'il lui demande en feignant la surprise.

— Il y a de ça deux ans je crois, un chasseur émérite s'était fait engouffrer son bâtiment en revenant du Bradelle avec plus de 1500 peaux à son bord. De retour sur terre en soirée, sain et sauf, il a réussi, dans les trois jours suivants, à récupérer la presque totalité de la cargaison en naviguant dans les environs du Rocher-aux-Oiseaux.

En l'écoutant ainsi se raconter, Érik se demande bien si Herb Smith ne connaît pas, par l'intermédiaire d'Alpide ou de n'importe qui d'autre, la localisation présumée de l'épave de l'*Ariès*.

— C'est toute une chance qu'il a eue, qu'il s'empresse de lui dire en fuyant son regard. Il reste cependant que, dans mon cas, la garantie de récupérer la totalité des peaux est encore plus forte.

— Et pourquoi donc?

— C'est parce que je suis absolument certain, même si je ne m'en rappelle pas tout à fait, que les cales de l'*Ariès* étaient fermées hermétiquement. C'est ainsi qu'en retraçant l'épave, un plongeur n'a qu'à ouvrir les écoutilles et *hop!* les peaux feront surface comme des bouchons en liège.

— J'ai compris. Mais comment peut-on en arriver à une entente préalable, puisque l'*Ariès* n'a pas encore été retrouvé?

— Vous n'avez qu'à me donner votre parole d'honneur, Monsieur Smith. Le prix que vous me paierez pour les peaux sera l'équivalent de la meilleure offre sur le marché trente jours après leur récupération.

— C'est trop pour le risque, Érik. Vous le savez bien.

— Quel risque?

— Celui que vous soyez poursuivi par les familles des disparus pour plusieurs centaines de milliers de dollars et que je sois considéré comme garant de leur réclamation envers vous.

— Vous pensez trop loin. Si jamais on me réclame quoi que ce soit, je vous donne ma parole, et même celle de mon oncle, que vous pourrez conserver votre commission. Après tout, n'êtes-vous pas un courtier en pelleterie qui est *arrivé bien avant de sa bouée* comme on dit aux Îles? Pensez-y quelques secondes: un beau 100 000 dollars dans vos poches.

— Ça reste à voir, surtout que mon profit pourrait être réduit de moitié et même plus, de lui répondre Smith qui s'affaire, pendant plus d'une heure, à lui expliquer la contamination possible des peaux au PCB qui s'écoule encore du *Irving Whale*.

* * *

En septembre 1970, coulait par soixante-dix-sept mètres de profondeur le *Irving Whale*, propriété de la Irving Oil Company. La barge repose sur le fond du golfe Saint-Laurent à une distance de 60 km au nord-est de l'Île-du-Prince-Édouard et à 100 km au sud-est des Îles-de-la-Madeleine. En fait, le bateau a sombré tout près du banc de pêche et de chasse au loup-marin Bradelle, soit plus exactement à l'ouest des côtes madeliniennes et à l'est du Nouveau-Brunswick. Pendant plus d'un mois après le naufrage, environ deux cents tonnes de pétrole, qui contenaient également une certaine concentration de PCB, ont été poussées par les courants dominants du Gulf Stream vers les côtes des Îles-de-la-Madeleine sur environ 80 km de plage.

Herb Smith mentionne à Érik que comme ces polluants sont extrêmement résistants à la décomposition, la chair des loups-marins qui visitent les Îles à chaque printemps pour leur mise bas pourrait fort bien en contenir des traces. Son raisonnement s'appuie sur le fait qu'étant donné que les loups-marins se nourrissent de poissons, de crustacés et de détritus déjà contaminés, ils sont intoxiqués à leur tour, et ainsi de suite. C'est toute la chaîne alimentaire qui en souffre. Une zone faisant la grandeur de l'île du Havre-Aubert a d'ailleurs été fermée à la pêche par le gouvernement canadien, considérant les dépôts de ce poison qui adhèrent au fond marin sans que personne ne puisse dire pour combien d'années encore.

— Mais que vient faire l'*Ariès* et sa cargaison dans toute cette affaire? lui demande Érik.

— C'est que tout comme l'épave de l'*Ariès*, les polluants du *Irving Whale* à la dérive ont tendance à *dégolfer*, comme on dit, en direction du détroit de Cabot. Il n'y a alors qu'un pas à faire pour affirmer que les peaux qui reposent dans les cales du bâtiment ont subi une première contamination au mercure par la nourriture même ingurgitée par les loups-marins avant d'être abattus. Encore plus importante, il y a celle produite par la dérive de l'épave contenant les peaux, pendant les six derniers mois. La preuve à cela est que suite au naufrage du *Irving Whale*, la pollution des plages a eu lieu presque exclusivement aux Îles-de-la-Madeleine.

— Mais le fait qu'on va possiblement la renflouer d'ici quelques années peut-il changer quelque chose ? lui demande Érik fort inquiet de voir sa petite fortune fondre comme neige au soleil.

— Oui et non, ça dépend. De toute façon, on établira, après récupération de la cargaison, l'influence du degré de contamination sur le prix que le marché est prêt à offrir.

— En fait, je n'ai pas grand choix.

— C'est bien ça, mon ami, et d'ici là, faites attention de ne pas jouer dans mes plates-bandes, qu'il ajoute le plus sérieusement du monde.

— Holà ! pas si vite, M. Smith. Si j'ai commencé à courtiser certains pêcheurs, dont mon père, pour les aider à vendre leurs prises aux Américains, cela n'a rien à voir avec votre profession de courtier.

— Qui un jour a commencé par voler un œuf, en arrive par la suite à voler un bœuf, qu'il lui réplique. Mais revenons à nos moutons, si vous le voulez bien. Vous n'auriez pas objection à ce que je visite votre bateau pour m'assurer que vous pourrez embarquer sur un navire une telle cargaison en toute sécurité ?

Pendant quelques secondes Érik se demande si son interlocuteur ne s'était pas informé auprès d'Alpide des causes plausibles du naufrage de l'*Ariès*.

— C'est que vous ne me faites pas confiance Monsieur Smith ?

— Bien non, qu'est-ce que vous vous imaginez ? C'est tout simplement dans le but de constater de visu comment est équipé l'individu avec qui je viens de conclure un important marché.

— Dans ce cas-là, Mathieu, mon assistant qui est en train de terminer les derniers préparatifs, va s'occuper de vous. Vous n'avez qu'à l'informer de mon accord et tout ira bien, qu'il s'empresse d'ajouter en lui serrant fermement la main.

* * *

La toute première sortie en mer d'Érik a pour but, avant tout, de démontrer aux deux examinateurs à bord qu'il pourra conserver, en toute quiétude, sa licence de capitaine qu'il détient depuis plusieurs années déjà.

Naviguant aux abords du fond Georges, un haut-fond rocheux renommé pour sa concentration de poissons de fond, il décide d'expérimenter les communications par radiotéléphone avec son oncle.

— L'*Ariès II* appelle la base à Frédérik. À toi.

Après quelques minutes d'essais répétitifs il entend :

— Ici la base à Frédérik. À l'écoute. À toi.

— Ici l'*Ariès II*. Place-toi sur le canal 22. À toi.

Ainsi, selon une vieille coutume, certains pêcheurs astucieux choisissent un canal au chiffre impair pour une mauvaise nouvelle et pair pour un message qui présente un certain degré de satisfaction.

— Ici la base à Frédérik. Compris. À toi.

— Ici l'*Ariès II*. C'est fait, mon oncle. Il n'y a plus de raison pour ne pas commencer nos recherches le plus vite possible. C'est drôle mais ça n'a pas de sens de voir jusqu'à quel point les *suiveux* ne m'ont pas lâché d'une semelle. À toi.

— Ici la base à Frédérik. Bonne nouvelle ! Hélas ! la mauvaise, c'est qu'Alpide poursuit encore ses explorations. Ça fait que… dépêche-toi à revenir à ton port d'attache pour qu'on s'organise au plus sacrant. À toi.

— Ici l'*Ariès II*. Bien compris. Je quitte ma position qui est… 47° 4′ Nord par 61°50′ Ouest pour arriver vers les seize heures. Je me place sur le canal de veille. Terminé.

Le soir venu, Érik s'en va retrouver son oncle afin d'établir la meilleure stratégie possible pour éviter d'être suivi et, par conséquent, être le tout premier à retrouver l'épave et son précieux chargement.

— Entre, Érik, et viens dans le boudoir. J'ai à te parler dans le particulier, qu'il lui annonce en l'apercevant. Maria, apporte-nous donc une couple de galettes blanches avec du thé King Cole, qu'il lui demande avant qu'elle ne s'installe pour regarder son roman savon préféré à la télévision.

À peine Érik est-il assis qu'il lui dit avec un sourire complaisant aux coins des lèvres :

114

— Mais mon oncle, vous m'avez l'air assez excité merci, qu'est-ce qui se passe ?

— C'est que... tu te rappelles, les nombreux conseils que je t'avais donnés avant ton départ pour l'Orphelin ? Cette fois-ci, c'est décidé, on fait la job à deux.

— Comment ça ? Dites-moi pas que vous voudriez naviguer à nouveau, vous qui avez promis à ma tante Maria de rester les deux pieds sur la *bavette du poêle*.

— C'était seulement pour qu'elle ne s'inquiète pas. Ç'a pas d'allure que tu fasses les recherches tout fin seul. Pourquoi que l'on ne se diviserait pas le travail à deux : toi avec l'*Ariès II* et moi avec un bateau que m'a prêté un pêcheur du Gros-Cap. Comme ça, je pourrai servir d'appât pour les *suiveux* et surtout pour ce *godash* d'Alpide avec son *Faucon des mers*.

— Ç'a du sens, mon oncle, surtout que j'ai ouï-dire que Samy avait fait de même avec Delphus à Charles afin de lui permettre de faire *ses timbres**.

— Tu sais, Érik, même si Samy est un ami de longue date, je me méfie de lui lorsqu'il y a de l'argent en jeu. Je me dis par contre que si tu trouves l'*Ariès* en premier, un problème pourrait survenir du fait que les familles des disparus te réclameront peut-être les quotes-parts de leurs hommes dans la cargaison. En retour avec Alpide à Johnny, pas de problème, pour Samy en tout cas. Étant l'armateur officiel de ses navires, il conserve les droits sur les résultats, autant avec son contremaitre qu'avec Delphus à Charles. Tu le connais ce Delphus, c'est le père du jeune Simon qui t'accompagnait sur l'Orphelin.

En revenant comme ça sur le passé, Érik commence à penser qu'il serait peut-être mieux de laisser agir Samy à sa guise, afin d'éviter de futures complications avec les familles des disparus. Il se demande si le Vieux ne veut pas, par là, rehausser encore plus le niveau de défi qui se dresse devant lui.

— En fait, mon oncle, aussi bien m'en retourner chez moi avec mon petit bonheur, qu'il lui déclare d'un air de dépit.

— *Godash* ! Pas question ! Tu as un honneur à sauver et c'est celui de prouver que le naufrage de l'*Ariès* n'est dû qu'à un malheureux

---

* Faire ses timbres : enregistrer du temps de travail afin de rencontrer les critères d'admissibilité à l'assurance-emploi.

hasard. Vois-tu Alpide à Johnny retrouver l'épave avant toi? Ne penses-tu pas qu'il pourrait modifier au besoin les causes de l'accident pour lui donner raison tout en s'accaparant des peaux? De cette façon, il démontrera à Samy qu'il mérite largement la main de sa fille Claudia.

— Arrêtez, je vous en prie. Vous êtes après me mêler plus que jamais. Essayez donc plutôt de me sécuriser sur la façon dont nous avons décidé l'autre jour de codifier nos conversations téléphoniques afin d'éviter d'être repérés.

— Là tu parles, mon Érik. Qu'est-ce que tu dirais si l'on utilisait nos mots codés dans leur forme positive, si jamais on ne trouve de bons indices sur l'épave de ton *Ariès*?

— Ç'a du sens, mon oncle. Par contre, pour notre position, comment faire pour tromper la vigilance des balayeurs d'ondes?

— On n'a qu'à ajouter ou à enlever les minutes aux degrés établissant notre position dépendamment qu'on soit en avant-midi ou en après-midi. Qu'est-ce que tu en penses? Tiens, viens voir sur cette carte marine, qu'il poursuit en se levant, et établissons tout de suite notre stratégie.

En examinant la carte du territoire qu'ils vont explorer, les deux comparses le divisent en deux secteurs. La partie comprise entre l'île du Corps-Mort jusqu'aux hauts-fonds de l'île Brion sera l'affaire de Frédérik. Érik, quant à lui, prospectera toute la partie norois des Îles et plus particulièrement, les hauts-fonds de l'île Brion et du Rocher-aux-Oiseaux. Érik n'est pas sans savoir cependant qu'il y a eu près de 200 naufrages de répertoriés dans cette région, dont plusieurs datent du XXe siècle, que certains plongeurs chevronnés visitent encore aujourd'hui.

— N'oublie pas de programmer ton GPS en conséquence, lui recommande le Vieux qui commence à bâiller.

— Pas de problème, mon oncle. Je vais m'en occuper aussitôt parti d'ici.

* * *

Autrefois, la position d'un bateau de pêche s'établissait avec une boussole à bord, indiquant à son capitaine les quatre points cardinaux en termes de 0 à 360°. Dans leur langage de loup de mer, les pêcheurs désignaient par 12 heures l'avant de leur bateau, 6 heures l'arrière, 3 heures l'extrême droite et, finalement, 9 heures l'extrême gauche, comme s'ils se situaient sur le cadran d'une horloge. Ces pêcheurs visualisaient ainsi en quelque sorte la position d'un autre navire qu'ils avaient aperçu à l'horizon.

Or, avec la venue de cartes marines de type *loran*, combinées à des boussoles électroniques et autres instruments de mesure sophistiqués, la position d'un navire s'établit maintenant en termes de degrés en latitude Nord/Sud et en longitude Est/Ouest. C'est ainsi que Frédérik et Érik ont établi un quadrilatère de recherche qui comprend tous les hauts-fonds au nord-ouest des Îles-de-la-Madeleine, soit à partir du 47°10' jusqu'au 47°55' latitude Nord par 61°05' jusqu'au 62°20' longitude Ouest.

Partis de bon matin de leur port d'attache situé à la côte de l'Étang-du-Nord, Frédérik s'en va explorer pendant cette première journée les hauts-fonds partant de l'île du Corps-Mort jusqu'à l'extrémité ouest de la Pointe-aux-Loups. Érik, quant à lui, dirigera son exploration de l'île de Cap-aux-Meules jusqu'à la pointe ouest de la Grande-Entrée, question de se faire la main, comme on dit.

Les deux comparses se sont entendus pour s'appeler à au moins une occasion en avant-midi de même qu'en après-midi, afin de mieux connaître la réaction de leurs rivaux toujours à l'affût du moindre indice révélateur sur la présence de l'épave. Sachant qu'une différence de 10 à 15 minutes de l'heure (l'heure étant le degré de la position d'un navire par rapport à un autre) ne permettait pas d'identifier son emplacement visuellement, Frédérik décide d'appeler son fiston.

— *Lady Maria* appelle l'*Ariès II*. À toi.

— Ici l'*Ariès II*. À l'écoute. À toi.

— Ici *Lady Maria*. Place-toi sur le 33. À toi.

— Ici l'*Ariès II*. Compris. À toi.

— Ici *Lady Maria*. As-tu du monde dans les environs ? À toi.

— Ici l'*Ariès II*. Non pas vraiment à part le *Faucon des mers* que j'ai aperçu ce matin. Ça n'a pas de sens de le voir m'espionner à ce point. Je navigue actuellement à 47°35' Nord par 61°45' Ouest. Ma sondeuse vient de m'indiquer quelque chose d'intéressant. Et par chez vous comment ça va ? À toi.

117

— Ici *Lady Maria*. Par ici, ç'a pas grande allure de voir la gang qui me surveille. Je navigue actuellement à 47°25' Nord par 62°05' Ouest. À toi.

— Ici l'*Ariès II*. Bien compris. On se rappelle plus tard. À toi.

— Ici *Lady Maria*. Terminé. Je me place sur le canal de veille.

Quelques minutes plus tard, les deux complices se demandent si l'autre avait bien décrypté son message. Ainsi, un des mots couramment utilisés par Érik dans sa forme négative indiquait à son oncle qu'il n'avait rien trouvé qui vaille. Il en était de même pour ce dernier avec un mot analogue à celui de son neveu. Érik, par ailleurs, avait tronqué de 15 minutes la position réelle de son navire tout en indiquant que les hauts-fonds lui avaient révélé des reliefs abrupts de façon à voir si les *suiveux* tomberaient dans le piège.

C'est ainsi qu'après plus de trois heures d'exploration respective, les deux compères vérifient, une dernière fois, si leur stratégie a fonctionné.

— *Lady Maria* appelle l'*Ariès II*. À toi.

— Ici l'*Ariès II*. À l'écoute. À toi.

— Ici *Lady Maria*. Place-toi sur le canal 20. À toi.

— Ici l'*Ariès II*. Compris. À toi.

— Ici *Lady Maria*. J'ai presque plus personne dans les alentours. Qu'est-ce que ça conte? À toi.

— Ici l'*Ariès II*. Bien compris. J'ai pas grand monde moi non plus, sauf le *Faucon des mers*. Ça n'a pas de sens de le voir constamment apparaître dans les environs puis de s'effacer par la suite. Ma position est de 47°40' Nord par plus ou moins 61°35' Ouest. À toi.

— Ici *Lady Maria*. En effet, ç'a pas d'allure de le voir agir ainsi. Je navigue actuellement à… 47°25' Nord par… 61° … heu… ma sondeuse. Laisse faire. À toi.

— Ici l'*Ariès II*. Bien compris. Je retourne sur mes pas. À toi.

— Ici *Lady Maria*. Terminé. Je me place sur le canal de veille.

Le soir venu, Érik et son oncle se rencontrent à leur port d'attache, question de réviser leur stratégie. Force est de constater que le cryptage, autant sur leurs positions que sur les résultats de leur recherche, ne semble pas avoir été décodé par la très grande majorité des explorateurs concurrents.

Par ailleurs, Alpide ne se lassait pas de poursuivre Érik même si ce dernier annonçait de bons indices à une position géographique retranchée ou accrue de 15 minutes dépendamment de la période des appels de la journée. De plus, du moment où il demeurait à vue de l'*Ariès II*, il envoyait aussitôt son compère Delphus sur les fonds explorés par le *Lady Maria*, de façon à maximiser ses chances de succès.

— Viens, Érik, allons examiner les graphiques de nos sondeuses respectives avant que j'aille me coucher, lui demande son oncle en s'allumant une dernière pipe. Peut-être allons-nous apprendre quelque chose d'intéressant.

Pendant plus d'une heure, les deux acolytes comparent et analysent les diagrammes de leurs sondeuses respectives. Le Vieux en conclut que seul le navire de son neveu est suffisamment bien équipé pour trouver l'épave, le sien devant continuer à servir d'appât.

— Ça semble opportun, mon oncle, mais quand bien même que je vous annoncerais ma trouvaille par mots codés, si Alpide connaît notre supercherie, comment faire alors ?

— Eh bien ! Je n'ai pas vraiment de réponse à ça. À moins qu'on le mêle en inversant le chiffre du numéro de canal sur lequel on demande de se positionner. Qu'en penses-tu ?

— Peut-être, mais ça reste à voir. Je me demande encore pourquoi il communique si souvent avec Delphus et non avec son cousin qui travaille à Pêches et Océans.

— Comme tu l'as dit, ça reste à voir. Ça fait que demain, j'explorerai encore plus vers le nord, jusqu'aux hauts-fonds longeant le Cap-au-Dauphin.

— Et moi, à partir de la Grande-Entrée jusqu'aux abords de l'île Brion. Qu'est ce que vous diriez si demain on incluait à nos mots codés une interpellation qui nous est familière ?

— Une quoi ? lui demande le Vieux en grimaçant.

— Mais voyons, mon oncle ! Qu'est-ce que vous dites généralement pour demander des nouvelles à quelqu'un et moi donc alors ?

— Je pense avoir compris fiston. C'est plein d'allure ton manège. En espérant que ça va écarter pour de bon ce *godash* d'Alpide. Allons-nous coucher asteure. La nuit porte conseil, comme on dit.

— En espérant que pour Alpide, ça soit le contraire ! lui lance Érik en se dirigeant dans la timonerie.

119

Un regroupement d'oiseaux de mer, lui avait déjà laissé savoir le Vieux, signifie que des bancs de poissons se promènent avec les courants marins afin de capter les particules de nourriture qu'ils charrient. Par ailleurs, si cette nourriture reste sur place malgré les changements des courants et des marées, cela annonce qu'il y a une dépression ou encore une élévation au fond de la mer qui permet aux poissons de se nourrir tout en se reposant.

Or, depuis la matinée, Érik ne cesse de se remémorer cette dissertation pleine de bon sens en comparant à la fois les regroupements d'oiseaux de mer avec les graphiques émis par sa sondeuse. Afin de minimiser les risques que cette démarche soit comprise par les autres prospecteurs, il décide d'appeler son oncle, question de savoir où il en est.

— L'*Ariès II* appelle *Lady Maria*. À toi.

— Ici *Lady Maria*. À l'écoute. À toi.

— Ici l'*Ariès II*. Place-toi sur le canal 23. À toi.

— Ici *Lady Maria*. Compris. À toi.

— Ici l'*Ariès II*. Ç'a pas de bon sens comme la houle est forte ce matin. J'ai même de la misère à garder mon cap sur 47°40' Nord par 61°30' Ouest. Et de ton côté, qu'est-ce qu'il y a de nouveau ? À toi.

— Ici *Lady Maria*. C'est drôle, mais par ici, ç'a un peu plus d'allure, surtout qu'un contre-courant affaiblit la houle d'heure en heure. À toi.

— Ici l'*Ariès II*. Compris. Dis-moi, as-tu autant de visite que j'en ai ? J'ai même un visiteur en particulier qui oublie de s'en retourner. À toi.

— Ici *Lady Maria*. Compris. Pour la visite, elle part et revient sans cesse. Ça fait que… je m'en vais changer de cap pour aller plus au nord. À toi.

— Ici l'*Ariès II*. Compris. On se rappelle s'il y a du nouveau. Terminé. Je me place sur le canal de veille.

Pendant tout le reste de la journée, Érik et son oncle n'auront pas à communiquer à nouveau entre eux. En effet, leur quadrilatère respectif de recherche ne leur a pas fourni suffisamment d'indices sur la présence d'une épave quelconque et encore moins d'une balise qui y serait attachée.

Le soir venu, le Vieux accoste son navire à l'intérieur des limites du quai de la côte de l'Étang-du-Nord et son neveu à l'extrémité du port, prêts à partir au petit matin.

— Et puis, mon oncle, qu'est-ce que vous avez trouvé comme indice? qu'il lui demande en faisant irruption dans la timonerie.

— Tiens, regarde ce diagramme pris par ma sondeuse, qu'il lui propose en lui déroulant le papier de l'imprimante.

— Eh bien! Ç'a tout l'air d'être une épave, mais pas nécessairement de la dimension de l'*Ariès*, lui fait savoir Érik avec un air de dépit.

— Comme je ne pouvais pas en connaître la constitution avec mon genre de sondeuse, j'ai navigué autour presque tout l'après-midi. Malheureusement, il n'y avait pas suffisamment de repères pour me confirmer que ça pouvait bien être ton *Ariès*.

— Comme des oiseaux de mer? lui demande Érik.

— Tu ne me l'auras pas fait dire. Mais dis-moi, pour toi, comment ça s'est passé après qu'on se soit parlé?

— Bah! Pas grand-chose de spécial. Même en faussant la position réelle de mon navire, Alpide et Delphus à l'occasion trouvaient toujours une bonne raison de se coller à moi comme des sangsues. Si vous voulez mon avis, ou bien il a réussi à décrypter nos conversations, ou encore il est de connivence avec des officiers haut placés de Pêches et Océans qui me surveillent peut-être avec leur système SDN.

— C'est bien possible. D'ailleurs, j'ai tendu ma ligne du côté de Samy en communiquant avec sa base, mais il m'a juré qu'il n'avait rien à voir avec vos propres façons de procéder, autant pour Alpide que pour toi.

— Vous a-t-il parlé de Claudia? lui demande instinctivement Érik.

— Surtout de ta mère qu'il a rencontrée à plusieurs occasions et qui lui a dit combien elle priait fort pour la réussite de notre excursion. Quant à Claudia, elle est tombée dans une période de grande nervosité depuis le début des recherches, surtout avec toutes les palabres qui circulent actuellement sur toutes les îles. Ne t'en fais pas, fiston, qu'il pousuit après quelques secondes d'hésitation. Elle ne t'a pas oublié pour autant.

— Eh bien! c'est plutôt rassurant. Et qu'est-ce qu'on planifie pour demain?

— Toujours la même chose. Toi, encore plus au nord dans les environs du Rocher, et moi, comme toujours, en servant d'appât. Je m'en vais prier le Grand Chef pour que le pire ne soit pas arrivé.

— Le pire, vous dites? lui demande Érik en fronçant les sourcils.

— Oui et le pire serait que l'*Ariès* ait *dégolfé* pour toujours dans l'océan, me privant ainsi de la preuve irréfutable de ta bonne conduite sur l'Orphelin.

— Parce que vous en doutez peut-être?

— *Godash* de *godash*! Comment peux-tu dire une telle chose! Jamais, mais au grand jamais, je n'ai douté de toi, qu'il lui répond, la voix enrouée par le désarroi.

— Allons dormir, maintenant, mon oncle. Demain est un autre jour. Excusez-moi de vous avoir fait de la peine. Moi aussi, j'ai toujours cru en vous et pas plus tard que demain, j'ai bon espoir de vous le prouver.

Tout en se dirigeant dans sa timonerie pour se coucher, Érik ordonne à son équipage de se relayer pour surveiller de près le navire d'Alpide, amarré pas très loin du sien. Du même coup, il demande à Mathieu, son chef plongeur, de vérifier ses appareils, confiant qu'il est de trouver son *Ariès* dès le lendemain, jour de l'Action de Grâce.

* * *

Sur le coup de minuit, Érik se lève et va s'enquérir auprès du veilleur de nuit.

— Et puis, Alex, rien de neuf?

— Non, pas vraiment. On dirait que tout le monde dort, surtout avec le bruit incessant des génératrices des bateaux amarrés au quai.

— Est-ce que tu as vu Mathieu vérifier ses appareils de plongée?

— Oui, capitaine. Il les a même expérimentés avec son assistant en plongeant ici et là entre les bateaux.

— Parfait. Allez, va réveiller les autres membres d'équipage. On appareille tout de suite pour le Rocher.

— Mais, capitaine…

— Il n'y a pas de « mais ». Allez, va et ne fais pas trop de bruit.

Une demi-heure plus tard, l'*Ariès II*, tous feux éteints, les moteurs au ralenti, glisse sur l'eau en sourdine, naviguant vers la sortie du port de l'Étang-du-Nord. Muni de ses lunettes à vision nocturne, Érik regarde de près le moindre mouvement des autres bateaux et en particulier le *Faucon des mers*, afin de s'assurer que son stratagème n'a pas été découvert.

Étant rassuré qu'il a réussi à s'esquiver de ses poursuivants, il élabore sa course en divers segments de routes à suivre et demande à ses deux hommes de roue de l'exécuter jusqu'à l'arrivée aux abords du Rocher-aux-Oiseaux.

En entrant dans sa cabine située à l'arrière de la timonerie, il s'étend sur sa couchette, aux prises avec une énorme frénésie qui évoque un peu celle qu'il avait ressentie lors de son expédition sur l'Orphelin. La couchette sur laquelle il est étendu lui rappelle que sa position actuelle sur son bateau est identique à celle de l'*Ariès*, soit dans le sens de la largeur du navire. Comment concevoir alors qu'aux dires d'Alpide, l'*Ariès* faisait de la bande à tribord quand il se remémore très bien maintenant s'être endormi le soir du drame pour se réveiller recroquevillé près du bord extérieur de sa couchette ? « C'est bien ça, qu'il se dit, je me souviens même avoir perdu pied en me levant, preuve que mon navire était en train de sombrer par la proue et non par la bande tribord. »

Il se lève précipitamment et regarde par le hublot de sa cabine pour s'apercevoir que la pleine lune est au rendez-vous, facilitant ainsi sa fuite sans feux de navigation. Constatant qu'il n'est pas suivi, il se recouche en pensant à son éternel adversaire Alpide. Il se rend compte ainsi que ce dernier avait menti à bien des points de vue sur les causes du naufrage et, également, sur les événements qui ont suivi. Il lui est donc impératif de retrouver l'épave avant lui. En récupérant la cargaison, Alpide pourrait bien en distribuer les profits comme il l'entend, et du même coup se proclamer le grand justicier auprès des familles des disparus.

Finalement, il lui semble que Herb Smith travaille sur deux plans : l'un avec lui et l'autre avec Alpide avec qui, au printemps dernier, il avait déjà marchandé des peaux provenant de son escouade de chasseurs. « Cela fait beaucoup de suppositions », se dit-il en s'assoupissant, guidé par la visualisation d'une victoire magistrale.

* * *

Près de cinq heures par la suite, Érik se fait réveiller par le bruit des chaînes retenant l'ancre qui est en train de descendre au fond de la mer. Il sort de la timonerie au moment même où le jour se fait. Il s'en va sur le gaillard avant afin de contempler, comme il le fait si souvent, la beauté de Dame Nature par cette belle matinée d'automne. Les moutons que font sautiller une légère brise sur l'immensité de la mer avec, comme toile de fond, le Rocher-aux-Oiseaux au loin, lui rappellent le soir de son arrivée sur le Banc de l'Orphelin. « Ça ressemble un peu à l'immense banquise de l'Orphelin avec ses multiples saignées d'eau », qu'il se dit. Seule l'absence des cris des loups-marins le rappelle à l'ordre : il n'est pas là pour les chasser, mais bien plus pour en récupérer les fruits.

En réfléchissant un peu plus, il se convainc qu'il a sûrement passé plus d'une nuit sur l'Orphelin puisque chaque soir, avant d'entrer dans sa cabine, il méditait en regardant la beauté de la création divine qui l'entourait. Il se remémore tout à coup ce que le bon vieux vicaire de Bassin lui avait dit lors d'une visite impromptue à l'hôpital : « Le bonheur ne réside pas nécessairement dans la possession d'un bien, mais surtout dans les démarches qu'on fait pour l'obtenir. » Suite à quoi il se promet bien de profiter de chaque moment à venir.

Il demande à l'un des deux hommes de roue d'aller réveiller les autres membres de l'équipage qui, en les remplaçant, leur permettront de récupérer le sommeil perdu. Il vérifie par la suite ses appareils d'exploration en compagnie de Mathieu. Ce dernier le rassure sur l'équipement de plongée et de photographie sous-marine nécessaire à l'identification positive de l'épave en autant qu'il arrive, bien sûr, à la localiser.

Enfin, au moyen de diverses cartes marines déjà mémorisées dans l'ordinateur de bord, il établit les divers quadrilatères d'exploration des hauts-fonds d'une superficie d'une centaine d'hectares environ chacun, situés à mi-chemin entre l'île Brion et l'extrême nord du Rocher-aux-Oiseaux. « Si jamais la fameuse balise s'est détachée de sa base ça ne sera pas une sinécure, qu'il dit à Mathieu, d'autant plus que nous serons constamment confondus avec la trentaine d'épaves de toutes sortes qui ont déjà fait naufrage dans les parages. »

Il est tenté d'annoncer au Vieux, par radiotéléphone, qu'il a réussi à se dérober de ses poursuivants. Il s'y refuse pour l'instant, même si son oncle trouvera étrange de ne pas le voir à son port d'attache lorsqu'il se réveillera. Il comprendra sans doute qu'il a pris les devants comme il lui a si souvent recommandé de faire.

L'homme qui accepte son passé en s'occupant de son présent crée ainsi son avenir

Érik voit le Rocher-aux-Oiseaux de près pour la première fois de sa vie. Cette petite île d'une superficie d'environ cinq acres située à 47°50'38 Nord par 61°08'71 Ouest s'élève à plus de 30 mètres au-dessus du niveau de la mer. Pour s'y rendre, l'*Ariès II* a dû modifier sa route à l'est de Grosse-Île en parcourant plus de 16 km pour atteindre en premier lieu l'île Brion. Par la suite, le navire a continué son parcours sur une distance d'environ 14 km avant d'arriver au Rocher-aux-Oiseaux.

Après avoir levé l'ancre, Érik se rend à proximité du Rocher. Il est aussitôt impressionné par les cris incessants des milliers d'oiseaux dont la plupart sont de couleur blanche. Ces derniers nichent en rangées si serrées sur les falaises de couleur rougeâtre qu'on croirait celles-ci couvertes de neige. Un petit phare, la maison du gardien et quelques dépendances subsistent encore malgré l'automatisation des installations du début des années 1980. Une longue échelle de bois et un système de levier demeurent les seuls témoins des va-et-vient des gardiens qui se sont succédé, dont le dernier, dit-on, est mort en peu de temps de chagrin et d'ennui.

Quittant son mouillage pour longer le côté est de l'île, Érik aperçoit le Rocher-aux-Margaulx à environ un kilomètre. Continuellement érodé par la mer, ce rocher s'est fractionné en deux parties, il y a plus d'un siècle, et l'une d'elle a complètement disparu depuis. Vu sa localisation près du canal Laurentien, ce haut-fond pourrait constituer l'endroit idéal qui aurait stoppé la dérive de l'*Ariès* vers l'océan Atlantique.

Plus près de l'île, il constate que les contre-courants compliquent la stabilité de son bateau, d'où la difficulté d'établir une juste position avec son GPS. Malgré tout, au lever du soleil, il débute les allées et venues d'un premier quadrilatère de recherche établi à l'avance, non sans s'être préalablement assuré qu'il était le seul navire dans les environs.

Équipé d'une lunette d'approche, un membre de l'équipage est situé sur le gaillard d'avant, scrutant la surface de l'eau qui frissonne à peine. De ce fait, il s'attend à trouver d'abord la balise de détresse qui, si elle est restée attachée à sa base, permettrait de localiser plus exactement l'épave. Muni d'une gaffe, un autre membre d'équipage se tient prêt à intervenir pour s'accaparer de la balise et indiquer au plongeur l'endroit exact où il pourra prospecter le fond marin. Érik, quant à lui, se retrouve à la gouverne dans la timonerie s'étant assuré au préalable d'avoir mis en marche tout l'équipement d'observation nécessaire à l'exploration du fond marin.

Mathieu à Philias a été le premier choix d'Érik pour faire partie de son équipage. Sa vaste expérience dans la construction et la réparation des bateaux de pêche de l'entreprise de son père l'avait incité à s'instruire en instrumentation moderne de toutes sortes. Comme il arrivait que des capteurs sous la coque des bateaux tombaient en panne ou que les hélices ne fournissaient pas le degré de propulsion souhaité, il avait suivi les quatre niveaux nécessaires pour devenir plongeur professionnel. De petite stature, ses nombreuses plongées plus périlleuses les unes que les autres avaient développé fortement les muscles de ses bras et jambes. Cependant, c'est en regardant sa figure qu'on pouvait plus facilement identifier sa profession. En effet, dû à des présences prolongées dans les profondeurs de la mer, ses yeux bleus aux paupières rougies sortaient pratiquement de leur orbite.

Autre avantage pour Érik d'avoir Mathieu parmi les membres de son équipage est que celui-ci avait participé par ses nombreux conseils à radouber l'*Ariès* avant son expédition pour l'Orphelin. Or il lui avait entre autres recommandé de faire en sorte que la cale principale soit étanche en tout point en lui fournissant des bâches qui, au contact de l'eau, l'imperméabilisait totalement.

Une première reconnaissance des fonds marins indique à Érik que la tâche ne sera pas facile. En effet, les nombreux hauts-fonds constitués de battures et de crevasses ne peuvent se distinguer nettement sur le graphique de la sondeuse d'une épave quelconque. Aussi, il réalise que la présence des multiples débris échappés des bateaux en direction du Saint-Laurent viendra compliquer grandement la situation.

Au tout début de son exploration, il laisse dériver son navire de la pointe est de l'île Brion jusqu'aux extrémités du canal Laurentien de façon à couvrir les hauts-fonds des trois îlots. La sondeuse électronique dont il est équipé lui permet de capter une largeur d'environ cent mètres sur la distance nécessaire au parcours de tous les hauts fonds qui séparent l'île du Rocher-aux-Oiseaux.

Peu après avoir sillonné un premier quadrilatère de reconnaissance du fond marin, Érik et Mathieu s'affairent à examiner de près les graphiques émis par la sondeuse. Reliée à l'ordinateur de bord et au GPS, elle est apte à leur annoncer la densité en matière d'une subite dépression ou élévation à savoir si elle est constituée de pierres, de vase, d'acier ou encore de bois. L'appareil permet également de mesurer les anomalies du fond marin en termes de longueur, largeur et hauteur afin de les comparer aux devis de l'*Ariès* dont ils ont apporté une copie à bord.

Malgré la simplicité apparente d'identification des formes qu'ils aperçoivent sur l'écran, ils constatent qu'ils auront à retourner assez souvent sur place afin de mieux apprécier la plausibilité que le diagramme révèle ou non une épave semblable à celle de l'*Ariès*. Un autre facteur tout aussi crucial est de déterminer si les nombreuses nuées d'oiseaux de mer qui suivent habituellement les bancs de poisson restent positionnées suffisamment longtemps en surface.

* * *

Plusieurs heures après avoir parcouru une dizaine de quadrilatères de recherche de la sorte, Érik se demande bien s'il ne devrait pas avertir son oncle des résultats peu probants jusque-là.

— Non, lui recommande Mathieu. Avec notre sortie en sourdine du quai de la côte de l'Étang-du-Nord, tu peux être sûr que tous les *suiveux* sont devenus des balayeurs d'ondes de la pire espèce.

— Ç'a du sens, Mathieu, mais comment comprendre que je n'aie pas encore aperçu le *Faucon des mers*, pas plus que le navire de Delphus, son acolyte ?

— Ça, c'est une autre histoire. Delphus, d'abord, n'a pas le navire qu'il faut pour explorer les hauts-fonds du Rocher. Tout au plus peut-il suivre ton oncle sur ceux de l'île Brion. Quant à Alpide, j'ai l'impression qu'il doit lui être arrivé quelque chose de grave, qu'il lui ajoute avec un sourire malicieux aux coins des lèvres.

— Et pourquoi qu'on n'essaierait pas de capter leurs communications pour savoir ce qui se passe ? qu'il lui suggère. Tout à coup qu'ils auraient trouvé de bons indices ? Sait-on jamais ?

— Je m'en occupe tout de suite, lui répond Mathieu en plissant des yeux.

Toujours est-il que peu après, Mathieu apprend à Érik que le *Faucon des mers* semble avoir de la difficulté avec son arbre de moteur, l'empêchant ainsi de naviguer à pleine vitesse. Aussi il s'est aperçu qu'Alpide ne cessait de parlementer avec son acolyte Delphus sur différents points de rencontre en longitude et latitude qu'il identifie comme ceux qu'ils sont en train de parcourir à l'heure actuelle.

À peine a-t-il quitté Mathieu que l'homme de la vigie lui fait signe de regarder l'horizon.

— Hé ! Édouard, qu'est-ce qui se passe ? qu'il lui hurle de façon à contrer le bruit du moteur en marche.

— Capitaine, j'aperçois un navire à six heures.

À l'aide de sa longue-vue, Érik croit identifier le *Faucon des mers.*

— Mathieu, approche-toi et regarde avec ma lunette d'approche.

Ce dernier lui confirme en effet que le navire qu'il a aperçu est bien le *Faucon des mers,* mais de ne pas trop s'inquiéter du fait qu'il approche à petite vitesse seulement.

— Mathieu, viens donc me rejoindre dans la timonerie pour t'expliquer. J'ai peur de ne pas trop comprendre ce qui se passe avec ce *désespoir* d'Alpide.

En fermant la porte, Mathieu se confesse en ces termes :

— Tu te rappelles, Érik, m'avoir demandé hier au soir de tester mes appareils de plongée ? Eh bien ! je l'ai fait avec mon assistant, mais en plaçant, à moitié submergé, un vieux filet de pêche à éperlans sur la route du *Faucon des mers,* sachant qu'il essaierait de te talonner une fois de plus.

— *Petit couillon**, c'est pas vrai! de s'exclamer Érik.

— Eh bien oui! Il paraîtrait, selon ce que j'ai compris de leur conversation, qu'Alpide s'est aperçu de notre fuite et qu'il est sorti du port pas très longtemps après nous. Ça fait que tu peux imaginer que lorsque son hélice s'est enroulée dans le filet brodé de fines cordes, il s'est ensuivi tout un enchevêtrement d'obstacles à la propulsion de son navire. Crois-moi, j'ai tellement eu à plonger pour des cas semblables que pour obtenir une vitesse de pointe, il faut retirer l'hélice de son accouplement avec le rotor. Autrement, on doit s'astreindre à naviguer à petite vitesse, afin d'éviter que les vibrations endommagent les bordages de la coque. Et voilà pourquoi je te dis de ne pas trop t'inquiéter, pour le moment du moins.

— Je n'en reviens pas encore Mathieu! Je te la revaudrai un ce ces jours.

Comme l'apparition du *Faucon des mers* a causé un certain affolement parmi les membres de son équipage, Érik ordonne de tourner précipitamment de bord pour diriger son navire à l'extrême nord, vers le Rocher-aux-Margaulx, de façon à jouer à cache-cache avec Alpide.

* * *

C'est ainsi que pendant plus de cinq heures, l'*Ariès II* essaie de s'esquiver de la poursuite du *Faucon des mers* tout en explorant la plupart des hauts-fonds qui séparent le canal Laurentien du Rocher-aux-Oiseaux. Force est de constater cependant que les résultats sont peu convaincants. Même si l'examen des graphiques de la sondeuse montre quelques semblants d'épaves de la dimension de l'*Ariès*, aucune balise de détresse n'a été encore aperçue à la surface de la mer.

Rendu en fin d'après-midi, Érik s'aperçoit que le *Faucon des mers* peine beaucoup à le suivre, si bien qu'il en profite pour appeler son oncle qui, il l'espère, pourra lui remonter le moral qui commence à lui tomber dans les talons.

— L'*Ariès II* appelle le *Lady Maria*. À toi.

— Ici *Lady Maria*. À l'écoute. À toi.

---

* Petit couillon : mauvais garnement, espiègle.

— Ici l'*Ariès II*. Place-toi sur le canal 28. À toi.

— Ici *Lady Maria*. Compris. À toi.

— Ici l'*Ariès II*. J'ai toujours une sangsue dans les parages. Par contre, ça commence à avoir plus de sens parce qu'elle éprouve beaucoup de problèmes à me suivre. À toi.

— Ici *Lady Maria*. Bien compris. *C'est bien employé* pour lui. Par ici, ç'a pas d'allure comme il y a de la houle. Ça rend les recherches difficiles, malgré que j'aie de très bons indices que je pourrai te confirmer plus tard. À toi.

— Ici l'*Ariès II*. Comme ça, les apparences sont assez bonnes. Par ici, il y a presque plus de houle. Ça fait que je crois bien que je vais lâcher le morceau pour aller te retrouver. À toi.

— Ici *Lady Maria*. Bien… heu… je pense qu'on nous écoute de toute façon. Ça fait que si j'étais à ta place, en t'en revenant par ici, je ferais attention aux faucons des mers comme ce *godash* d'Alpide. À toi.

— Ici l'*Ariès II*. Assez bien compris. On se revoit dans une heure ou deux. Terminé. Je me place sur le canal de veille.

En fait, la conversation contenait plusieurs mots codés autant pour Frédérik que pour son fiston. Pour le Vieux, il avait compris que son neveu avait exploré des hauts-fonds qui contenaient de bons indices sur la présence d'épaves quelconques. Quant à Érik, il avait déchiffré que son oncle avait réussi à servir de leurre jusqu'à présent, sauf évidemment pour Alpide qui rôdait toujours dans les parages. Il ne comprenait toujours pas, par contre, comment ce dernier parvenait à le retrouver, qu'il communique sur son radiotéléphone une bonne ou une fausse position de son navire. De plus, la dernière communication avec son oncle le laissait perplexe, du fait qu'il avait utilisé les mots *de nombreux faucons des mers*, le nom qu'avait donné Samy au navire piloté par Alpide. Malgré ces contrariétés, il n'a pas d'autre choix que de continuer son exploration jusqu'à la tombée de la nuit, toujours en essayant de s'esquiver de la poursuite d'Alpide.

Plaçant les moteurs au ralenti, Érik, de pair avec Mathieu, décide de revoir de plus près les images des hauts-fonds qui révélaient à l'origine des indices importants. Ils vérifient ensemble très attentivement celles sur lesquelles se tenaient habituellement des nuées d'oiseaux de mer. Ils comparent les données captées par la sondeuse sur les dimensions et la constitution des élévations subites qu'ils rencontrent avec celles déjà emmagasinées dans l'ordinateur de bord. Petit à petit, ils écartent toutes celles dont les énoncés ne correspondent pas de près à la structure de l'épave.

En fin de compte, à la nuit tombante, comme ils s'apprêtaient à quitter la zone de prospection, Mathieu discute avec Érik de la possibilité qu'ils se soient trompés.

— Voyons donc, Mathieu, si l'épave n'est pas par ici, c'est qu'elle est restée à l'endroit du naufrage ou, encore pire, qu'elle a *dégolfé* ?

— Pas si sûr que ça, Érik. Ton oncle, en parlant de nombreux faucons des mers, ne voulait-il pas dire des oiseaux, comme par exemple des pétrels ? Tu connais ces oiseaux qui, de par leur nature de chasseurs, ressemblent à des faucons et dont le fort plumage a besoin d'éléments nutritifs contenant de l'huile.

— Tel que du lard de loup-marin… de renchérir Érik avec un sourire radieux. Et si je me rappelle bien, je pense en avoir aperçu une bonne nuée au nord du Rocher. Voilà, à cette position-ci, qu'il poursuit en la lui montrant sur un des graphiques. Par contre, je ne me rappelle pas avoir vu de balise en surface.

— Qu'est-ce que t'en penses, si on retournait sur place pour étudier à nouveau les diagrammes les plus prometteurs ? lui demande Mathieu.

— Et pourquoi pas, qu'il lui répond en donnant l'ordre à l'homme de barre de retourner vers les zones désignées.

C'est ainsi que chacune des dépressions est examinée en termes de forme, de dimension et de densité de la matière, permettant aux deux comparses de faire un premier tri les invitant à en écarter près de 90 %.

Une dernière sélection les laisse toutefois perplexes, du fait que si les dimensions correspondent de près à celles de l'épave de l'*Ariès*, la densité de la matière n'est pas conforme. Comble de malheur, les quelques reliefs abrupts dont la consistance est légère comme du bois, possèdent, quant à eux, des dimensions fort différentes de celles de l'épave.

— On ne peut rien laisser au hasard, Mathieu. Pourquoi tu ne plongerais pas sur cette arête ? qu'Érik lui demande en lui en montrant une sur l'un des graphiques de la sondeuse.

— Mais je vais épuiser ma réserve d'air, si ce n'est pas la bonne. Et puis, qu'est-ce qui te dit que l'*Ariès* ne se serait pas brisé en deux et que les élévations de plus petites dimensions sont, en réalité, sa poupe et sa proue?

— C'est bien possible, qu'il lui répond en se pinçant les lèvres, et si c'est le cas, les peaux de loup-marin ont disparu à jamais. Je crois qu'on n'a pas le choix de jouer le tout pour le tout avec la nuit qui va nous tomber dessus d'un moment à l'autre. Qu'en penses-tu, Mathieu?

— O.K. mais je t'avertis, je n'ai de l'air en réserve que pour environ deux heures.

Ayant contourné le Rocher-aux-Oiseaux, l'*Ariès II* se dirige vers le point de jonction déterminé par le GPS comme étant celui où la sondeuse avait relevé une forme d'arête constituée de matière légère, de bonne largeur mais passablement plus longue en dimension hors tout. Muni d'une lunette d'approche, Érik aperçoit une nuée d'oiseaux de mer dont la plupart sont des pétrels et qui commencent à se disperser, leur repas du soir étant à toutes fins utiles terminé. Scrutant plus attentivement l'horizon, il voit tout à coup que le *Faucon des mers* a viré de bord et lui fonce directement dessus.

— En avant toutes! qu'il crie à son homme de barre. Mathieu, prépare-toi à plonger et dis à ton assistant de se tenir prêt lui aussi.

— Mais, Érik, Alpide va s'en apercevoir.

— Justement! c'est pour ça que tu vas te laisser choir dans la mer à l'endroit désigné par le GPS pendant que nous, on va continuer notre route comme si de rien n'était.

Arrivé à environ trois cents mètres de l'emplacement présumé de l'épave, Érik demande à l'un de ses hommes de pont d'épandre sur l'eau du hachis de poisson en demi-cercle, de façon à inciter les oiseaux à changer de table, ce qu'ils font sans se faire prier.

Parvenu à l'endroit indiqué par le GPS, les moteurs sont mis au ralenti de façon à permettre à Mathieu de plonger, non sans avoir apporté avec lui tout le nécessaire pour une prolongation sous l'eau. Muni de sa longue-vue, Érik fait un tour d'horizon sans pouvoir déceler la fameuse balise. Il s'aperçoit en même temps que le bâtiment d'Alpide ne semble pas vouloir dévier de sa route, lui faisant croire qu'il se méfie de quelque chose.

— En avant toutes ! qu'il hurle à son homme de roue. Quant aux autres, continuez les recherches comme si de rien n'était et attendez mes ordres avant de faire quoi que ce soit.

— O.K. capitaine, qu'ils lui répondent en hochant affirmativement la tête.

L'*Ariès II* poursuit son chemin droit devant, à vive allure, pendant quelques minutes puis perd peu à peu de sa vitesse de façon à faire croire à l'équipage d'Alpide que les recherches se poursuivent. Cependant, dès l'instant où Érik veut dévier de la route suivie par le *Faucon des mers*, ce dernier se corrige de façon à foncer droit sur le sien. Avec environ 150 mètres à peine à parcourir, il place ses moteurs au neutre et agrippe le combiné de son radiotéléphone.

— L'*Ariès II* appelle le *Faucon des mers*. À toi.

Après une attente sans réponse d'une dizaine de secondes, il recommence à nouveau.

— L'*Ariès II* appelle le *Faucon des mers*. Si jamais tu m'entends, Alpide, ne fais pas un fou de toi. À toi.

Se rendant compte qu'il ne reçoit aucune réponse, il ordonne à ses hommes d'appliquer les mesures d'urgence en cas de collision avec un autre navire et de hisser le pavillon indiquant qu'il doit communiquer immédiatement avec lui. Quelques minutes plus tard, il entend Alpide qui l'interpelle sur sa radio :

— Ici le *Faucon des mers*, sur quel canal veux-tu que je me place ? Peut-être sur le 62 ou sur le 43. Voici la preuve, le jeune, que j'en sais beaucoup plus sur toi que tu ne te l'étais imaginé. À toi.

— Ici l'*Ariès II*. Je me place sur le canal 43, mais arrête-toi, *désespoir*, tu vas nous percuter. À toi.

Pendant plusieurs minutes, Érik ne cesse de l'interpeller. Puis :

— Ici le *Faucon des mers*. Compris le jeune, tiens-toi prêt pour voir en personne comme je suis capable de répéter ce que tu as déjà fait aux Norvégiens, qu'Alpide lui répond au dernier moment, en évitant la collision de quelques mètres seulement.

Érik, blême de peur en le voyant se diriger dans les environs où a plongé Mathieu, l'interpelle à nouveau.

— Ici l'*Ariès II*. Tourne de bord, Alpide, et reviens. Je suis prêt à reconsidérer l'offre que tu m'as faite l'autre jour. À toi.

— Ici le *Faucon des mers*. Bon, je peux toujours m'y rendre mais sois certain que ça ne va pas m'empêcher de retrouver les preuves de tes grossières négligences. Terminé. Je me place sur le canal de veille.

Peu de temps après, les deux navires s'abordent. Alpide et sa gang cherchent du regard les preuves d'une possible trouvaille de l'épave.

— Alpide, lui crie Érik, as-tu avec toi la convention d'arrangement à l'amiable que tu m'avais montrée l'autre jour?

— Mais oui, mon Érik. Tiens, les voici en deux copies à part de ça. Tu pourras y constater qu'Azade est prêt à te soustraire d'une certaine responsabilité, mais pas nécessairement moi. Au fait, il me semble qu'il te manque au moins un membre d'équipage, qu'il poursuit en apercevant tout à coup l'assistant de Mathieu qui fait son apparition sur le pont.

Sans prendre la peine de lui répondre, Érik examine longuement le document de façon à permettre une interminable dérive des deux navires hors du secteur d'exploration où a plongé Mathieu.

Après plusieurs minutes, montrant son impatience, Alpide lui demande:

— Et puis, qu'est-ce que t'en penses, mon ami?

— Attends encore un peu. J'ai tendance à avoir des nausées lorsque je lis avec un tel roulis. Tu dois savoir ça, non?

Voyant que son rival ne cesse de faire les cent pas en faisant des va-et-vient dans la timonerie, Érik l'interpelle à nouveau:

— Hé! Alpide, est-ce bien Azade que tu as comme homme de roue?

— Oui, pourquoi tu me demandes ça?

— Pour rien.

— Puis, ça vient? qu'il lui demande à nouveau.

— Voilà ma décision, lui riposte Érik en déchiquetant lentement les documents en mille morceaux devant les marins surpris des deux navires qui ne comprennent rien à cette machination.

— Hein? Qu'est-ce que t'as fait là, le jeune? Es-tu chaviré? lui gueule Alpide, exaspéré.

— Pas du tout, qu'il lui répond calmement. Tiens, qu'il poursuit en lui faisant remettre les morceaux du document, voici un casse-tête qui occupera ton temps. Et si tu sais encore compter, tu vas t'apercevoir que mon équipage est au complet.

— *Simonacle*, tu me le paieras un de ces jours, le jeune, lui gueule Alpide, rageant de toute son âme.

— En avant toutes ! qu'il ordonne à son équipage. On continue nos recherches en espérant que le *Faucon des mers* va nous laisser tranquille pour de bon.

Après avoir parcouru environ deux milles nautiques, Érik vérifie si Alpide ne l'a pas suivi de trop près. Constatant qu'il l'avait devancé suffisamment, il fait tourner son navire de bord et revient en diagonale sur ses pas en se guidant sur les diverses positions mémorisées par son GPS. Arrivé à l'endroit présumé où Mathieu avait plongé, il s'empare des ses lunettes d'approche et cherche du regard une petite bouée sur laquelle serait attaché un minuscule drapeau rouge.

— Là ! indique-t-il de la main à son homme de barre, après quelques minutes d'observation.

— C'est bien lui, que lui confirme ce dernier. Je reconnais le type de bouée d'avertissement de Mathieu.

— Dans ce cas-là, place le navire au ralenti jusqu'à ce qu'on soit parvenu à lui.

Arrivé sur les lieux, Mathieu est aussitôt hissé à bord avec l'aide de son assistant. Érik au comble de l'excitation lui demande :

— Et puis, qu'as-tu vu, Mathieu ?

— C'est bien l'*Ariès*, qu'il lui répond en haletant à un rythme précipité. Elle gît à environ huit brasses, accotée sur un rocher approchant les deux mètres de hauteur.

— Mais comment se fait-il que la dimension détectée sur la sondeuse ne correspond pas à celle de l'*Ariès* ?

— C'est drôle à dire, mais imagine-toi donc que l'épave a traîné dans son sillage une partie de la proue d'une vieille goélette.

— Ça alors, c'est un vrai miracle qu'on soit tombé pile. En avant toutes, qu'il commande à son homme de barre qui acquiesce. Et la balise, où se trouve-t-elle ? qu'il demande tout excité à Mathieu.

— La voici, qu'il lui répond en la lui montrant. Elle était toujours attachée à l'épave, mais vu la pesanteur du gouement qui la recouvrait, elle gisait au fond de l'eau. Et si tu veux le savoir, l'entrée au gaillard avant a complètement disparu. À première vue, il n'y a aucun cadavre, seulement quelques objets personnels qui me laissent croire qu'il y a eu un départ précipité de l'équipage. Les écoutilles sont bien fermées et les bâches ont sûrement fait leur travail, puisque l'épave n'est pas encore tout à fait immobilisée. La coque elle-même a été défoncée de l'extérieur près du *fourgacelle*, qu'il poursuit pour rassurer Érik sur les causes du naufrage.

— Parfait, qu'il lui répond, aux prises avec une fébrilité approchant le délire. Dis-moi, Mathieu, as-tu pris suffisamment de films et de photos ?

— Des photos et des films, j'en ai en quantité industrielle. De plus, j'ai arraché la plaque d'immatriculation ainsi que la base sur laquelle était encore fixée la balise. Les traces récentes laissées sur le fond de vase et de sable sont la preuve que l'épave a bel et bien dérivé jusqu'ici.

— Alors, qu'est-ce qu'on fait maintenant, capitaine ? lui demandent plusieurs hommes d'équipage encore habités d'un enthousiasme débordant.

— On continue nos recherches comme si de rien n'était. Après qu'on aura contourné le Rocher, on retournera à notre port d'attache en longeant tout le nord de l'île Brion, là où les hauts-fonds doivent être en train d'être explorés par mon oncle. Que j'ai donc hâte de lui annoncer la bonne nouvelle ! qu'il ajoute à l'endroit de Mathieu qui est en train de se dévêtir de ses habits de plongée.

La patience ayant raison de lui, Érik s'empare du radiotéléphone pour appeler le Vieux.

— L'*Ariès II* appelle le *Lady Maria*. À toi.

— Ici le *Lady Maria* à l'écoute. À toi.

— Ici l'*Ariès II*. Place-toi sur le canal 43. À toi.

— Ici le *Lady Maria*. Compris. À toi.

— Ici l'*Ariès II*. C'est plein de bon sens, je suppose, que l'*Ariès* a probablement *dégolfé*. Je crois bien que je n'ai plus rien à faire par ici. Et par chez vous, comment ça va ? À toi.

— Ici le *Lady Maria*. Compris. C'est vrai que ç'a pas d'allure de chercher, surtout avec tout ce monde à nos trousses. Ratisse bien le nord-ouest en revenant. Avec les preuves que j'ai en main, on pourra reprendre nos recherches dès demain matin à l'aube. À toi.

— Ici l'*Ariès II*. J'ai bien saisi. Sur l'heure du midi, j'ai constaté qu'on était suivis de près par le *Faucon des mers* qui nous a accompagnés dans nos recherches, comme un chien de garde. À toi.

— Ici *Lady Maria*. J'ai bien compris. Je serai à notre port d'attache d'ici… une couple d'heures pour t'attendre. À toi.

— Ici l'*Ariès II*. Donc on se voit vers les 21 heures ou à peu près. Terminé. Je me place sur le canal de veille.

Au début du trajet vers son port d'attache, Érik se demande si son oncle a bel et bien saisi l'utilisation des mots codés suivis d'une interpellation, signifiant qu'il avait réussi à localiser l'épave de l'*Ariès*. Comme Alpide avait peut-être décrypté leur façon de donner de fausses positions, il pourrait fort bien avoir deviné également l'astuce sur la façon d'annoncer à son oncle la découverte du site de l'épave.

Aussi, après une heure de navigation, ne voulant rien laisser au hasard, il décide de l'appeler à nouveau.

— L'*Ariès II* appelle le *Lady Maria*. À toi.

— Ici le *Lady Maria*. À l'écoute. À toi.

— Ici l'*Ariès II*, Place-toi sur le canal 52. À toi.

— Ici le *Lady Maria*. Compris. À toi.

— Ici l'*Ariès II*. J'ai pas grand-chose de neuf à dire à part qu'en sillonnant le nord de l'île Brion, j'ai capté plusieurs corniches qui s'apparenteraient à ce que nous cherchons. À toi.

— Ici le *Lady Maria*. Prends beaucoup de relevés avec ton GPS. Je t'attends au quai des pêcheurs à la côte de l'Étang-du-Nord. À toi.

— Ici l'*Ariès II*. C'est plein de bon sens. Je pense avoir semé Alpide et peut-être même Delphus. Et puis comment ça va avec le retour? À toi.

— Ici le *Lady Maria*. J'ai bien compris, tout va pour le mieux, ne t'en fais pas. Terminé. Je me place sur le canal de veille.

* * *

Vers les 21 heures, Érik fait son entrée dans le port de l'Étang-du-Nord, là où l'attendent sur le quai son oncle en compagnie de Herb Smith. Regardant plus attentivement à l'autre extrémité du port, il aperçoit au loin, sous l'éclairage d'une *sentinelle,* une silhouette qu'il croit être Claudia.

Surpris par cette soudaine apparition, il en vient à se mêler dans ses ordres pour accoster. Cet étrange comportement inquiète le Vieux, pressé qu'il est de féliciter son fiston pour l'exploit qu'il vient d'accomplir.

Son bateau à peine amarré, Érik saute sur le quai, passant outre à la présence de son oncle pour courir vers l'endroit où il pense avoir aperçu Claudia. Plus près, il entend le bruit du moteur d'une automobile qui démarre, lui faisant comprendre qu'elle quitte le quai précipitamment en compagnie de quelqu'un d'autre : « Sans doute son père », qu'il se dit comme pour se rassurer.

De retour vers son bâtiment, il rencontre son oncle qui en profite pour se flatter en ces termes :

— Et puis, mon Érik ? Pour un petit vieux comme moi, c'est quand même plein d'allure avec mon histoire de nuées de pétrels, qu'il lui dit avec son air enjoué du dimanche.

— C'est certain que ç'a du sens, d'autant plus que vos expériences de vieux loup de mer ont été à la hauteur.

— Ouais ! mais je reste encore sur mon appétit avec ce *godash* d'Alpide qui a tout de même réussi à te localiser et qui n'est pas encore revenu du large.

— Voyons donc, mon oncle. L'important c'est que d'ici une douzaine d'heures, c'est moi qui serai le véritable propriétaire de l'épave. Entrons dans la timonerie maintenant. Je croix que Herb Smith vient d'y pénétrer.

Ne voulant pas trop montrer son enthousiasme bouillonnant, le Vieux laisse son fiston s'organiser avec Herb Smith qu'il avait préalablement averti de sa trouvaille. Il quitte aussitôt le quai afin de préparer le nécessaire à l'enregistrement de l'épave qui s'effectuera demain dès l'ouverture des bureaux de Pêches et Océans Canada.

— Vous ne connaissez peut-être pas, mon cher Érik, la loi non écrite sur les impératifs d'un naufrage d'un navire ayant à son bord une cargaison d'une grande valeur comme celle de l'*Ariès*, lui annonce Herb Smith en début de leur entretien.

— Non pas vraiment, lui répond Érik, dont l'inquiétude tend à remplacer l'euphorie du moment.

— Eh bien une ancienne loi des gens de la mer disait ceci : lorsqu'un naufrage est occasionné par ce qu'on appelle communément un *Act of God*, ni l'armateur ni son capitaine ne peuvent en être tenus responsables. Ainsi, l'épave avec sa cargaison pourraient devenir officiellement la propriété de celui qui, en tout premier, l'a localisée et soustraite à un démembrement pur et simple. Par ailleurs, après l'avoir enregistrée auprès du Receveur d'épaves, ce dernier aura à trancher entre le véritable propriétaire et celui qui l'avait découverte à l'origine. Néanmoins, une loi plus récente dit que même si son capitaine ne peut être tenu fautif dans de telles circonstances, celui-ci serait susceptible de partager les revenus provenant de la vente de la cargaison avec les ayants droit.

— Aux ayants droit? Mais qui sont-ils? lui demande Érik.

— Ce sont ceux qui détiennent encore ou détenaient à l'origine une quote-part dans le chargement du navire. Mais ce ne sont pas des lois écrites, vous savez. Par contre, ces règles pourraient servir à des avocats véreux désireux de faire de l'argent rapidement.

— Ça va, Monsieur Smith, qu'il lui riposte d'un ton glacial, je vous vois venir avec vos conditions à n'en plus finir. Mais avant de continuer, Mathieu, mon premier maître à bord, m'a dit vous avoir entendu parlementer avec Delphus par radiotéléphone tandis qu'avec moi, c'est tout comme si je n'existais pas.

— Vous, Érik, vous êtes sûrement de combine avec votre oncle et peut-être même avec Samy. Vous ne m'en voudrez pas si j'essaye de travailler sur deux fronts en cas d'échec de votre part ou, pire encore, l'impossibilité que vous deveniez propriétaire de l'épave et de la cargaison.

— Hé là! c'est une explication comme une autre, lui répond Érik qui commence à être contrarié.

— Hélas, ce n'est pas tout. La balise que vous avez rapportée est enduite de mazout qu'on voit souvent à la surface de la mer et peut-être aussi d'autres polluants tels que les PCB. Tous ces facteurs auront une forte influence sur la valeur des peaux et du lard qui les recouvre.

— Au rythme où vous débitez votre baratin, c'est à se demander si vous voulez vraiment respecter notre entente. Vous n'êtes pas sans savoir que vous n'êtes pas le seul à vouloir acheter la cargaison de peaux. Samy et plusieurs autres m'en ont déjà parlé, vous savez.

Érik s'aperçoit qu'il a ébranlé son interlocuteur qui ne cesse de manipuler les preuves et de regarder les photos, les divers graphiques ainsi que les films vidéo. Il va jusqu'à se demander si Smith n'a pas déjà été soudoyé par les opposants. Pourquoi ne serait-il pas une source inestimable d'indices à l'effet que les chasseurs sont, avant tout, intéressés à la fourrure des blanchons qui sont encore fortement en demande sur les marchés asiatiques?

— Vous m'avez l'air songeur, lui dit Érik pour briser le silence. Il n'y a pas moyen d'ajouter des signes de piastres dans notre conversation?

Herb Smith sort alors une calculatrice de sa valise et s'aventure pendant de longues minutes à chiffrer la valeur des peaux selon la quantité par catégorie, leur qualité et, évidemment, leur degré de contamination.

Après plus d'une heure de discussion, les deux intervenants en arrivent à un semblant de marché. Le contrat qui liera officiellement les deux parties fera état d'une vente prenant la forme d'une consignation avec lettre de crédit garantissant le paiement après vente. Ainsi le vendeur, en l'occurrence Érik, demeure propriétaire des peaux tant et aussi longtemps que la vente proprement dite n'aura pas eu lieu par l'intermédiaire du courtier Herb Smith. Ce dernier, en retour, est responsable de recouvrer les sommes dues et d'en remettre le contenu à Érik dans les 30 jours suivant la vente, déduction faite évidemment de son escompte. Un premier tiers du stock, lorsque récupéré, devra lui être livré au plus tard le 31 décembre de l'année en cours, et les deux tiers restants le 31 mai de l'année suivante, le tout dépendant de l'allure du marché qui malheureusement commence à péricliter dangereusement.

Toutefois, ce qui demeure inquiétant pour Érik est le prix qui sera payé par les manufacturiers avec qui Smith aura à transiger. Ainsi, la livraison du premier tiers des peaux a été établie à un prix moyen de 40 $ pièce, selon sa catégorie. Finalement, dépendant du degré de contamination des peaux et de l'allure du marché au moment de la livraison du restant des peaux, le prix plancher a été convenu à 20 $ l'unité et à 60 $ comme plafond.

Un calcul rapide permet à Érik d'évaluer la valeur de la cargaison de l'*Ariès* à près de trois-quart de million de dollars. Cependant, les trop nombreuses conditions pourraient en réduire la valeur de plus de la moitié. Les dispositions envisagées par Smith sont que ce dernier pourra se soustraire aux poursuites éventuelles des ayants droit et que le degré de contamination des peaux au mercure devra respecter les normes internationales et ce, sans aucune trace de PCB.

— Ça semble raisonnable, avoue tout bonnement Érik à Smith qui est surpris de cet intérêt subit. Par contre, il faudra que j'en discute avec Samy avant de signer quoi que ce soit.

— Mais voyons, mon ami, ma parole suffit, tout comme la vôtre, j'espère. Je voudrais vous dire en terminant que personne n'a jamais eu intérêt à se venger de quelqu'un d'autre. Je crois que le fait d'avoir déchiré le document qu'Alpide vous tendait devant autant de témoins ne vous servira à rien, si ce n'est que de vous apporter des ennuis.

— Je sais, Monsieur Smith, mais c'était plus fort que moi, qu'il lui réplique, en lui serrant la main, signe qu'il venait de conclure un marché avec lui.

Ne voulant pas faire paraître sa réussite plus qu'il ne faut et de manière à éviter qu'un membre de son équipage ne se fasse corrompre, Érik décide de coucher à bord avec ses hommes. De cette façon, il pourra quitter en voiture, au petit matin, son port d'attache vers Cap-aux-Meules, là où sont situés les bureaux de Pêches et Océans Canada.

Afin de mieux se rassurer, il entre dans la timonerie pour faire des recherches sur son ordinateur de bord sur les règlements qui régissent les épaves abandonnées qui flottent, échouées sur la rive ou qui gisent tout simplement au fond de la mer.

En fait, quiconque trouve une épave dont il n'est pas officielle-ment le propriétaire en devient le sauveteur et doit la rapporter au Receveur d'épaves. Ce dernier doit tenter de trouver le propriétaire dans un délai d'au plus un an et rembourser le sauveteur pour les frais encourus par le sauvetage. Au-delà de ce délai, le Receveur peut remettre l'épave au sauveteur ou encore s'en défaire à certaines conditions. Enfin, lorsqu'un sauveteur omet délibérément de remettre une épave au Receveur, cette infraction est considérée comme un pillage.

En résumé, même s'il avait réussi à localiser l'*Ariès*, il n'est pas pour autant au bout de ses peines. Samy avait omis de déclarer le transfert de sa propriété et Alpide, quant à lui, faisait partie des ayants droit sur sa cargaison. Devenir propriétaire d'une épave et de son contenu et pouvoir en disposer à sa guise n'est pas si simple que ça en a l'air. Il faut d'abord s'assurer de l'avoir dûment localisée et qu'elle n'ait pas préalablement fait l'objet d'un sauvetage quelconque qui lui aurait évité une perte totale.

Érik espère que l'*Ariès* n'est pas touché par cette partie du règlement. Il sait par contre que les démarches qu'ils entreprendront demain matin ne seront pas une sinécure. Il devra d'abord faire rapport au Receveur d'épaves du fruit de ses recherches en lui fournissant les preuves qu'il a véritablement trouvé certains vestiges de l'*Ariès*. Le Receveur d'épaves aura alors le loisir de lui ordonner de prendre des mesures appropriées pour empêcher son démembrement ou encore de la lui remettre dans un délai qu'il fixera. En fin de compte, le Receveur pourra la garder en sa possession faute de preuves sur son véritable propriétaire.

L'obligation de faire rapport selon ce processus contraignant inquiète beaucoup Érik, d'autant plus que s'il ne s'y soumet pas, il pourrait encourir de fortes amendes allant jusqu'à l'emprisonnement. Beaucoup de questions sont, pour le moment, sans réponses. Sera-t-il le tout premier à réclamer la propriété de l'épave ? Et même s'il fournit toutes les preuves nécessaires de sa réclamation, le Receveur sera-t-il suffisamment conciliant pour lui permettre de récupérer sa précieuse cargaison ?

Érik s'aperçoit qu'il en va de la bonne foi des intervenants et qu'il doit se fier à sa bonne étoile qui lui a permis, jusqu'à ce jour, de rencontrer la plupart de ses objectifs de vie. « Après tout, se dit-il, quoi qu'il advienne, je pourrai toujours arrondir mes fins de mois avec l'argent que je perçois avec mon travail de négociant. »

Son équipage étant couché, Érik veut vivre intensément le moment présent. « Le Vieux doit être euphorique en constatant la manière dont j'ai géré les derniers événements, se dit-il. Plus que tout, Claudia est apparue dans le décor, empêchée probablement par son père de me prodiguer de chaleureuses félicitations. »

S'étendant sur sa couchette, il continue son rêve sans égard aux inquiétudes sur le comportement d'Alpide et même de Herb Smith, en se demandant quoi faire avec tout cet argent. « Même si Samy a déjà effacé mon crédit accordé lors de l'expédition initiale de l'*Ariès*, pourquoi ne pas lui en donner le double afin de lui démontrer qu'il peut continuer à croire en moi comme un sérieux prétendant pour la main de sa fille? Les quotes-parts d'Alpide et d'Azade pourraient coûter quelques dizaines de milliers de dollars, ce qui, en somme, n'est pas la mer à boire. Par contre, celles des ayants droit sont difficiles à évaluer, vu l'ambiguïté sur les causes du drame qui s'est produit. De toute façon, en autant qu'il m'en reste assez pour couvrir mes dépenses, avec un bon excédent qui me permettrait de repartir à neuf, que demander de mieux? »

L'exaltation l'empêchant de s'endormir, il se lève et sort de sa cabine pour prendre un coup d'air et s'assurer qu'il ne rêve pas. Il jette d'abord un regard vers le quai où Alpide amarre habituellement son bateau pour s'apercevoir qu'il n'est pas encore revenu du large. « Ses problèmes de propulsion doivent s'être accentués, qu'il se dit avec une légère sensation de félicité. Néanmoins, si jamais il décidait de demeurer sur les lieux pour procéder aux recherches toute la nuit durant, voilà une situation qui va me torturer l'esprit tant et aussi longtemps que je n'aurai pas rencontré le Receveur d'épaves. »

Détournant son regard vers l'entrée du port de mer, il croit reconnaître l'automobile de Herb Smith stationnée à l'écart du quai où son bateau est amarré. Voulant en avoir le cœur net, il descend sur le quai et se dirige vers le véhicule. Plus proche, il essaie d'identifier les personnes à bord quand tout à coup l'automobile démarre à toute vitesse. « Se pourrait-il que Smith soit revenu sur place pour essayer de s'accaparer des pièces à conviction? qu'il se dit en essayant de ne pas y croire. Pourquoi s'était-il attardé tout à l'heure à regarder de plus près certains graphiques de ma sondeuse? »

Revenu dans la timonerie, Érik est aussitôt pris dans un tourbillon d'émotions contradictoires qui lui donnent l'illusion d'être semblable à un prisonnier surveillé dans ses moindres gestes. Il est tenté de prendre ses petites pilules miracles, mais il réussit à résister en faisant jouer sur son appareil sa chanson fétiche, *L'amour brillait dans tes yeux*. Savourant ce moment d'apaisement qu'il ne voudrait pas voir se terminer, il réalise qu'il ne lui reste que quelques heures avant de réveiller son équipage. Étendu sur sa couchette, il s'assoupit en se remémorant ce que le Vieux lui a déjà dit: « L'homme qui accepte son passé en s'occupant de son présent crée ainsi son avenir. »

CHAPITRE 8

La faim chasse le loup hors du bois

Au petit matin, Érik, en compagnie de Mathieu, quitte le quai en direction du village de Cap-aux-Meules en même temps que plusieurs pêcheurs de poisson de fond qui veulent étirer au maximum leur saison de pêche.

Une demi-heure plus tard, ils font leur entrée dans l'édifice gouvernemental pour apercevoir le marchand Samy déjà sur place. Son manque total d'intérêt à l'apparition des deux acolytes leur indique qu'il attend sûrement quelqu'un d'autre. Érik est surpris de son attitude, d'autant plus que son oncle n'est pas encore arrivé et que les bureaux du gouvernement ouvriront dans quelques instants. Le fonctionnaire préposé à l'accueil offre à Samy de le servir, ce à quoi il lui répond que c'est plutôt au tour d'Érik.

— Qu'est-ce que je peux faire pour vous? qu'il lui demande en s'approchant du comptoir.

— Voilà. Je désire rencontrer l'officier désigné comme Receveur d'épaves, qu'il lui dit en jetant un coup d'œil vers Samy qui ne bronche pas d'un poil.

— Holà! Vous êtes de bonne heure pour nous demander une telle chose. Et lui, en pointant du doigt Mathieu qui tient la valise, est-il avec vous?

— Oui et il attend, tout comme moi, de le rencontrer.

— Ça ne sera pas long, lui répond le fonctionnaire en se dirigeant aussitôt vers un bureau privé.

Pendant des longues minutes qui lui paraissent des heures, Érik observe Samy qui ne bouge pas de sa chaise en évitant même son regard. Comme il s'apprête à s'enquérir du but de son apparition insolente de la veille au soir sur le quai, il entend le préposé l'inviter à passer dans un des bureaux privés.

Aussitôt entrés, Érik et Mathieu s'empressent d'étaler les preuves sur la découverte de l'épave de l'*Ariès* : les graphiques émis par la sondeuse, la plaque d'enregistrement, la balise, les photos et même une hache d'incendie portant le numéro d'immatriculation du navire. L'officier débute aussitôt son baratin sur les règlements qui régissent l'enregistrement de la propriété d'une épave retrouvée même si Érik les connaît presque par cœur.

— Finalement, on doit avoir la certitude que l'épave n'a pas déjà appartenu à quiconque d'autre et qu'aucune garantie de propriété n'a été octroyée. Comme on a pu le constater dans nos ordinateurs, le marchand Samy n'en a jamais fait le transfert. On est donc pris dans un cul-de-sac, à moins que ce dernier préfère s'abstenir ou encore en faire profiter quelqu'un d'autre. N'est-il pas ici pour cette raison ? demande l'officier à Érik dont le teint est devenu livide après ces nombreuses remises en question.

— Je m'en occupe, qu'il lui répond d'une voix rauque, en se levant pour aller s'enquérir auprès de ce dernier.

Érik est stupéfait de voir Samy et Frédérik en train de discuter tranquillement, l'un fumant son éternel cigare et l'autre, une pipe bourrée d'Amphora.

— Qu'est-ce qui se passe ? qu'il leur demande. Êtes-vous après m'organiser ou voulez-vous me laisser languir jusqu'à ce que je meure d'angoisse ?

— Well… lui répond Samy, d'une voix calme. J'étais justement en train de dire à mon ami Fred que si jamais l'officier m'exige une autorisation quelconque, je suis prêt.

— Ah oui ! Et vous, mon oncle, pourquoi n'étiez-vous pas ici de bonne heure comme vous me l'aviez promis ?

— Je me suis levé en retard, Érik, de lui répondre le Vieux les traits tirés, sachant fort bien qu'il ne le croyait pas. Je savais que tu étais capable de bien faire les choses. Allons retrouver l'officier, astheure, et réglons cette affaire au plus sacrant.

Sans plus, les quatre compères se retrouvent dans le bureau de l'officier. Parmi les preuves qui y sont étalées, Érik leur fait remarquer un minuscule transmetteur qui fait partie du Système de Détection des Navires et qui avait été installé sans son autorisation sur son bateau. Muni de deux petites antennes dont l'une sert à capter les demandes de données du satellite et l'autre à les lui transmettre, le SDN peut être installé volontairement sur un navire, mais encore faut-il en avoir l'autorisation de son capitaine.

— Ça y est, mon oncle, je viens de comprendre la raison qui a permis à Alpide de me suivre pas à pas, qu'il lui dit à voix basse en l'emmenant à l'écart.

— *Godash* de *godash*, encore une patente de Pêches et Océans pour t'espionner, de lui répondre le Vieux en fronçant les sourcils. Ça ne m'étonnerait pas qu'Alpide se soit organisé avec l'un d'eux. Et toi, Samy, qu'est-ce que tu en penses?

— *Well…* pourquoi plus Alpide que Herb Smith qui a toujours négocié directement avec lui les peaux de loup-marin provenant de mes escouades? Mon petit doigt me dit que c'est peut-être moi qu'il voulait flouer dans cette affaire. Faisons vite si l'on veut éviter que quelqu'un d'autre apparaisse dans le décor.

De retour auprès de l'officier, ce dernier n'a d'autre choix que de consentir la propriété de l'épave de l'*Ariès* à Érik à qui il fait signer de même qu'à Samy plusieurs documents réglementaires.

* * *

Revenu au port de la côte de l'Étang-du-Nord, Érik embarque sur son bateau en compagnie de cinq hommes d'équipage réputés pour leur vaste expérience de renflouage. En plus d'un officier de la Garde côtière, un représentant du coroner du district est du voyage, puisqu'il y a eu mort d'hommes lors du naufrage présumé.

Frédérik, qui a pris un autre coup de vieux avec les derniers événements, décide de rester à terre. Il a demandé à son fiston d'être informé du déroulement de l'expédition, vu qu'Alpide n'a pas encore été aperçu dans les parages depuis les dernières 24 heures.

Après plusieurs heures de navigation, le navire arrive à proximité de l'île Brion. Érik aperçoit le *Faucon des mers* en train d'explorer les hauts-fonds qui séparent l'île du Rocher-aux-Oiseaux. Comme il ne cesse de faire des allées et venues, il se satisfait en se disant que son détracteur était tombé dans le piège qu'il lui avait tendu lors de la rencontre des deux navires pour discuter d'une possible capitulation.

Lui faisant un pied de nez en continuant tout simplement sa route, il décide de l'appeler sur son radiotéléphone.

— Ici l'*Ariès II*. J'appelle le *Faucon des mers*. À toi.

— Ici le *Faucon des mers*. *Simonacle*, qu'est-ce que tu me veux ? À toi.

— Ici l'*Ariès II*. Place-toi sur le canal 62. Tu sais comment faire… À toi.

— Ici le *Faucon des mers*. Il n'y a pas seulement ça que je sais. Pourquoi m'appelles-tu ? Les nouvelles courent vites aux Îles, tu sais. À toi.

— Ici l'*Ariès II*. J'ai rien de spécial. Je voulais tout simplement savoir si tu avais réussi à regrouper le casse-tête que je t'avais remis hier après-midi. À toi.

— Ici le *Faucon des mers*. Compte-toi chanceux d'avoir du monde à ton bord parce qu'autrement, je… À toi.

— Ici l'*Ariès II*. Ça sera pour une autre fois, mon Alpide. D'ici là, tu peux me suivre et voir comment je vais te faire ravaler tes menteries au sujet des causes du naufrage. À toi.

— Ici le *Faucon des mers*. Fermez-vous, vous autres, j'ai de la misère à l'entendre. Ça va le jeune, si tu as trouvé l'endroit de l'épave, tu es loin d'avoir récupéré la fille à Samy à qui j'ai parlé encore hier au soir.

— Ici l'*Ariès II*. Je m'en vais voir à ça dans le temps comme dans le temps. Je me place sur le canal de veille. Terminé.

À peine Érik a-t-il clos sa conversation avec Alpide qu'il voit son bâtiment faire demi-tour pour le suivre jusqu'à l'endroit indiqué par le curseur de son GPS comme étant celui où gît l'épave de l'*Ariès*.

Arrivé sur les lieux, sous les ordres du représentant du coroner, Mathieu plonge en compagnie de son assistant. Il en profite pour filmer à nouveau tout l'extérieur et l'intérieur de l'épave en récupérant des objets personnels qui, remontés à la surface, seront identifiés et remis aux familles des disparus. Cette première plongée d'une durée d'une heure environ a permis à Alpide de s'approcher suffisamment près pour constater qu'il était passé juste à côté du site de l'épave, sans toutefois avoir pu la détecter positivement.

Le représentant du coroner étant satisfait des éléments de preuves qui lui sont remis, il autorise Érik à procéder à la récupération de la cargaison. Mathieu, qui éprouve un début de mal de caisson, doit s'y prendre par deux fois avec l'aide de trois hommes grenouilles avant de réussir à ouvrir les écoutilles pour faire sortir les peaux. Celles-ci reviennent à la surface d'elles-mêmes comme si on les avait éjectées de leur position. Érik, les voyant apparaître les unes à la suite des autres, remarque tout à coup un certain nombre de détritus qui ressemblent à de petits ossements.

— Veux-tu bien me dire ce que c'est? qu'il demande à Mathieu en aidant ce dernier à embarquer.

— Mais voyons, Érik, ce sont des os de *pifs* de loups-marins que tes hommes ont probablement prélevés lors de votre expédition sur l'Orphelin.

— Des pénis, tu veux dire? Mais pourquoi donc? qu'il lui demande en jetant un œil au bâtiment d'Alpide qu'il voit s'approcher de plus en plus près du sien.

— Dis-moi pas, Érik, que tu n'es pas au courant que les Asiatiques sont prêts à payer les yeux de la tête pour ces organes qu'ils prétendent être très aphrodisiaques?

— Je m'en doutais, sans en être certain cependant, qu'il lui relate en constatant à la longue-vue le visage d'Alpide qui exprime une certaine inquiétude. Ce doit être lui qu'il poursuit, en lui faisant signe de s'éloigner pour les laisser travailler à leur aise.

En compagnie de ses hommes d'équipage, Érik regroupe les nombreuses peaux à la surface de la mer, pour les hisser par la suite à bord de son bâtiment. Voyant le navire d'Alpide qui persiste à rester sur place, il les compte à haute voix par catégorie afin de le narguer un peu plus. Ce dernier, comme réponse, s'aventure à lui exiger sa quote-part ainsi que celle d'Azade en l'interpellant sans succès sur son radiotéléphone.

Après une bonne heure à endurer ce martyre, le *Faucon des mers* quitte précipitamment les lieux pour retourner, semble-t-il, à son port d'attache. Érik et son équipage en profitent pour terminer leur besogne, tout en savourant leur victoire jusqu'à la dernière peau embarquée à bord.

Lors de son retour vers le port de Cap-aux-Meules, Érik refait le compte des peaux, ce qui lui confirme hors de tout doute qu'il avait dû chasser pendant plusieurs jours au Banc-de-l'Orphelin. En effet, les 6117 peaux de loups-marins jeunes et adultes, ajoutées aux 6090 de blanchons, le rendent dans une forme de félicité qui s'atténue avec le doute que cette petite richesse aurait bien pu être contaminée aux PCB. Non seulement la valeur de la cargaison pourrait en être réduite de moitié, mais encore plus si jamais les opposants qui commencent à se manifester aux Îles apprennent ce qu'ils appellent *le massacre inutile.*

Il profite du temps qu'il a à sa disposition pour faire savoir à son oncle que tout s'est très bien déroulé et qu'il peut l'attendre au port de Cap-aux-Meules au coucher du soleil. En utilisant son téléphone cellulaire pour ce faire, il sait que les balayeurs d'ondes vont en avoir pour leur argent, ce qui, en somme, flatte encore plus son ego.

À l'arrivée au quai de Cap-aux-Meules, Érik constate qu'une foule immense les attend, semblable à ce dont il avait rêvé, se rappelle-t-il, la veille du naufrage de l'*Ariès*. On y retrouve, en plus de Frédérik, Esthèle sa mère, Samy et Claudia, de même que Herb Smith. S'approchant du navire, Frédérik entend Érik lui dire d'une voix forte :

— On a frappé dans le mille, mon oncle. Dites à Herb Smith de préparer son carnet de chèques.

— Pas si vite, fiston. Il est arrivé un malheur.

— Un malheur? qu'il lui demande le visage teinté d'angoisse.

— Eh oui! Il paraît qu'en revenant du Rocher avec le *Faucon des mers*, Azade serait tombé à l'eau sans veste de sauvetage ni habit de survie. Aux dires d'Alpide, en tournant de bord pour le récupérer, il a bien vu qu'il ne cherchait même pas à s'approcher du bateau mais plutôt à s'en éloigner. Pauvre lui, il devait être désemparé pour faire un tel geste.

— *Désespoir!* c'est à peine si l'enquête du coroner sur le naufrage débute qu'une autre viendra mêler encore plus les cartes, de lui déclarer Érik une moue dans la voix.

Aussitôt a-t-il mis le pied sur le quai qu'il aperçoit un huissier qui se présente à lui pour lui demander de s'identifier. « On dirait qu'un malheur n'arrive jamais seul », qu'il se dit en cherchant nerveusement dans sa veste ses pièces d'identité.

— Vous êtes bien Érik à Nathaël, à ce que je sache. Montrez-moi vos papiers de capitaine s'il vous plaît.

— Mais pourquoi ? qu'il lui rétorque fort surpris en lui remettant son permis.

— Vous verrez tout à l'heure, lui répond l'huissier qui prend note dans son calepin des coordonnées inscrites sur sa licence de capitaine.

— C'est quand même pas moi qui avais Azade à bord ! Allez donc retrouver Alpide à Johnny à l'autre bout du quai, si ça ne vous dérange pas.

— C'est déjà fait, lui réplique l'huissier, agacé. Tenez, signez ici comme quoi je vous ai remis cette ordonnance de la cour.

Érik, abasourdi, s'exécute en saisissant le document dont le format lui rappelle celui que lui avait déjà présenté Alpide. L'ayant parcouru en diagonale, il demande à son oncle de même qu'à Herb Smith de s'approcher pour leur demander des explications.

— C'est quoi l'affaire de placer la cargaison de l'*Ariès* sous scellés jusqu'à la fin de l'enquête du coroner ? leur demande-t-il en grimaçant.

— C'est ce que je craignais le plus, lui répond Herb Smith. Vous voyez, Érik, s'il y a eu crime — et j'ai bien dit si —, du genre homicide, vous ne pourrez malheureusement bénéficier du produit de ce crime, même si vous avez déjà enregistré la propriété de l'épave.

— Ne t'en fais pas, fiston, ce n'est qu'une simple mesure de précaution qu'ont pris les ayants droit des familles des disparus, de renchérir Frédérik. Tu sais combien j'ai confiance en toi. Tu ne seras pas traduit en justice, c'est certain à 99 %.

— À 90 %, lui réplique Herb Smith. Le marché qu'on a conclu hier au soir tient-il toujours ? qu'il demande à Érik.

— Assurément. Mais pourquoi une telle question ?

— C'est que, si vous n'avez pas d'objection, je vais m'assurer immédiatement que les peaux seront conservées dans un entrepôt frigorifié approprié. Ensuite, comme preuve que j'ai tenu parole, un chèque certifié au montant de 25 000 $ vous attend chez mon notaire, avec en plus une lettre de garantie en bonne et due forme, si vous convenez évidemment de conclure avec moi le marché dont il a été question. N'oubliez pas, cependant, que l'épave de l'*Ariès* a été saisie et demeure sous la juridiction de la justice pendant toute la durée de l'enquête.

— Ça va, Monsieur Smith, qu'il lui répond en le laissant en plan dans un mouvement d'irritation.

Érik se dirige aussitôt vers Samy et Claudia qui n'ont cessé de scruter ses gestes depuis son premier pas sur le quai.

— Félicitations, lui dit Samy en lui donnant l'accolade.

— Merci bien. J'espère que j'ai répondu pleinement à vos aspirations, qu'il lui dit en regardant Claudia droit dans les yeux.

— *Well...* qu'il lui répond en l'amenant à l'écart, permets-moi tout au moins d'égaler l'offre de Smith. Comme ça, tu ne pourras jamais dire que je t'ai traité injustement.

— Mais je n'ai pas encore négocié avec vous.

— Je sais, mais je veux que ça paraisse tout comme aux yeux de Smith qui, par là, va te concéder les meilleurs prix et garanties possibles.

— Je vois, Samy, que vous êtes rusé comme un renard des dunes. Dites-moi donc c'est quoi les probabilités qu'Azade se soit suicidé?

— Il y a plus de balivernes sur cette histoire qu'il y a de morues sur le fond Georges. Tout ce que je sais, c'est que sa mort peut autant t'aider que te nuire lors de l'enquête du coroner qui va s'amorcer d'ici quelques jours. En passant, pourquoi as-tu pratiqué des gestes de vengeance comme ceux de l'autre jour en déchirant le document que t'avait remis Alpide et dans lequel il paraîtrait qu'Azade te disculpait?

— Je sais que j'ai fait une erreur, qu'il lui répond en baissant les yeux, embarrassé. Ç'a été plus fort que moi.

— Amène-toi donc pour voir ta mère maintenant qui est en train de parlementer avec ma fille. Ça va te changer les idées.

Esthèle se jette dans les bras de son fils aîné en ne cessant de remercier le Ciel d'avoir exaucé son vœu le plus cher. Défait de l'étreinte de sa mère, Érik s'approche de Claudia qui, tout en jetant un coup d'œil vers son père, lui sert la main chaleureusement en lui disant:

— Je savais bien, Érik, que tu réussirais et je t'en félicite. Une première manche, qui n'est pas la moindre, vient d'être remportée. Je suis confiante que tu réussiras à remporter les suivantes.

— C'est bien beau, Claudia, mais pour qui d'autre que toi vais-je continuer à m'apitoyer? qu'il lui demande gauchement.

— Peut-être pour Julianna ? qu'elle lui répond sèchement.

— Ça fait un bon bout de temps que c'est fini avec elle, crois-moi. Mais toi, Claudia, est-ce que je t'intéresse vraiment plus que n'importe qui d'autre ?

— Je veux que tu saches, Érik, que tu as toujours eu une grande place dans mon cœur. Pour moi, tu es comme un véritable frère.

— Peut-être un peu plus… ?

Le visage empourpré par cette question, Claudia ne répond pas. En retour, son sourire enjôleur le convainc ou presque… que cette belle et charmante femme saura peut-être l'aimer un jour, jusqu'à s'abandonner à lui.

— Érik, lui dit Samy qui interrompt leurs roucoulades, tu as besoin d'un bon avocat si tu ne veux éviter des tracas avec ce document de la cour.

— C'est pourtant vrai, qu'il lui répond, revenu les deux pieds sur terre. En connaissez-vous un bon, un qui pourrait tout au moins m'expliquer le contenu véritable de cette ordonnance ?

— Je m'en vais de ce pas aviser ma firme d'avocats de Montréal qui va nous envoyer l'un de leurs meilleurs juristes dans des situations comme la nôtre.

— Vous voulez dire plutôt à la mienne.

— *Well…* c'est à peu près cela. En tout cas, si tu veux recourir à ses services, il sera à l'hôtel du village dès samedi prochain.

* * *

Le samedi suivant, au petit déjeuner, Érik rencontre l'avocat de Samy, un dénommé Jean Grenier, dont l'expérience et la renommée ne sont plus à faire.

— Si j'ai bien compris, Érik, vous êtes pris dans un dilemme fort malicieux. Hier au soir, en parcourant l'ordonnance de la cour qui vous a été remise, j'ai constaté qu'on vous oblige à laisser sous scellés la cargaison complète de l'*Ariès* jusqu'à la fin de l'enquête du coroner. Aussi bien employer les vrais mots : un contrevenant, même si son crime est involontaire et non prémédité, ne peut bénéficier du produit de son délit. Il en reviendra alors aux ayants droit des disparus ainsi qu'aux autres rescapés, à part vous bien sûr, à faire valoir leurs privilèges à même le produit de la vente des peaux récupérées.

— *Désespoir*, c'est assez grave ce que vous me dites là, de lui déclarer Érik dont le visage exprime une contrariété grandissante.

— Par contre, pour qu'il y ait crime, il faut plus que des ouï-dire ou encore des dépositions de témoins plus ou moins crédibles. Néanmoins, concernant les rumeurs selon lesquelles vous auriez quitté l'*Ariès* le premier sans vous soucier des membres de votre équipage, le juge tranchera malheureusement en faveur d'Alpide plutôt que pour vous qui avez oublié certains faits importants. Finalement, s'il n'y a pas eu erreurs ou omissions de votre part, les nombreuses photos et films devraient nous permettre de contrecarrer les poursuites éventuelles au civil, laissant place à une dernière alternative, soit celle du *Act of God*.

— C'est sûrement celle que je préfère. Je suis persuadé plus que jamais que c'est effectivement comme ça que ça s'est passé sur le Banc-de-l'Orphelin. Qu'est-ce qui va m'arriver maintenant ?

— Ça dépend de vous. Certes, les familles des disparus n'aimeraient peut-être pas vous obliger par force de loi à leur verser la quote-part du chargement promis à leur proche lors du départ de l'expédition. En retour, ils souhaiteraient sans doute que vous fassiez les premiers pas pour en arriver à un arrangement à l'amiable.

— Et Alpide, lui ?

— C'est le plus dangereux parmi tous. Surtout qu'il pourrait vouloir arranger la mort d'Azade à son bénéfice. Même s'il y a eu huit décès jusqu'ici dans cette affaire, la mort d'un homme vaut, aux yeux de certains juges, moins que celle d'un individu qui a souffert d'hypothermie et qui est resté handicapé comme Alpide pour le restant de ses jours. N'oubliez pas le proverbe qui dit que « la faim chasse le loup du bois ».

— Vous voulez dire qu'Alpide est prêt à tout… Alors, qu'est-ce qu'il me reste à faire ?

— La seule manière pour vous de contrer Alpide, c'est d'inclure en défense à une poursuite en justice éventuelle de la part des ayants droit une demande reconventionnelle pour atteinte à la réputation, etc. Mais ça, on verra à ça dans le temps comme dans le temps, comme vous le dites si bien aux Îles. Avant de terminer, j'ai quelque chose de bien important à vous demander.

C'est ainsi qu'Érik apprend de l'avocat qu'il lui faudra essayer de dérober de l'entrepôt, où ils sont entreposés, quelques spécimens de différents types de peaux. Comme ça, il lui sera possible, éventuelle-ment, de faire faire à la fois ses propres analyses sur leur contamination, de même que l'évaluation du prix que le marché serait prêt à offrir pour leur acquisition.

Aussi, afin d'éviter d'être influencé dans ses décisions par qui que ce soit, il lui recommande de rester cantonné chez lui jusqu'à la conclusion de l'enquête du coroner.

CHAPITRE 9

Dans la vie, ce n'est pas ce que tu connais qui importe, mais bien plus qui tu connais

L'enquête du coroner, qui devrait durer entre six et neuf semaines, prend définitivement son envol au début du mois de décembre. Or les quelques rencontres qu'Érik a eues avec les procureurs de la couronne lui ont confirmé plus d'appréhensions que d'assurance. En effet, il n'est pas sans savoir que les avocats connaissent à peu près tout de l'expédition de l'*Ariès* sur le Banc de l'Orphelin et des aléas qui ont suivi. L'hélice du bâtiment, qui avait plié sous le choc des glaces au départ de son port d'attache, aurait bien pu disloquer suffisamment les bordages arrière pour lui faire prendre l'eau jusqu'à ce qu'il sombre. Pire encore, malgré le permis délivré, le radiotéléphone présent à bord n'était pas fonctionnel au départ de l'expédition même s'il avait apporté avec lui les pièces de rechange. Cela pouvait très bien contrevenir aux règlements concernant les appareils obligatoires pour un navire qui doit sillonner les eaux internationales. Par ailleurs, le fait que son oncle ait placé à son insu une balise de détresse pourrait possiblement compenser pour ce manquement aux règlements.

Cependant, ce qui l'inquiète le plus, de même que son oncle avec qui il en discute à chaque jour ou presque, est le fait qu'Alpide, nommé deuxième maître à bord, est le seul qui puisse établir point par point les événements qui ont précédé et suivi le naufrage de l'*Ariès*. Encore plus embêtant est le fait qu'il ne peut nier les quelques démêlés qu'il a eus avec lui et qui, à l'occasion, avaient donné raison à son rival. « Puisqu'une partie du mat de l'*Ariès* est restée coincée par les glaces du bouscoulis en érection, pourquoi n'êtes-vous pas resté sur place en attendant l'émersion plausible du navire ? » lui avait demandé le coroner. Ce à quoi il lui avait répondu ne pas se rappeler du tout de cet incident. Par contre, étant donné qu'Azade avait été rejoint, errant près de l'endroit où lui-même avait été retrouvé, tandis qu'Alpide l'avait été à plus de 5 km, cela tendait à démontrer que le capitaine et son deuxième maître avaient choisi des voies différentes pour leur retour sur la terre ferme.

À la suite de toutes ces remises en question, Érik se met à douter de son comportement au point où il hésite à déposer le chèque de 25 000 $ que lui avait remis Herb Smith. Il en discute avec le Vieux qui l'informe que, d'après ses récentes discussions avec le marchand Samy, il n'y a pas lieu de trop s'inquiéter pour le moment.

Du côté amoureux, cependant, les choses se présentent plutôt bien. En effet, Claudia lui a remis, en cachette de son père, une enveloppe qu'il s'empresse d'ouvrir pour découvrir une carte le complimentant en ces mots : *Érik, j'ai toujours cru en ta capacité de surmonter les épreuves. Il me ferait plaisir qu'on puisse faire meilleure connaissance. Si jamais ça t'intéresse (c'est un secret), il m'arrive, le soir venu, de patiner à la belle étoile sur les étangs des sillons près de ton village. À bientôt, Claudia*

* * *

Toujours est-il que le lendemain soir, Érik se met sur son 36, chausse ses patins et se dirige à toute vitesse à l'orée des sillons, pressé d'y rencontrer sa dulcinée. Pendant plus d'une heure, n'apercevant âme qui vive, il exerce son coup de patin afin de ne pas avoir l'air trop ridicule face à Claudia, reconnue comme ayant déjà été une excellente patineuse de fantaisie. Las de l'attendre, il retourne chez lui en passant faire son petit tour chez son oncle, question de connaître son opinion sur cette dernière mésaventure.

— Érik, lui dit le Vieux, les femmes ont des vues que souvent, nous, les hommes, ne pouvons expliquer. Peut-être t'avait-elle tendu une perche pour savoir, dès la première occasion, si tu répondrais à son invitation ? As-tu oublié que lorsque la brunante nous tombe dessus, les nuages cachent souvent le clair de lune. Ça fait que, à la belle étoile, ça sera probablement pour une autre fois.

— Je reconnais, mon oncle, que je suis toujours un peu trop pressé d'arriver à mes fins. N'empêche que je suis désappointé, j'aurais tellement voulu qu'elle soit là. Mais passons à autre chose et parlez-moi des dernières nouvelles sur les opposants à la chasse au loup-marin qu'on voit apparaître de plus en plus dans les parages.

— Justement, j'en ai discuté sur l'heure du souper avec Samy. Il m'a appris qu'Alpide était revenu de la chasse au loup-marin enragé au point où il voulait battre quiconque lui avouerait être contre cette tradition bien de chez nous.

— Et vous, mon oncle, qu'est-ce que vous en pensez de ces contestataires de malheur ? lui demande Érik.

— Si tu veux mon avis, ces opposants sont encore plus dangereux que le diable en personne. Leurs méthodes n'ont pas leurs égales pour faire avaler aux gens de la grande-terre que la chasse au loup-marin n'a pas sa raison d'être, même si elle fait partie de nos coutumes ancestrales. Une personne le moindrement sensible n'aime pas qu'on lui montre l'image d'un animal qui est en train de se faire tuer. Tout ça pour te dire, mon cher Érik, que tu dois t'imposer comme un allié des chasseurs. Du même coup, tu vas t'assurer que ces opposants n'influenceront pas le prix du marché des peaux au point où la valeur de la cargaison de ton *Ariès* suffise à peine à faire tes frais.

* * *

Le lendemain soir, écoutant plus son cœur que sa raison, Érik se dirige vers les étangs gelés des sillons dans l'espoir d'y retrouver Claudia, faute de quoi il changera son fusil d'épaule. Arrivé plus près sans s'être fait voir, il l'aperçoit qui patine, formant de grands cercles qui se terminent à l'occasion par des pirouettes de toutes sortes. Profitant du moment, il s'enivre de la beauté et de l'élégance qu'elle dégage en s'élançant tel un oiseau sur l'étendue glacée éclaircie par le reflet de la lune et des milliers d'étoiles. La neige qui entoure les sillons brille de ses mille feux bleuâtres et l'air vif qui le grise ajoute encore plus à ce moment d'exaltation.

— Bonsoir, Érik, lui crie Claudia qui l'avait aperçu. Viens, qu'elle poursuit en s'approchant. Chausse tes patins et je vais te montrer comment faire.

Érik, mal à l'aise par cette intrusion subite, va aussitôt la retrouver en titubant. Le prenant par la main, Claudia, sans mot dire, essaie du mieux qu'elle peut de rythmer ses élans avec ceux de son tourtereau

161

qui se sent entraîné dans une sorte de valse qui l'étourdit peu à peu.

— Arrêtons-nous, lui réclame Érik qui n'en peut plus.

— Comme tu voudras. Assoyons-nous sur ce vieux tronc d'arbre, qu'elle lui suggère en le supportant du mieux qu'elle peut.

— Mon Dieu que tu patines bien, Claudia, qu'il lui déclare, ébahi par la beauté de son visage coiffé d'un capuchon et d'un collet de fourrure d'un blanc éclatant. Et puis ton père, comment va-t-il ? qu'il lui demande pour meubler la conversation.

— Mon père va très bien, quoique préoccupé par les opposants. Il m'a expliqué que tu pourrais être victime éventuellement de l'effondrement du prix du marché des peaux.

— Bah ! C'est vrai, mais le plus mal pris dans cette histoire est sans contredit Alpide, qu'il lui fait savoir dans le but de savoir s'il l'intéresse encore. Tu sais, Claudia, ses derniers démêlés avec eux n'augurent rien de bon pour personne.

— Tu as raison. Par contre, il a toujours su tirer son épingle du jeu, avec l'aide de mon père, évidemment, qui n'a pas perdu totalement confiance en lui. Cependant, ce qui me déplaît le plus en lui est cette forme d'animosité qui l'anime à l'égard de certaines personnes dont tu fais évidemment partie.

— Ouais ! On ne choisit pas ses amis, pas plus que ses ennemis. Mais toi, dans toute cette affaire, comment me considères-tu ?

— Toi, Érik, tu as toujours représenté à mes yeux l'homme sensé, courageux et plein d'ambition. Jusqu'à ce jour, tu as réussi à t'en tirer, avec l'incident de l'*Ariès*, mais encore mieux, tu prends de plus en plus ta place dans ta carrière de marchand de poissons et de crustacés. Par contre, je crois que tu préfères rencontrer tes propres objectifs personnels que celui d'aider les autres à affronter la vie.

— Holà Claudia ! Voudrais-tu dire que je suis égoïste et que je ne pense pas aux autres au moment opportun ? Si jamais je réussis à obtenir un bon prix avec la cargaison des peaux récupérées de l'*Ariès*, je te promets que je paierai rubis sur l'ongle les quotes-parts aux ayants droit des familles des naufragés.

— Et si tu réussissais à n'obtenir qu'un prix minime, vas-tu quand même leur payer leur dû, même à Alpide ainsi qu'à mon père qui ne cesse de t'aider financièrement ?

— Là, tu y vas un peu fort à mon goût, Claudia. Tu me places dans une situation telle que charité bien ordonnée ne devrait pas commencer par soi-même. Tu voudrais que j'embrasse tout le monde, que je leur dise combien je les aime et, en plus, que je leur jette mon argent à pleine porte ?

— Tu exagères tout le temps, Érik. Aimer quelqu'un, c'est l'aimer pour ce qu'il est et non pour ce qu'il représente. N'es-tu pas intéressé à moi parce que je suis la fille unique de mon père que tu as toujours envié et, par surcroît, son unique héritière ?

Érik se sent pris dans un guet-apens. Il s'aperçoit qu'on ne conquiert pas le cœur de quelqu'un comme on l'entend, surtout une fille comme Claudia.

— Je peux te dire au moins une chose : c'est que je me sens actuellement l'homme le plus chanceux du monde d'être avec toi, surtout par une si belle soirée.

— Merci pour le compliment. Pour ma part, je crois qu'à force de petites attentions, de compréhension et d'acceptation des divergences, deux personnes peuvent en arriver un jour à s'aimer vraiment. Viens, on fait quelques tours encore et on se reprend demain à la même heure ?

Tant pour Érik que pour Claudia, les jours qui suivent sont des plus fructueux sur le plan affectif. Ils apprennent à mieux se connaître, avec cependant une certaine forme de retenue, surtout de la part de Claudia. Cette dernière apprend à Érik que son père lui a déjà avoué avoir beaucoup aimé Esthèle lors de leurs fréquentations de jeunesse. Cependant, après une dépression majeure de cette dernière, ils s'étaient quittés sur un coup de tête.

À cela, Érik lui confesse son inquiétude. D'après ce qu'on lui a raconté, il serait venu au monde six semaines avant terme et, pour s'en assurer, il avait déjà demandé un jour à sa mère de lui expliquer ses débuts de vie sur terre :

— Ne t'en fais pas avec ça mon grand, lui avait-elle répondu, c'est une sage-femme qui est venue m'aider à accoucher à la maison.

— Mais ton médecin ne t'avait-il pas dit que dans de telles circonstances, c'est au Centre hospitalier qu'il faut se diriger ? lui avait-il répliqué.

— Je n'ai pas eu le temps de suivre son conseil. Tu as voulu voir le monde avant terme, pressé que tu étais. D'ailleurs, c'est ton oncle qui m'a trouvée gisante sur le plancher de la cuisine aux prises avec de fréquentes contractions.

— Et les séquelles n'ont pas suivi ?

— Mais non. N'es-tu pas en très grande forme, mon grand ? Et puis, toutes ces palabres sur mes longues fréquentations avec Samy, c'est du passé. Un premier bébé avant terme de plus de quatre kilos, on ne voit pas ça tous les jours. Tu vois bien que lorsqu'on discute de nos tourmentes avec le bon Dieu, Il s'arrange toujours pour bien faire les choses.

Érik explique en toute fin à Claudia que malgré qu'il n'avait pas cru aux explications de sa mère il n'avait pas osé aller plus loin.

* * *

— Mon père a eu une rencontre très positive avec l'avocat qui te représente, lui dit Claudia lors d'une enième rencontre sur l'un des étangs gelés des sillons.

— C'est une bonne nouvelle, qu'il lui rétorque. J'ai hâte d'en savoir plus. J'espère que tu vas comprendre qu'il est primordial que je m'occupe de mon marché avec Herb Smith, même si pour cela je dois mettre fin à nos excursions de plein air.

— Tu vois comment tu réagis, Érik. Tu es toujours pressé d'en arriver à tes fins même s'il faut pour cela que tu tasses tes meilleurs amis.

— Excuse-moi, Claudia, tu es trop gentille et attentionnée pour que je te fasse de la peine. En réalité, je voulais dire que nos rencontres, qu'on a réussi à tenir secrètes jusqu'à ce jour, ne pourront plus se perpétuer à l'infini. Comme c'est ton père qui m'a référé son meilleur avocat pour me représenter auprès du coroner, il n'y a qu'un pas à franchir pour affirmer qu'il y aurait eu possiblement collusion entre nous.

— C'est peut-être vrai, mais ça n'empêche pas que tu changes ta façon de voir les choses à ton avantage pour bien paraître aux yeux des autres.

— Merci pour la leçon, Claudia. Tu dois savoir que moi aussi, j'ai le cœur à la bonne place et que je suis très sensible à tous les malheurs qui frappent les autres. Je te répète que même si je suis disculpé de négligence civile ayant causé la mort de la majeure partie de mon équipage, je n'attendrai pas les poursuites criminelles pour m'acquitter de ma dette d'honneur envers les ayants droit. Même Alpide pourrait recevoir plus que le double de son dû en compensation des souffrances qu'il a subies.

— C'est bien comme discours, Érik. Promets-moi qu'en aucun temps, tu ne feras de mal à Alpide. Tu ne pourras jamais comprendre comment il se sent présentement avec le supposé suicide d'Azade. Pourquoi l'avoir humilié en déchirant, en présence de vos équipages, le document que tu lui avais demandé de te remettre? La violence verbale est bien souvent aussi néfaste que l'agression physique.

— Je reconnais avoir fait une erreur. Mais à part de ça, ne me trouves-tu pas assez intéressant pour qu'on continue à se fréquenter?

— Oui. En tout cas suffisamment pour persévérer à suivre tes péripéties. J'admire ton honnêteté. Je crois bien, Érik, qu'on peut devenir de très bons amis.

— Juste ça, Claudia? Moi, comme c'est mon habitude d'être pressé, je t'assure que j'ai déjà un pas en avant de toi.

— Restons-en là, si tu le veux bien, qu'elle lui dit en lui remettant une feuille de papier sur laquelle Érik reconnaît l'écriture d'Alpide.

— Qu'est-ce que c'est que ça? qu'il lui demande, inquiet de la voir en possession d'un tel document. Serais-tu devenue son porte-parole?

— Laisse faire et lis.

En parcourant l'écrit, Érik est stupéfait d'y découvrir une page provenant du journal personnel d'Alpide, relatant une partie de l'expédition sur le Banc-de-l'Orphelin.

— Mais, Claudia, c'est un volet de son propre livre de bord? Comment as-tu fait pour te l'approprier?

— Tu sais, Érik, nous, les femmes, on sait comment s'y prendre lorsque l'on veut connaître la vérité; quoique je n'aie jamais douté de toi.

— C'est formidable! Voilà enfin la preuve des conneries et des mensonges à mon égard, qu'il lui déclare en s'exaltant de tout son être.

— Pas si vite! Alpide ne sait pas que je lui ai subtilisé cette feuille. Dans un certain sens, il me fait pitié. Mon père a eu tellement confiance en lui par le passé qu'il ne décroche pas encore.

— Mais nos récentes fréquentations n'ont-elles pas remplacé celles que tu as eues avec lui ? lui demande Érik dans un élan de jalousie qui commence à paraître.

— Laisse-moi choisir ce qui est bon ou mauvais pour moi. Ne fréquentes-tu pas, à l'occasion, ma petite cousine Julianna qui m'a fait toute une crise de jalousie l'autre jour lorsque je l'ai rencontrée sur La Grave.

— Ah oui ? Mais avec elle, c'est pas pareil. Ce n'est pas moi qui cours après. Et puis, je te le répète, c'est terminé pour de bon, qu'il ajoute le plus sérieusement du monde.

— Ha ! Vous autres, les hommes, et surtout toi Érik, si vous n'avez pas de conquête à faire vous vous assoyez sur vos lauriers en attendant qu'on vous rappelle à vos devoirs.

— C'est peut-être vrai, mais on est comme on est.

— Si tu n'as pas d'objection, remets-moi cette feuille de papier et promets-moi de ne jamais t'en servir contre Alpide, même en cas de poursuite légale.

— Je te le promets, Claudia, qu'il lui répond en tentant de l'embrasser sur la bouche, ce à quoi elle lui répond en offrant ses deux joues.

* * *

Quelques jours plus tard, Érik et son avocat sont convoqués chez le coroner qui leur fait rapport de son enquête. Il leur indique qu'étant donné qu'il n'y a pas eu de preuves de négligence criminelle hors de tout doute raisonnable, il ordonne la levée des scellés de façon à ce que la cargaison de peaux confisquée soit remise à son propriétaire dans les meilleurs délais. Il mentionne dans son allocution qu'il n'a pas à déterminer s'il y a matière à poursuite au civil. Le coroner termine son rapport en recommandant de réglementer adéquatement la présence à bord d'appareils et d'équipement appropriés pour les navires de dimension semblable à l'*Ariès* et surtout compte tenu des caractéristiques qui entourent la chasse au loup-marin.

Érik et son entourage exultent de joie. Esthèle, qui avait entrepris une neuvaine de messes en évocation à la bonne sainte Anne, ne cesse de remercier le Ciel d'avoir répondu à son appel. Frédérik, quant à lui, ne voit plus d'obstacle à la réalisation de l'entente intervenue entre son neveu et le négociant Herb Smith. Seuls les protestataires qui fourmillent, tant sur les banquises que sur la terre ferme, pourront éventuellement nuire au prix du marché des peaux.

Samy, qui a assisté aux délibérations du coroner, a chaudement félicité Érik. Il lui a recommandé cependant de ne pas trop espérer dans la conquête du cœur de sa fille Claudia. Cela a eu pour effet d'éveiller chez lui une certaine méfiance inexplicable et d'atténuer du même coup l'euphorie de sa récente victoire.

Peu de temps après, Érik rencontre l'avocat que Samy lui avait référé lors de l'enquête du coroner et qui offre de l'assister dans ses pourparlers avec Herb Smith. Après plusieurs jours de négociations, l'entente officielle entre les parties indique à la fois un prix plancher au montant de 250 000 $ qui dépend de plusieurs facteurs, ainsi qu'un prix plafond de 650 000 $, si aucun de ces facteurs ne survient à des dates déterminées à l'avance. Ainsi, en sus des 25 000 $ déjà versés à Érik comme caution, un montant de 125 000 $ lui sera remis à la livraison d'un premier tiers des peaux. L'excédent d'au moins 100 000 $ et d'au plus 475 000 $ sera allongé au plus tard trois mois après le résultat des examens sur la contamination des peaux qui devraient débuter incessamment, le tout selon les termes d'une vente dite en consignation.

En signant cet accord, Érik s'aperçoit qu'il est pris dans un dilemme : ou il laisse faire les opposants à leur guise au risque qu'ils nuisent fortement au prix que le marché sera prêt à payer à Herb Smith, ou bien il essaie de les contrer pour qu'ils quittent au plus vite les Îles, avec comme résultat un moindre mal.

Aussi apprend-il par l'intermédiaire de Claudia que son père Samy avait déjà organisé plusieurs *escouades* de chasseurs dont l'une était dirigée par Alpide. Du reste, ce dernier avait déjà eu des démêlés avec quelques-uns de ces opposants de malheur.

Reconnu comme un chasseur à la va-vite, il avait été filmé à son insu en train d'abattre de jeunes loups-marins qu'il avait déshabillés de leur fourrure en moins de deux. Plusieurs opposants s'étaient même placés entre les chasseurs et leurs victimes en les harassant autant en paroles qu'en gestes. D'autres contestataires avaient brossé fortement la fourrure des blanchons devenus *guenilloux* au moment de leur mue, de façon à prélever leurs poils, un peu comme il est coutume de tondre les brebis pour leur laine. Enfin, un grand nombre de jeunes loups-marins avaient été saupoudrés d'une peinture rouge indélébile qui, disait-on, était biologique. Mais ce qui fait dire que le ridicule ne tue pas est le fait qu'un artisan sculpteur des Îles, en voulant filmer des loups-marins à divers stages de leur humeur, s'était fait réprimander durement par des opposants qui lui avait dit: « Aucun humain n'a le droit d'embêter ces mammifères qui sont des êtres hautement intelligents et sociables. »

Finalement, le navire du capitaine Paul Watson avait essayé d'éperonner un plus petit bateau dont l'équipage s'adonnait à la chasse au loup-marin. Pris de peur et ne voulant pas risquer inutilement la sécurité de son équipage, le capitaine avait dû battre en retraite pour se retrouver à son port d'attache avec si peu de peaux de loup-marin qu'il n'avait pu couvrir ses frais.

Il en résulte de ces faits qui ont été rapportés qu'il existe toujours deux côtés à une médaille. Si certains chasseurs madelinots exagèrent dans leur façon de chasser, plusieurs des opposants agissent bien plus pour leur bénéfice personnel que pour la noble cause de sauver les animaux de leur triste destin.

* * *

Érik ne peut nier que les quelques mois qui suivront seront déterminants. En effet, le prix que le marché de la fourrure de loup-marin sera disposé à payer tant aux chasseurs qu'aux marchands qui traitent avec eux façonnera en quelque sorte l'assiette des transactions financières incluses à son contrat avec Herb Smith.

— Et puis, Érik, comment vas-tu t'en tirer avec les opposants? lui avance Samy lors d'une visite impromptue à son magasin. Si ça continue comme c'est parti, je crois que Herb Smith ne pourra même pas respecter son prix plancher, qu'il poursuit en grimaçant.

— C'est bien ça qui m'inquiète le plus, d'autant plus que le préfet de comté qui a déjà foutu Brian Davies en dehors des Îles m'a prévenu que ce dernier aura sa vengeance un jour ou l'autre.

— À moins qu'il ne fasse comme Brigitte Bardot, lui réplique Samy.

— Et pourquoi donc elle plutôt que lui?

— C'est qu'avec B.B., c'est une tout autre affaire. Ayant été l'une des célébrités marquantes du XXᵉ siècle, elle agit de cette façon pour essayer de perpétuer sa notoriété. Le simplisme de son esprit réprobateur et la déchéance de son corps qui jadis était magnifique y sont pour quelque chose. En fait, elle aime être la porte-parole des organismes qui luttent contre la cruauté envers les animaux parce qu'elle sait d'ores et déjà que les médias, avides d'une nouvelle sensationnelle, se pâment devant son personnage. Récemment, elle a été désignée porte-parole de la FLA (Front de libération des animaux) pour finalement créer sa propre fondation qui recueille des fonds un peu partout dans le monde entier.

— Mais cela n'explique pas que la Bardot dans sa jeunsse ait été vue dans un reportage portant un manteau en fourrure de mouton de perse et à une autre occasion avec un bracelet en ivoire, comme quoi elle n'a pas toujours prêché par son exemple.

— Tu as raison, Érik. Si ces personnes ont une grande gueule, par contre elles ont peu de courage pour joindre l'acte à la parole, sauf Paul Watson qui est, de toute apparence, le plus valeureux et dangereux des opposants. Pour en revenir à la Bardot, lors d'une visite surprise à Saint-Anthony à Terre-Neuve, elle a clairement indiqué son intention de venir nous visiter ici aux Îles. Tu connais la suite. Trop peureuse pour venir faire face aux chasseurs madelinots, elle s'est arrêtée sur la Côte-Nord en compagnie du suisse Frank Weber. Tous deux ont informé les médias qu'ils étaient disposés à verser trois millions de dollars aux chasseurs canadiens pour qu'ils cessent la chasse au loup-marin. En remplacement, ils prônaient l'installation d'une usine de fourrure synthétique. B.B. est retournée aussitôt en France pour déclarer que les Canadiens sont des assassins en s'exclamant : « Vive les bébés phoques ! » Même notre premier ministre du Canada a essayé, mais en vain, de la raisonner au moyen d'une longue missive qui expliquait les efforts déployés pour humaniser cette coutume ancestrale.

— Et Frank Weber, ce milliardaire suisse, a-t-il respecté ses promesses ?

— Mais voyons donc, Érik ! Tout ce qu'il a été capable de faire a été de s'engueuler avec notre préfet de comté et de s'en retourner dans son pays d'origine pour s'occuper de sa propre fondation.

— Comme ça, vous pensez que pour Brian Davies aux Îles, c'est terminé?

— Pour lui, oui, mais avec ses acolytes, attends-toi au pire. Tu sais, ces organismes possèdent d'énormes moyens financiers qu'ils utilisent pour soutirer des scènes fortes en émotion de toutes sortes qui alimenteront encore plus la controverse sur la chasse. Les conséquences sont qu'ils pourront recueillir encore plus d'argent lors de leur campagne de levées de fonds. Je te conseille donc de rencontrer Alpide qui a déjà eu affaire avec plusieurs d'entre eux. Connaissant leur savoir-faire, cela pourrait t'aider à les contrer au moment voulu.

— Mais voyons donc, rencontrer Alpide avec tout ce qui s'est produit entre nous dans le passé…

— *Well…* Ne t'en fais pas. Alpide m'a confirmé qu'il est prêt à faire amende honorable et à t'aider à obtenir le meilleur prix possible pour les peaux récupérées de l'*Ariès*. Après tout, si tu réussis à recevoir un bon prix de Herb Smith, cela devrait lui profiter aussi.

— Vous avez probablement raison. Et où se trouve-t-il? lui demande Érik qui commence à croire que Samy a déjà préparé le terrain.

— Pas très loin. Tiens, prends mon bureau et je te l'envoie. Vous aurez ainsi tout le temps de vous entendre ensemble pendant que moi j'ai affaire ailleurs.

* * *

— Bien le bonjour! lui dit Alpide au début de leur rencontre.

— Tu m'as l'air de très bonne humeur malgré tout ce qui s'est passé entre nous, de lui déclarer Érik d'un ton glacial. Surtout que tu n'as pas eu le choix que de ravaler tes menteries à mon endroit, qu'il ajoute en pensant au livre de bord personnel qu'il avait tenu sur l'expédition sur l'Orphelin.

— Tu sais, Érik, personne n'est à l'abri des bévues. Je suis prêt à expier mes fautes et à m'excuser. Les souffrances que je ressens constamment avec mes amputations me rappellent à chaque matin que tout être humain a droit au respect et à la compassion. Toi, par contre, tu t'en es tiré avec les honneurs de la guerre avec la prise de possession de la cargaison de l'*Ariès*. Parallèlement à ça, tu as réussis à faire ta place comme courtier en poissons et crustacés tandis que moi j'essaie de satisfaire Samy, ce qui n'est pas une sinécure, crois-moi.

— Je te remercie, Alpide, lui répond Érik d'un ton plus affable. Je compatis avec toi surtout depuis le suicide d'Azade que tu avais pris à ton bord lors de nos recherches au Rocher-aux-Oiseaux. Mais dis-moi donc, comment ça s'est passé, à ce moment-là?

— Bah! Aussitôt qu'on s'est abordé et que tu as eu le front de déchirer mon document devant nos équipages respectifs, la rage que j'ai ressentie m'a aveuglé complètement. Azade était certain que vous aviez localisé l'*Ariès* en raison des multiples indices qu'il avait constatés sur ton bâtiment. Il s'est ensuivi une engueulade qui l'a rendu tellement hors de lui qu'il s'est laissé choir par-dessus bord, sans veste de sauvetage ni habits de survie. Je peux t'assurer, Érik, que j'ai tout fait en mon pouvoir pour le sauver.

— Je te crois sur parole, qu'il lui répond en pensant qu'il aurait peut-être pu éviter une autre perte de vie, n'eût été du document d'Alpide qu'il avait déchiré. Mais dis-moi, comment vont tes relations avec Samy? lui demande-t-il pour sonder le terrain sur ses possibles liaisons avec Claudia.

— Je voulais tellement bien paraître devant lui et surtout face à sa fille que j'ai changé la version des faits sur notre expédition sur l'Orphelin, au point où je me contredisais moi-même. Intelligent et rusé comme il est, il m'a disputé sévèrement en me reléguant au poste d'assistant contremaître.

— Et tes relations avec Claudia? s'enquiert Érik d'une voix soupçonneuse.

— Avec elle, ça attendra le temps qu'il faudra. Mais toi, Érik, j'ai entendu dire que tu la courtisais plus que jamais.

— Voyons, Alpide, on est devenu de bons amis, c'est tout. Mais laissons nos relations amoureuses de côté si tu le veux bien, et dis-moi pourquoi tu tenais tellement à me rencontrer.

— Mon cher Érik, même si j'ai de la misère à t'accepter, je te respecte quand même comme ayant un excellent discours lorsque vient le temps d'expliquer ou de convaincre quelqu'un, qu'il lui déclare d'une voix élogieuse au possible.

— Je te vois venir, Alpide. Continue et je verrai par la suite.

— Tu sais que personne n'est à l'abri de l'erreur. J'en ai fait, et tu en as fait, toi aussi. Tu te rappelles l'ancre de surface, le bout du mât qui était resté coincé dans le bouscoulis, l'hélice pliée au départ de notre port d'attache, le radiotéléphone inopérant, etc.

— L'ancre de surface, c'est vrai. Je suis prêt à te concéder également pour le bout de mât, puisque l'*Ariès* est resté entre deux eaux jusqu'à sa dérive sur les hauts-fonds du Rocher. Mais je ne vois toujours pas à quoi tu veux en venir en ressassant mes supposés écarts de conduite…

— C'est justement pour t'éviter d'en faire un autre. Tu sais, personne et surtout pas toi n'a intérêt à laisser ces *simonac* d'opposants continuer à nous embêter avec toutes les misères qu'on a eues dernièrement sur la banquise pour se soustraire à eux. N'oublie pas que le prix du marché pour les peaux que tu as stockées en attendant la fin de la période de la chasse va fluctuer vers le bas si on les laisse faire à leur guise. On est tous perdants dans cette affaire, autant toi que moi. En passant, la quote-part qui me revient sur la cargaison de l'*Ariès* ne fait-elle pas partie de ton entente avec Herb Smith ?

— Oui, Alpide, il n'y a pas de problèmes. Mais dis-moi de quelle façon je peux t'être utile ainsi qu'au groupe de chasseurs que tu représentes ?

— C'est simple, Érik, tu seras notre porte-parole auprès d'eux. Tu t'exprimes bien autant en français qu'en anglais. Ça te reviendra de les convaincre de nous laisser en paix. Quant à nous, on agira un peu comme un jury qui les condamnera à quitter les Îles à jamais.

— Ça m'a l'air d'être raisonnable comme plan, qu'il lui répond en faisant la moue. Et c'est pour quand cette rencontre ?

— Bravo, Érik ! Viens donc nous retrouver ce soir vers les 19 heures au bar de l'Échouerie. Tout en prenant un petit coup, on va planifier notre incursion qui, je te l'assure, aura un impact déterminant sur ton avenir comme sur celui de nos compatriotes.

— O.K., Alpide, ça me semble convenable. Je me rendrai au bar à l'heure indiquée si ça peut faire ton affaire.

— Merci beaucoup, mon cher Érik, de me rendre cet ultime service, qu'il lui fait savoir en ajoutant : Dis-moi donc, comment tu t'y es pris pour trouver l'épave de l'*Ariès* avant moi ?

— Je te le dirai si tu m'apprends comment tu as pu deviner le double sens de certains mots inclus dans la conversation que j'avais avec mon oncle. C'est probablement pour ça et autre chose qu'il poursuit — en pensant à la boîte noire découverte à son bord — qu'on s'est retrouvés presque nez à nez au Rocher, n'est-ce pas ?

— Comme les paroles s'envolent et que les écrits restent, je possède une enregistreuse branchée à mon radio-téléphone. Cela dit, à temps perdu, j'ai analysé vos conversations pour en venir à deviner vos astuces sauf les quelques-unes que vous avez utilisées lors de la dernière journée de recherche. Je te dis qu'il s'en est fallu de peu pour que je sois le premier à retrouver l'épave. Je reste persuadé, Érik, que tu as quelque chose à voir avec le fait qu'un bout de filet à éperlan s'est enroulé comme par magie dans mon arbre de moteur le matin même de notre dernière journée de recherche.

- De la même manière que tu réussissais malgré tout à me localiser en conversant avec tes complices de tout acabit. C'est la preuve que tu ne laisses rien au hasard et que tu t'évertues à prendre en note les péripéties auxquelles tu assistes.

— Et puis ce n'est pas défendu à ce que je sache ? qu'il lui répond, doutant des propos d'Érik. Et toi, qu'est-ce que tu attends pour me dire comment tu étais équipé en appareils pour retrouver l'épave en tout premier lieu ?

— C'est surtout grâce à mon sondeur électronique. Muni d'un microprocesseur, il était branché à mon GPS et me fournissait tout le relief du fond marin. Je savais que tu en possédais un du même type que le mien et j'espérais que tu n'avais pu réussir à le brancher correctement. Par contre, ce sont les nuées d'oiseaux de mer qui m'ont été les plus utiles et, en particulier, les pétrels qui raffolent de la chair forte en huile du loup-marin.

— Ce n'est pas que je n'aie pas essayé, mais je n'ai jamais été capable de trouver la personne compétente pour le faire, tandis que toi avec les nombreux conseils de ton oncle, c'est pas pareil.

— C'est comme ça dans la vie, mon Alpide, « ce n'est pas ce que tu connais qui importe, mais bien qui tu connais ».

— Tu n'auras pas si bien dit. À preuve j'ai été informé par un des balayeurs d'ondes qu'un hélicoptère affrété par la IFAW (International Fond for Animal Welfare), faisant croire à une panne d'essence, est supposé atterrir à Havre-aux-Maisons d'ici une couple de jours pour faire le plein.

— Et c'est à ce moment-là que tu veux que j'intervienne? s'enquiert Érik en grimaçant.

— C'est bien ça, mon ami. Et pour le reste, on est une bonne vingtaine de chasseurs qui allons nous en occuper. Tu peux être sûr que les journalistes du *Radar* vont en avoir à se mettre sous la dent, qu'il poursuit d'une voix cassante en mettant fin à leur entretien.

Celui qui tient le sac est aussi coupable que celui qui met la main dedans

— Érik réveille-toi, lui clame sa mère, en le secouant. Veux-tu bien me dire ce qui s'est passé hier soir pour rentrer si tard ?

À demi-conscient, ouvrant à peine les yeux, Érik s'aperçoit qu'il relève de toute une cuite.

— Mais quelle heure est-il ?

— Il est presque 11 h, mon grand. Un journaliste du *Radar* a appelé tout à l'heure et Samy est au rez-de-chaussée avec ton oncle Fred. Je te dis qu'ils ont hâte de te questionner.

— Ça va, maman, qu'il bredouille, je m'habille et je vous rejoins.

À peine a-t-il mis le pied au rez-de-chaussée qu'Érik se fait apostropher par le Vieux :

— *Godash* de *godash*, veux-tu bien me dire ce qui s'est passé dans la journée d'hier et en particulier au cours de la nuit dernière ?

— Mais pourquoi donc, mon oncle ?

— Pourquoi ? lui lance Samy. L'hélicoptère qui a été affrété par l'IFAW et qui s'est posé d'urgence à l'aéroport de Havre-aux-Maisons pour faire le plein a été retrouvé ce matin cul par-dessus tête, endommagé au point où il serait une perte totale.

— Et puis, je crois qu'en agissant ainsi, on a donné une bonne leçon autant à Brian Davies et Paul Watson qu'à leurs acolytes, qu'il leur riposte en cherchant à se remémorer les événements de la dernière nuit.

— Vas-y, Érik, raconte-nous ce qui est arrivé, lui demande le Vieux. Il paraîtrait qu'un plein avion de journalistes, de reporters et de curieux est arrivé pour s'enquérir de nouvelles à sensations fortes. Ça fait que….

175

— Ça fait que la IFAW va sûrement porter plainte à la Sûreté du Québec qui n'aura pas d'autre choix que de faire rapport au Procureur général, de renchérir Samy avec un pincement des lèvres.

Même s'il se rappelle plus ou moins de certains détails survenus tard au cours de la nuit, Érik n'a d'autre choix que d'étaler ce dont il se souvient:

— Voilà. J'ai rencontré Alpide au cours de l'après-midi d'avant-hier, et il m'a demandé de me joindre à son groupe de chasseurs pour préparer une réception tout à fait particulière à ses opposants de malheur. À ce moment-là, il m'a convaincu que je pourrais représenter pour eux un excellent porte-parole en leur demandant de cesser leur harcèlement à l'endroit de nos chasseurs de loup-marin.

— Mais tu ne savais pas au sujet de l'interception du message provenant de l'hélicoptère qui demandait d'atterrir aux Îles pour le plein de *fuel*? lui demande le Vieux.

— Si, mais je l'ai appris seulement en soirée lorsqu'un premier groupe de chasseurs et pêcheurs se sont rassemblés au bar de l'Échourie pour en enrôler d'autres. De cette façon ils pourraient répondre par la force aux agents de la SQ, si jamais ils les empêchaient de faire leur boulot.

— Et qu'est-ce qu'ils t'ont raconté lorsqu'ils sont arrivés à l'aéroport?

— Si je m'en rappelle bien, ils m'ont dit qu'ils étaient environ une vingtaine de jeunes pêcheurs et chasseurs dont quelques-uns ont d'abord empêché le préposé de faire le plein de l'hélicoptère. Les autres ont aussitôt commencé à brasser l'appareil dans l'espoir de faire dérailler suffisamment ses appareils de contrôle pour l'empêcher de reprendre son envol.

— Et puis, lui demande Samy, comment ont-ils fait pour s'accaparer des films et des autres documents de presse?

— On m'a relaté que les individus qui étaient à bord de l'hélicoptère ont été effrayés et se sont sauvés dans un des hangars de l'aéroport. Une femme qui faisait partie du groupe des quatre opposants a été priée de leur remettre sur-le-champ les cassettes de films qu'elle avait apportées dans une petite valise ainsi qu'une caméra. Elle n'a pas eu d'autre choix que de se départir du tout en retour d'un réglement au comptant correspondant au coût en magasin des objets saisis. Pas complètement rassurés que tout leur avait été remis, les chasseurs ont continué de harceler les opposants jusqu'à ce qu'ils vident leurs poches et rendent ce qui pouvait les compromettre, toujours contre paiement en argent.

— Et puis après? lui demande le Vieux au comble de l'excitation. Pour agir de la sorte tu avais dû les conseiller au départ, n'est-ce pas fiston?

— Jusque-là oui. Par contre, les agents de la SQ sont intervenus afin de sécuriser à la fois les opposants et l'hélicoptère dont l'hélice de la queue avait été brisée. Les chasseurs et pêcheurs ont alors été forcés de quitter les lieux par les agents dont le nombre grossissait à vue d'œil. Soupçonnant qu'ils n'avaient peut-être pas toutes les pièces compromettantes en leur possession, ils sont retournés en soirée sur les lieux pour essayer de s'introduire dans l'hélicoptère. Hélas! ils ont dû faire face à un plein contingent d'agents de la SQ, dont la plupart étaient munis de casques et de matraques, qui les ont contraints à quitter les lieux à nouveau.

— Ne t'arrête pas, lui dit Samy. Esthèle, apporte-nous donc du café frais et n'oublie pas une ou deux larmes de cognac, qu'il ajoute en se tournant vers Frédérik qui acquiesce.

— Se voyant obligé de se mesurer aux forces de l'ordre converties en escouade antiémeute, la brigade des chasseurs et pêcheurs s'est rassemblée au bar de l'Échourie. C'est là où je me suis retrouvé en constatant qu'ils essayaient, comme je l'ai dit tout à l'heure, d'enrôler le plus grand nombre de membres dans leur troupe.

— Et toi, Érik, à quel moment es-tu intervenu? lui demande le Vieux qui commence à siroter sa deuxième tasse de café.

— C'est justement ce que je m'en allais vous dire. En arrivant au bar, les chasseurs m'ont immédiatement invité à les suivre pour constater de visu leurs actions et pour essayer de convaincre les agents de ne pas intervenir trop brutalement. Arrivés sur les lieux, cependant, nous avons été repoussés assez sévèrement par les forces de l'ordre qui pensaient que nous étions là pour endommager encore plus l'appareil, ce qui en réalité n'était pas totalement faux.

— Et puis après? lui demande Frédérik. Comment toi, un homme qui n'a jamais été porté vers la violence, peut-il s'allier à de tels individus?

— Encore là, mon oncle, vous faites le procès d'honnêtes gens qui veulent se défendre contre ces faux prophètes, qu'il lui répond d'un ton ferme.

— Excuse-moi, Érik, mais c'est la crainte de ce qui va suivre qui me fait parler comme ça. Vas-y continue, qu'il ajoute en regardant Samy qui confirme en hochant légèrement la tête.

— Revenus au bar, les chasseurs m'ont mis sur un piédestal, même si je réalisais que ma fonction de porte-parole n'avait pu être mise à exécution sauf avec les responsables de la SQ que j'essayais tant bien que mal de raisonner. Plusieurs verres de boisson aidant, le groupe s'est agrandi à près d'une centaine d'individus dont plusieurs s'étaient munis de bâtons et de chaînes pour être à l'égal de la brigade antiémeute, disaient-ils.

— Plus vite que ça, j'ai hâte de savoir, lui demande Samy en s'éclaircissant la voix.

— Quittant le bar sous le coup de minuit, on s'est dirigés à nouveau sur le tarmac de l'aéroport de Havre-aux-Maisons. Arrivés sur les lieux on a découvert qu'un autre groupe de Madelinots, mais beaucoup plus âgés que nous, exhortaient les membres de la police de nous laisser *finir la job*. La raison était qu'ils soupçonnaient qu'il y ait encore des films à l'intérieur de l'hélicoptère et que ce dernier pourrait être réparé rapidement afin de continuer son funeste travail. Plusieurs d'entre eux, qui sont d'ailleurs d'illustres Madelinots, ne cessaient de nous encourager par ces mots: «Allez-y, les amis, renversez-le cul par-dessus tête pour montrer à Davies et Watson qu'on n'a pas peur d'eux autres.»

— Cela ne me surprend pas, dit Samy en lui coupant la parole. J'en connais plusieurs qui n'ont d'autre chose à faire que de monter les pêcheurs les uns contre les autres. Vas-y Érik tu peux continuer.

— Les agents de la SQ, se sentant débordés, ont aussitôt lancé une bombe lacrymogène, laquelle leur fut retournée par un chasseur qui en savait beaucoup plus qu'eux sur les vents dominants aux Îles. C'est alors que la pagaille a pris dans les deux camps. À ce moment-là, un jeune agent de la SQ un peu trop enthousiaste fut bousculé fortement. Les forces de l'ordre ont répondu en empoignant plusieurs chasseurs, laissant la voie libre aux autres qui se sont introduits dans l'hélicoptère. Ils en ont profité pour saisir tout ce qui pouvait être compromettant, incluant la boîte noire qui fut arrachée de sa base par inadvertance. Sortis de l'appareil, les chasseurs se sont regroupés et ont renversé l'hélicoptère en réponse aux officiers de la SQ qui leur criaient de ne pas persister parce qu'autrement, ils devraient procéder à des arrestations.

— Vas-y, ne t'arrête pas, lui dit Samy. Je veux surtout connaître la véracité des dernières palabres qui circulent au sujet de l'avion de la Garde côtière.

— Enfin, lorsque notre groupe s'est retiré, il devait être plus de deux heures du matin, je me suis aperçu qu'un agent de la GRC qui se trouvait dans la tour de contrôle filmait la scène qui venait de se dérouler sous ses yeux. Finalement, un groupe restreint d'agents de la paix est demeuré sur place afin de sécuriser les lieux et d'avoir un œil sur les opposants qui ne savaient plus où donner de la tête.

— Et ceux-ci ont été contraints par les forces de l'ordre de quitter les Îles ce matin même, de poursuivre Frédérik à l'endroit de son neveu.

— C'est sûrement à cause de la boîte noire que l'avion de la Garde côtière est actuellement aux Îles en train d'examiner la provenance du signal d'alerte qui est capté par les avions de ligne qui nous survolent en direction de l'Europe, de renchérir Samy en s'apprêtant à allumer l'un de ses cigares favoris.

— *Godash* de *godash*, vous n'êtes pas sortis du bois! La police n'aura pas d'autre choix que de laisser la justice suivre son cours, que le Vieux s'empresse d'ajouter en se levant pour déplier sa vieille échine.

— Mais on n'a rien volé, ni rien fait de mal à personne, lui répond Érik. Les films, les cassettes et même la boîte noire contenaient des données et informations sur les chasseurs qui ont le droit de gagner leur vie selon les mœurs et coutumes de nos ancêtres, n'est-ce pas?

— Et qui d'autre que toi et Alpide se sont fait prendre la main dans le sac? lui demande son oncle en le regardant droit dans les yeux.

— Par respect de confidentialité, nous nous sommes jurés mutuellement que les noms de qui que ce soit ne pourront être dévoilés que par force de loi. Quant à moi, je n'étais que leur porte-parole.

— Ouais! Mais tu n'as pas eu la chance d'exercer la tâche qu'on t'avait confiée. Tu as fait erreur en te fiant à ce *godash* d'Alpide qui t'a entraîné dans son filet pour que tu lui sois redevable un jour ou l'autre. «Celui qui tient le sac est aussi coupable que celui qui met la main dedans», qu'il ajoute. Alors, dis-moi la vérité : as-tu oui ou non aidé les chasseurs à détruire l'hélicoptère ?

— Bah! En tout cas, je n'ai pas trop forcé pour les en empêcher. Quant à savoir si je vais être inculpé, on verra à ça dans le temps comme dans le temps.

— *Godash* de *godash*, voilà qu'en plus d'avoir Alpide dans les pattes, tu vas être *bâdré** par la police qui ne te lâchera pas d'une semelle.

— Pas si vite, Fred, de lui répliquer Samy. Comme leçon, il n'y en a pas de meilleure pour la IFAW. Le seul problème réside dans le fait que Watson, l'un des cofondateurs de cet organisme, est bien capable de s'allier à Herb Smith qui, tout comme lui, est américain d'origine. Ça se pourrait bien qu'il t'empêche d'honorer ton contrat, qu'il ajoute en se tournant vers Érik.

— C'est tout à fait possible, lui répond ce dernier. Vous voulez dire par là qu'il pourrait s'arranger pour payer la pénalité pour bris de contrat et s'organiser par la suite pour faire détruire mon stock de peaux par les hommes de main de Watson. Peut-être qu'en envoyant ses lieutenants aux Îles, son intention première était celle-là ? Pensez-vous, Samy, que la IFAW ira plus loin qu'une simple déposition en justice ? qu'il lui demande en pensant qu'il s'est peut-être fourré le nez dans un nid de guêpes.

— *Well...* les Américains sont forts pour déposer des poursuites en dommages et intérêts d'autant plus que Watson en doit une au gouvernement canadien qui l'a fait emprisonner l'année passée. En tout cas, on verra ce qu'on verra.

— *Godash* de *godash* que ça va mal, leur lâche Frédérik de plus en plus oppressé. Que doit faire Érik ? demande-t-il à Samy, lui faisant voir par là qu'il est dépassé par les événements.

— Vouloir remplacer l'autorité civile ou policière c'est une chose, mais se laisser manipuler par certains individus intéressés à tirer leur épingle du jeu, c'est une tout autre chose.

— Qu'est-ce que vous voulez dire par là ? lui demande Érik.

---

* Bâdré : ennuyé, dérangé.

— *Well...* tu dois rencontrer Smith le plus tôt possible et le faire se commettre, comme on dit, pour qu'il respecte l'entente qu'il a avec toi. Tu seras mieux armé par la suite pour te défendre en poursuite contre la IAFW si jamais...

— Merci pour le conseil, lui répond Érik qui ne demande pas mieux que de les quitter pour retourner se coucher. N'oubliez pas, mon oncle, de consulter au plus vite votre médecin. Je soupçonne que vous êtes en train de faire une autre crise d'angine.

— Ouais! une de plus ou une de moins qu'est-ce que ça peut changer dans ma vie de tous les jours? qu'il lui dit en regardant Samy qui ne cesse de parlementer à voix basse avec Esthèle.

* * *

Quelques jours plus tard, Érik se sent de plus en plus isolé et pointé du doigt comme un trouble-fête. Certes, le Vieux le croit sur parole quand il dit qu'il a agi de bonne foi pour débarrasser les Îles de ces opposants maléfiques. Par ailleurs, Alpide avait réussi son coup fourré puisque Érik, ayant participé à la manifestation, ne pourra se soustraire éternellement aux poursuites qui viendront sûrement un jour ou l'autre. Ainsi la IFAW, non satisfaite de n'avoir pu définitivement contrecarrer Alpide et son escouade de chasseurs, s'en prendrait peut-être à lui. Après tout, ne représente-t-il pas la cible idéale à traduire en justice vu sa solvabilité de plus en plus reconnue?

Voulant s'expliquer auprès de Claudia sur ses nobles intentions en regard des derniers événements, Érik essaie à plusieurs reprises, mais toujours en vain, de la rencontrer. Cette dernière refuse même de lui parler au téléphone. Comble de malheur, les mauvaises langues se délectent en racontant ce qu'elles croient savoir du déroulement de l'enquête sous la responsabilité de la SQ avec la collaboration de la GRC. En effet, un agent enquêteur du détachement de Rimouski est arrivé aux Îles depuis peu et a demandé à rencontrer un des participants à la destruction de l'hélicoptère. «Ça pourrait aider votre cause, lui avait-il dit. Je ne vous oblige pas à venir discuter de cette affaire avec moi, mais je sais que vous êtes un homme honorable et respecté par tous les Madelinots.» Il n'en fallait pas plus pour que cet individu de malheur devienne un genre de délateur se faisant promettre mer et monde en retour des noms de ceux qui auraient coopéré à la destruction de l'hélicoptère.

C'est ainsi que pendant plusieurs semaines, une vingtaine de chasseurs se sentent obligés de se présenter à un interrogatoire mais cependant sans la présence de témoins et encore moins d'un avocat. La plupart d'entre eux se disent innocents des accusations qu'on leur porte, mais le visionnement de la vidéo en oblige plus de la moitié à reconnaître leurs méfaits. Les dépositions sont signées de part et d'autres sans promesses et sans menaces de l'enquêteur, qui compatissait tout de même en apparence avec eux.

* * *

Un mois environ après ces interrogatoires, les enquêteurs font rapport au Procureur de la couronne qui se voit dans l'obligation de porter des accusations criminelles contre onze des participants à la destruction de l'hélicoptère. Érik apprend par personne interposée que par un heureux hasard il ne fait pas partie du nombre. Pour satisfaire sa curiosité, il rencontre Samy.

— Ça adonne bien que je n'aie pas été accusé de méfaits dans l'affaire de l'hélicoptère, qu'il lui lance au début de leur rencontre. D'après moi, vous y êtes pour quelque chose, n'est-ce pas?

— *Well…* l'avenir nous le dira, Érik. Mais que veux-tu savoir de moi en venant me rencontrer sans m'avoir prévenu au préalable?

— C'est que je voudrais connaître le nom des onze accusés au criminel, dont Alpide doit faire partie évidemment.

— Holà! Tu vas trop loin, Érik. N'as-tu pas juré auprès du groupe de chasseurs que tu garderais confidentiel le nom des participants et de tout ce qui pourrait survenir par la suite avec ce malheureux incident?

— C'est peut-être vrai, mais vous ne voulez pas me dire pour Alpide? Après tout, n'est-il pas celui qui m'a entraîné dans cette triste affaire?

— *Il n'y a pas de soin.* Alpide a encore du travail à faire pour s'en sortir. Quant à toi, j'ai confiance que tu pourras aider le groupe des onze accusés en faisant connaître au juge éventuellement nommé dans cette cause le contexte tout à fait particulier qui a engendré cet incident de malheur. Après tout, n'es-tu pas reconnu pour ton excellent discours?

— C'est peut-être vrai. Vous voulez dire par là que si je réussissais, c'est aussi moi qui en profiterais avec mon entente avec Herb Smith ?

— Tu ne me l'auras pas fait dire, Érik, lui répond Samy en l'invitant à le laisser voir à ses affaires courantes.

* * *

Au début du mois de mai, date ultime pour régler la première portion du contrat convenu avec Herb Smith, Érik rencontre ce dernier.

— Vous m'avez l'air en bonne forme, mon cher Érik, que Smith lui dit dès le début de leur rencontre.

— Ça va pas si mal, mais passons aux choses sérieuses, si vous le voulez bien. Quel prix le marché est-il prêt à payer pour faire l'acquisition de mon stock de peaux ? Et s'il vous plaît, ne commencez pas à pleurer sur mon épaule en essayant de m'expliquer toutes les conséquences fâcheuses du boycottage en cours des produits dérivés du loup-marin.

— Ça va, cependant êtes-vous au courant que la IFAW a fait parader aux États-Unis l'hélicoptère qui avait été massacré en mars dernier, en le plaçant sur une remorque pour une tournée des principales villes américaines ? Avec cette manifestation, ils ont tenté de montrer aux gens biens nantis comment les chasseurs des Îles sont violents et sauvages en exhibant des mannequins ensanglantés de loups-marins.

— Ah oui ? qu'il lui répond, feignant l'étonnement. Allez-vous enfin me dire à quel prix vous pensez pouvoir écouler mon stock de peaux ? qu'il poursuit d'un ton ferme.

— O.K., mais dites-moi donc avant si vous avez trouvé des pénis de phoques en récupérant les peaux de l'épave de l'*Ariès*.

— Oui, deux ou trois. Mais pourquoi cette question ?

— C'est que d'après les informations que j'ai eues, les Asiatiques seraient prêts à payer entre 150 $ et 500 $ pièce.

— Quoi !? Mais comment se fait-il que vous ne me l'ayez pas dit avant le départ pour l'Orphelin ? C'est vrai que je me rappelle pas grand-chose de ce qui s'est passé lors de cette expédition, mais quand même…

— J'ai bien dit « seraient prêts à payer », d'après ce que j'en déduis des données sur l'offre et la demande que j'ai reçues depuis la fin de la période de la chasse. Mais laissons faire ça et entendons-nous sur la priorité du moment. Mon cher Érik, je suis prêt à vous faire un chèque certifié au montant de 100 000 $ en sus des 25 000 $ que vous avez déjà encaissés. Pas mal du tout comme début, n'est-ce pas ?

— Holà ! c'est quoi les conditions qui se cachent derrière votre affaire ? qu'il lui réplique en essayant de cacher sa joie.

— La condition est que je prenne la possession d'un premier tiers du stock de peaux qui est actuellement remisé aux Îles. Quant aux deux autres tiers, une lettre de crédit en bonne et due forme devrait suffire, n'est-ce pas ?

— Et si je me retire de l'entente avec vous, qu'est-ce qui va m'arriver ?

— Vous ne pouvez agir de la sorte. Non seulement je serai obligé de vous poursuivre pour bris de contrat mais encore plus, les familles des ayants droit vont vous en vouloir jusqu'à la fin de leurs jours.

Soucieux de cette dernière affirmation, Érik se met à faire des calculs. Les 25 000 $ de caution fournis par Smith sont actuellement amputés presque en totalité en frais de toutes sortes. Une somme additionnelle de 100 000 $ et non de 125 000 $ tel que stipulé au contrat l'amène à penser que le prix du marché des fourrures de loup-marin a chuté brutalement de presque 30 % de ce qu'il avait estimé à la signature de l'entente.

— Et puis ? lui demande Smith, devenu plus nerveux en le voyant crayonner diverses hypothèses.

— Minute, Monsieur Smith, vous m'avez l'air bien pressé. Qu'est-ce qui me dit que votre offre est basée réellement sur le prix du marché d'aujourd'hui ?

— Vous n'avez qu'à faire vos propres recherches et vous verrez. De toute façon, les deux tiers des peaux ne pourront être achetées à un prix plus bas à moins qu'une analyse du degré de contamination ne vienne en diminuer encore plus la valeur. Vous comprendrez que mon offre d'aujourd'hui comporte un certain degré de risques.

— Peut-être bien, de lui rétorquer Érik qui ne cesse de chiffrer diverses extrapolations. J'accepterais un montant de 125 000 $ et non pas de 100 000 $, avec en plus la condition que je puisse contre-vérifier le prix au marché d'aujourd'hui, surtout si le groupe des accusés réussissait à être disculpé dans l'affaire de l'hélicoptère.

— Cela aurait du sens si chacun des accusés n'avait pas déjà reçu une réclamation en bonne et due forme de la part des avocats de la IFAW pour dommages à l'hélicoptère, lui réplique Smith.

— Ah oui! qu'il lui répond, surpris par la nouvelle. Sans doute qu'Alpide fait partie du nombre?

— Je ne suis pas certain pour Alpide. Cependant, vu l'ampleur du montant réclamé par les avocats de la IFAW, les conseillers juridiques des accusés ont été très occupés depuis à transférer leurs biens à leur conjoint respectif. Cela dit, je suis prêt à m'entendre avec vous en autant cependant que vous convenez d'un effondrement du marché vers le bas dans l'éventualité d'une condamnation en justice.

— Vous me faites jouer à la roulette russe, Monsieur Smith. Je suis convaincu que ces accusations ne tiendront pas. Ça va pour les 125 000$? lui dit-il en se demandant si son interlocuteur n'a pas quelque chose à voir avec les pénis retrouvés avec la cargaison de l'*Ariès*.

— Vous négociez à la façon de Samy. Mais je suis d'accord avec votre offre. Je m'en vais de ce pas donner l'ordre à mon notaire de préparer le nécessaire avant demain 17 heure.

Soucieux de replacer les choses dans les perspectives d'un avenir meilleur, Érik rencontre le Vieux qui lui paraît de plus en plus mal en point. Malgré qu'il essaie de lui cacher certains détails désobligeants autant sur l'incident de l'hélicoptère que sur son arrangement avec Smith, il devine à peu près tout des préoccupations de son fiston. Il lui conseille entre autres d'ouvrir son cœur vers les besoins d'autrui, comme les familles des disparus, ses parents, Claudia, et même Samy à qui, d'après lui, il peut maintenant faire entièrement confiance.

— Quant à ce *godash* d'Alpide, paie-lui ce que tu lui dois comme quote-part dans la cargaison de l'*Ariès* au plus sacrant. Demande-lui en retour qu'il te libère de toute poursuite éventuelle, dit-il d'une voix diminuée par les douleurs d'une crise d'angine virulente.

— Et ma tante, comment va-t-elle? lui demande Érik en ayant constaté depuis peu son apparence anémique.

— Ta tante Maria est en train de nous *larguer*, fiston. Le docteur lui a détecté un cancer du sein qui s'est propagé dans tout le corps. Tout ça pour te dire que ce qui m'importe pour l'instant, c'est celle qui fut ma femme pendant plus de 60 ans. Quant à toi, un dernier conseil: agis comme je te l'ai dit et Claudia reviendra dans tes bonnes grâces. Tu verras que le cœur a ses raisons qui échappent souvent à la raison elle-même.

* * *

Pressé d'en finir avec les familles des disparus, Érik calcule la quote-part de chacun des membres de l'équipage de l'*Ariès* incluant celles d'Azade et d'Alpide. Selon les droits marins d'usage, les quotes-parts se calculent en pourcentage dépendant de la disponibilité et de l'effort de chaque chasseur après déduction de la part dite *du bateau*. Ces calculs sont à l'effet que 40 % des revenus bruts reviennent à l'armateur et à son capitaine, et 40 % aux chasseurs. Les 20 % restants doivent être partagés entre les chefs d'escouade, le cuisinier et le mécanicien de bord, en autant cependant que le navire soit revenu à bon port. Cette fois-ci par contre, il en va tout autrement, d'autant plus qu'il y a les dépenses encourues pour la récupération de l'épave.

Une première estimation basée sur le prix plancher de la valeur totale de la cargaison fait état d'un versement approchant les 110 000 $, tant pour les ayants droit des chasseurs de l'*Ariès* que pour les deux chefs d'escouade dont Alpide fait partie comme survivant. Il reste donc à Érik à essayer d'obtenir un prix supérieur avec les deux autres tiers des peaux pour qu'il puisse recevoir une juste part de la cagnotte. Néanmoins, il aura la conscience tranquille une fois pour toutes.

Sans plus attendre, il procède au partage, tout d'abord avec les familles qu'il croit les plus conciliantes, tout en évitant de leur demander, plus par gêne qu'autrement, de signer les quittances qu'il avait préparées à leur intention. Leur satisfaction apparente de recevoir plus de 10 000 $ dans la plupart des cas n'efface pas pour autant la douleur vive qu'ils ressentent à la suite de la disparition d'un fils et encore plus d'un père de famille. Ce n'est pas plus aisé avec la famille d'Azade qui, de toute apparence, s'est donné la mort. L'argent ne rachète pas les erreurs et s'il y en a une dont il ne peut se disculper, c'est de ne pas avoir obligé son équipage à quitter le Banc-de-l'Orphelin le soir qui a précédé la tragédie. Finalement, avec Alpide, c'est une tout autre chose de ce à quoi il s'attendait :

— Ça y est, qu'il lui dit dès le début de leur rencontre, *le jeune* se met à distribuer à gauche et à droite l'argent qui ne lui appartient pas, qu'il lui dit avec son air bourru habituel.

Le fusillant du regard, Érik lui réplique :

— N'oublie pas, Alpide, l'arrangement convenu entre nous comme étant celui d'être solidaire dans l'affaire sur la destruction de l'hélicoptère.

— Si, justement, et pourquoi ne pas garder l'argent pour nous aider à nous défendre ? Tu vas voir que des avocats, ça coûte cher en *simonacle*.

— Dis-moi franchement, Alpide, pourquoi m'as-tu entraîné dans cette malheureuse affaire au point où ils vont probablement vous poursuivre en justice, toi et les autres ?

— *Simonacle*, es-tu tombé sur la tête ? C'était la seule façon de se débarrasser de ces détracteurs, et c'est en grande partie grâce à toi, qu'il ajoute d'une voix impassible.

— Tu le crois vraiment, Alpide ?

— Écoute-moi bien. On n'est pas pour recommencer à discuter de ce que ta petite tête oublie à tout moment. Tu y étais et tu as joué un rôle déterminant. En ce qui me regarde, il n'y a pas vraiment de problèmes puisque Samy serait intervenu, comme il l'a sûrement fait pour toi aussi. Mais pourquoi tiens-tu tellement à me rencontrer ? qu'il poursuit en fronçant les sourcils.

— C'est que j'ai en main de quoi te payer ta quote-part dans la cargaison de l'*Ariès*.

— Je sais depuis longtemps que ça t'achale. Au fait, combien m'offres-tu pour que je signe ta quittance ? Tu vois comme je sais à peu près tout.

— Peut-être que moi aussi, lui répond Érik en pensant à l'extrait du livre de bord que lui avait montré Claudia tout en lui exhibant un chèque établi à son nom au montant de 25 000 $. Voilà, Alpide, c'est tout ce que je peux te donner. Il ne me reste plus rien, même pas assez pour payer mes dépenses.

— Fais-moi rire, Érik. Avec tout l'argent que tu fais avec ton courtage, sans oublier qu'il te reste toujours plus de 7000 peaux non encore vendues. Tu omets toutes les dépenses que j'ai encourues moi-même pour essayer de retrouver l'*Ariès* avant toi. Alors si tu veux que j'accepte de signer ta quittance, tu as besoin de mettre plus de *bacon* sur ton offre. Enfin, pourquoi ne me transférerais-tu pas la propriété de l'épave afin que je puisse récupérer ce qu'il en reste d'utilisable ?

Ayant vidé les cales de sa cargaison et s'étant approprié de certains appareils de navigation possiblement réutilisables, Érik se demande bien ce qu'Alpide veut faire de la carcasse de l'*Ariès*.

— Du *bacon*, comme tu dis, Alpide, j'en ai mis suffisamment. Quant à la propriété de l'épave, tu n'as qu'à attendre que je m'en départisse.

— *Simonacle*, Érik, tu m'as l'air plus *faraud** que jamais. Montre-moi donc ta quittance que je l'examine, qu'il poursuit d'une voix cassante.

Pendant qu'Alpide examine à la fois le chèque et la quittance, Érik lui dit dans le but de détendre l'atmosphère :

— Il paraîtrait, Alpide, que tes amours vont bien.

— Tu dois vouloir dire par là : « Avec Claudia, comment ça va ? » Laisse-moi te dire, Érik, que s'il n'en dépendait que de moi, je pourrais convoler en justes noces avec elle dès demain matin.

— Ça dépend de qui alors ? lui demande Érik avec un sourire narquois.

— Bah ! surtout de son père qui ne parvient pas à se brancher sur l'avenir de sa fille. Tiens, qu'il poursuit d'un ton acide en regardant Érik, je garde le chèque et je déchire ta quittance en mille morceaux comme tu me l'as fait avec le document que je t'avais remis au Rocher-aux-Oiseaux.

— Tu auras affaire à mes avocats, lui fait savoir Érik en grimaçant.

— Voyons, le jeune, ouvre-toi les yeux, les avocats que tu prétends être les tiens sont aussi les miens, qu'il lui répond en guise de conclusion à leur entretien.

* * *

Se sentant plus confus que jamais, Érik suit les recommandations du Vieux et rencontre Samy afin de mieux comprendre l'attitude d'Alpide. Du même coup il se renseignera auprès de Claudia de l'effet des versements effectués dans les règlements monétaires des quotes-parts.

— C'est bien, ce que tu as fait à l'égard des familles, lui apprend Claudia en l'accueillant.

---

* Faraud : vaniteux.

Une fois de plus Érik se pâme devant la beauté et le charme qui se dégagent de la fille de Samy. Un éclair de jalousie lui traverse l'esprit en l'imaginant en train d'embrasser tendrement Alpide, alors que lui ne l'avait encore bécotée que comme une bonne amie.

— Et puis, comment va ta tante Maria? qu'elle lui demande en le fixant tendrement dans les yeux.

— D'après moi, elle n'en a pas pour bien longtemps à vivre. Mon oncle Frédérik, qui est déjà très mal en point lui aussi, m'a avoué qu'il s'attendait au pire d'ici une semaine ou deux.

— C'est terrible comme la vie peut être cruelle. Juste au moment où ton oncle en arrivait à ses fins avec toi, voilà que sa femme, qui n'a jamais pu profiter du bonheur d'une maternité, va mourir en le laissant seul.

— Mais je vais m'occuper de lui, Claudia. Je n'ai jamais oublié la leçon de vie que tu m'as donnée par ton exemple avec ta mère malade. Et toi, comment vas-tu? lui demande-t-il pour tenter d'en savoir plus sur son récent rapprochement apparent avec Alpide.

— Moi, c'est plutôt pour mon père que je me fais du mauvais sang. Je le sens déchiré par des choix. C'est certain qu'il t'admire dans ton comportement, mais d'autre part, il voudrait bien sauver l'honneur d'Alpide en qui il avait beaucoup d'attente.

— Comme quoi?

— *Well…* celle de s'instruire et de se cultiver sur ce que la vie nous apprend avec ses hauts et ses bas, leur lance Samy en apparaissant subitement dans le décor tout en invitant Érik à passer à son bureau.

À peine assis, ce dernier est confronté à Samy qui lui exprime sa grande inquiétude face aux derniers développements dans l'affaire de l'hélicoptère. Même si des avocats renommés s'occupent du dossier, ça va coûter beaucoup de sous et d'énergie pour défendre les accusés. Mince consolation cependant, le marchand le rassure en lui disant que ses avocats sont déjà en discussion avec ceux de Herb Smith afin de s'assurer de la justesse du prix convenu dans son entente avec lui.

Cela dit, le marchand glorifie Érik sur sa décision d'avoir payé les quotes-parts des familles des ayants droit compte tenu de la valeur des peaux récupérées de l'*Ariès*. Il lui confirme qu'Alpide devra se contenter du montant de 25 000 $ puisqu'il pourrait faire fortune avec le marché des pénis de loup-marin qu'il a prélevés avec la viande lors de la dernière saison de chasse.

Érik lui demande de lui corroborer les rumeurs à l'effet que son assistant contremaître aurait stocké plus de mille pénis de loup-marin depuis la dernière période de chasse, ce qui lui semble invraisemblable vu la quantité d'adultes mâles abattus par ses escouades de chasseurs. S'y connaissant en termes de produits dérivés de la chasse, Samy lui explique que seulement les mâles adultes en voie de s'accoupler ont un pénis suffisamment gros pour que ça en vaille le prix.

— Dans une mouvée de loups-marins, lui dit-il, il y a seulement 10 % du troupeau dont on peut prélever l'organe géniteur et, encore là, la tâche n'est pas une sinécure. Ces mâles qui se tiennent aux extrémités des banquises sont très difficiles à abattre vu leur agressivité. Extraire le pénis de la carcasse n'est pas chose facile étant donné que la lame du couteau accroche souvent les os du bassin, la rendant inutilisable par la suite. Par contre, une fois bien nettoyé et séché, l'os du pénis se vend au poids, jusqu'à 500 $ le kilo aux Asiatiques qui le broient pour en faire une poudre qu'ils disent très aphrodisiaque. Au fait, que les palabres sur les pénis soient vraies ou fausses, qu'est-ce que ça change dans ta vie mon Érik ?

— C'est peut-être vrai. Cependant, pour ce qui est de celle d'Alpide, c'est tout autrement, qu'il lui répond en essayant d'en savoir plus sur les combines de son éternel rival.

— Well… lorsque tu réussis, Érik, c'est comme si ma fille réussissait. Continue comme ça et Claudia en sera des plus ravies.

— Vous l'aimez beaucoup, votre fille. Avez-vous considéré par contre que moi aussi je ne l'haïs pas du tout, qu'il ajoute en espérant connaître sa réaction.

— Je le sais, mon Érik. Par ailleurs, je ne voudrais pas pour tout l'or du monde qu'elle soit déçue comme je l'ai été avec ta mère Esthèle.

— Voyons donc. Qu'est-ce qui vous fait dire cela ?

— Je dois t'avouer, Érik, que j'ai beaucoup aimé ta mère durant nos fréquentations de jeunesse. Je te confie que même aujourd'hui, je n'ai pas réussi à l'oublier totalement.

— Mais pourquoi l'avoir quittée s'il y avait tant d'amour entre vous deux ?

— *Well…* ta mère est devenue subitement troublée, même dépressive peu de temps avant que l'on se soient quittés. Tu dois savoir maintenant de qui tu retiens, mais passons. À ce moment-là, elle a voulu mettre fin à nos relations, sans plus. Mon père qui vivait à cette époque et qui nous inculquait, tant à moi qu'à mon frère, des principes sévères provenant de son pays d'origine, se félicitait de cette rupture, mais sûrement pas ma mère qui, elle, est originaire des Îles.

Se sentant en pleine confiance, Érik risque le tout pour le tout.

— Ne trouvez-vous pas étrange que ma mère, qui a fréquenté mon père Nathaël sur une période de quelques mois seulement avant de se marier, ait accouché de moi après seulement huit mois de mariage ?

— Je sais bien, Érik. Si ta mère a épousé ton père en si peu de temps, c'était probablement pour me punir.

— Vous punir de quoi, Samy ?

— Du fait qu'elle n'acceptait pas que mon propre père lui préférait celle qui est devenue ma femme par la suite.

— Un mariage arrangé, comme on dit…

— Tu cherches trop à creuser dans le passé, mon Érik. Tiens-toi au présent et prépare ton avenir. C'est ce qui importe pour un jeune comme toi.

— Mais mon présent et mon avenir, c'est Claudia ! qu'il lui réplique. Pourquoi voulez-vous m'en éloigner ?

— Pas du tout. Je ne voudrais pas que tu lui fasses mal, comme ta mère m'a fait en me quittant sans raison valable.

Harassé par cette histoire de cache-cache, Érik lui pose la question qui le hante depuis fort longtemps.

— Est-ce possible que votre fille unique Claudia soit en réalité ma demi-sœur ?

Samy, le visage comme frappé par un coup de poing, se lève péniblement et se met à arpenter son bureau. Il s'empare de l'un de ses éternels cigares, procède au rituel habituel tout en cherchant les mots qui pourraient satisfaire son interlocuteur.

— C'est peu probable, mon Érik, surtout si je dois me fier à ta mère qui m'aurait sûrement avoué un de ces jours s'être mariée obligée à cause de moi, qu'il lui dit en savourant une première bouffée de son cigare.

— Mais le lui avez-vous demandé ?

— *Well…* je crois que ça l'aurait blessée et que, de toute façon, elle-même te l'aurait déjà dit afin d'écarter toute ambiguïté.

— Pas si sûr que ça, lui avoue Érik. Mais vous ne m'avez toujours pas dit les raisons qui vous motivent à m'empêcher de courtiser assidument votre fille Claudia. Est-ce elle ou plutôt vous qui agissez de cette façon ?

— *Well…* ce sont les deux, qu'il lui répond en fin de compte.

Érik s'aperçoit qu'ainsi qu'en affaires, l'apprentissage, quoique ardu par moments, ne dépend que de sa bonne volonté à apprendre de ses erreurs passées. Par ailleurs, en amour les premiers pas sont souvent malhabiles et le succès n'est jamais assuré. Il découvre ainsi qu'au-delà de ses empressements à vouloir réussir sa vie sur tous les plans, celle-ci ne tient qu'à un fil. Les derniers moments que vit actuellement sa tante Maria lui font penser qu'il devra faire face dans les prochains jours à la dure réalité de la voir disparaître sans espoir de retour.

Le pire dans tout cela est que son oncle Frédérik, rendu à l'âge respectable de 83 ans, vit en quelque sorte sur du temps emprunté. Rien que de penser qu'il va mourir lui aussi le rend dans un état de désillusion et de questionnement sur le sens même de la vie sur terre.

CHAPITRE 11

Le seul bien qu'on emporte avec soi en mourant est celui que l'on a fait aux autres

Une semaine à peine après les funérailles de sa tante Maria, Érik reçoit par huissier une assignation de l'avocat des onze accusés, l'invitant à se présenter comme témoin de la défense. Voulant cacher la nouvelle à son oncle déjà abattu par la mort de sa femme, il décide d'en discuter avec le marchand Samy.

— *Well…* tu devrais t'occuper d'abord de ton oncle Fred, qu'il lui dit en amorçant la discussion. Non seulement est-il devenu de plus en plus mal en point, mais son caractère renfrogné me semble suspect. Son docteur m'a dit qu'il ne veut rien savoir des remèdes ou de toute autre médication susceptible d'alléger ses crises d'angine.

— Ça se comprend, rendu à son âge. Me conseillez-vous tout de même de l'informer de l'assignation que j'ai reçue dernièrement?

— Pas nécessairement. De toute façon, ton oncle réussit toujours à tout savoir sur ce qui se passe aux Îles. Mais pour quelle raison es-tu venu me rencontrer?

— Pouvez-vous m'informer des conditions qui prévalent pour le marché des peaux de loup-marin? Vous connaissez très bien ma situation, Samy. J'aimerais savoir avant tout les raisons qui font que j'ai été appelé comme témoin dans l'affaire sur la destruction de l'hélicoptère.

— Si tu es appelé comme témoin de la défense, c'est en raison de l'avocat qui pense que tu pourrais faire la différence avec ta façon bien à toi de convaincre.

— Ouais! Et j'imagine qu'en aidant à faire acquitter les accusés, le marché des peaux le loup-marin ne s'en portera que mieux.

— Tu me l'auras pas fait dire. Herb Smith, qui a quitté dernièrement les Îles avec le premier tiers de ton stock de peaux, va sûrement en profiter lui aussi.

— Vous croyez? Et Alpide, lui, comment se tire-t-il d'affaire?

— Ses dernières transactions avec des gens fortunés de certains pays asiatiques ont été au-delà de mes espérances surtout avec la vente de pénis de loup-marin.

— Ah oui. Ça veut donc dire qu'il devient de plus en plus solvable et que dans ce sens la IFAW pourrait s'en prendre autant à lui qu'à toute autre personne?

— Pas si sûr que ça, Érik. Oublie pas qu'il a transigé maintes et maintes fois avec Smith, un Américain d'origine tout comme Watson, l'un des fondateurs de la IFAW. Comme vous avez décidé d'être solidaires dans cette affaire, j'ai offert au groupe des accusés un des meilleurs avocats de toute la Gaspésie qui d'ailleurs est déjà au courant du dossier. Quoi qu'il en soit, c'est à vous autres de décider, mais soyez très vigilants.

— Vous voulez dire avec cet avocat?

— Bien non, Érik, c'est plutôt avec certains compatriotes madelinots qui se seraient fait soudoyer par les hommes de Davies et de Watson pour les aider à vous incriminer.

— Si c'est rendu qu'on ne peut pas se fier aux voisins d'en face...

— *Well*...dans la vie, c'est comme ça. Toi-même, Érik, tu ne cesses de harceler mes pêcheurs pour qu'ils te vendent leurs prises à un prix supérieur au mien. Ça se comprend, mais c'est dur à prendre puisque tu n'as pas à encourir mes nombreux frais fixes. C'est tout de même de bonne guerre parce que c'est comme ça qu'on avance dans la vie.

— Et Claudia, comment va-t-elle? Ça fait des lunes que je ne lui ai pas parlé, qu'il lui demande, exaspéré d'être encensé par le marchand.

— *Well*... elle est sortie avec sa mère et sa tante Albénia pour s'éclairer les esprits.

— Les esprits au sujet de qui? Allez, dites-le moi. Vous savez, je suis certain que vous allez me dire la vérité.

— Bah! Une affaire de bijoux que lui aurait offert Alpide pour son anniversaire. Comprends-moi bien, Érik, elle est vraiment mal à l'aise avec ce joyau de grande valeur. J'espère qu'elle va le lui remettre afin d'éviter de se sentir obligée envers lui.

— Je le souhaite de tout cœur. Je ne suis pas homme à renchérir pour des cadeaux d'anniversaire, qu'il poursuit en constatant qu'il avait manqué une fois de plus l'occasion de plaire à Claudia.

— Va maintenant, Érik, et soigne bien ton oncle, c'est lui qui doit avoir toute notre attention à l'heure qu'il est.

* * *

Frédérik, qui ne quitte presque plus sa demeure depuis le décès de sa femme, exprime son désir à son neveu de faire comme dans le bon vieux temps en souhaitant qu'il lui rende visite le plus souvent possible. « Ça prépare l'inconscient qui fait des siennes par les temps qui courent, qu'il lui dit lors d'une rencontre. Comme ça, au petit matin, on est comme un neuf. »

Érik est atterré de voir le Vieux très souvent en robe de chambre. Il le retrouve soit étendu sur le canapé, soit qu'il ne cesse de faire la navette entre le boudoir et sa chambre à coucher, laissant traîner ici et là des détritus de toutes sortes.

— Vous vous préparez à vous coucher ? qu'Érik lui dit en essayant de cacher sa désillusion lors d'une visite improvisée.

— Bah ! Ce n'est pas... tout à fait ça. La garde-malade... tout comme ta mère... qui m'apporte mes repas... ne me laisse pas... d'une semelle. Alors pourquoi... m'habiller, qu'il lui dit d'une voix saccadée par de difficiles et lourdes respirations.

— Et quoi de neuf, mon oncle ? Vous qui savez tout ou presque des palabres qui se passent aux Îles ?

En guise de réponse, Frédérik se lève difficilement du canapé et se rend à sa chambre en chambranlant pour s'étendre sur son lit. Érik comprend par ce geste que l'esprit du Vieux est encore alerte mais que son corps meurtri ne suit pas la cadence de ses pensées.

— Allez, mon oncle, reposez-vous, qu'il lui dit. Je reviendrai demain.

— Mais non, Érik... c'est tout de suite... qu'il lui déclare d'une voix à peine audible.

S'approchant du lit, Érik essaie de saisir le sens des phrases que marmonne son oncle avec grande difficulté. À la toute fin, sentant

195

que le sommeil va l'envahir, il le borde avec les couvertures et le recouvre d'un édredon aux couleurs vives rappelant le relief des Îles.

— Bonne nuit, mon oncle. Je vais m'étendre sur le canapé dans le boudoir et ma mère viendra me relayer plus tard, qu'il lui dit en le voyant commencer à roupiller.

Allongé à la place préférée de son oncle sur le canapé, Érik résume dans sa tête les quelques conseils qu'il lui avait prodigués, Frédérik ayant été mis au courant des pourparlers entre les avocats des deux parties. Il lui avait recommandé entre autres de dire la vérité, rien que la vérité, et ce, dans sa plus simple expression, sans essayer de trop convaincre. « C'est la façon de le dire qui importe avant tout », lui avait-il dit. Quant aux familles des ayants droit, c'est certain qu'elles vont suivre de très près le déroulement du procès. Ainsi, dépendant de la façon dont il va se comporter, elles sauront enfin le genre d'individu avec qui elles ont accepté de négocier leur quote-part en partie ou encore en totalité.

Pour ce qui intéresse Alpide, même si Érik lui avait juré avoir fait la paix avec lui, il lui a suggéré de tenter de faire la preuve de sa cachoterie de pénis de loup-marin dans les cales de l'*Ariès*. « Ça pourrait te servir d'argument massue si justement il les a transigés avec ce *bargaineux* de Herb Smith », lui avait-il dit en conclusion de leur pénible entretien.

Érik s'aperçoit ainsi que son oncle, même s'il doit souffrir terriblement, tient encore à la vie afin de connaître, avant de trépasser, le déroulement des quelques intrigues qui le tourmentent encore.

* * *

Soucieux de retourner sur le site du naufrage de l'*Ariès* pour essayer de comprendre certaines astuces, Érik rencontre préalablement le Receveur d'épaves pour s'assurer qu'il en est encore le propriétaire. Ce dernier l'avise qu'Alpide l'a informé de son intention d'en obtenir la possession le plus rapidement possible, par force de loi si nécessaire. Il aurait l'intention de la renflouer, en lui laissant voir par là qu'elle constituait un danger pour la navigation dans les environs du Rocher-aux-Oiseaux.

Faisant fi de cette action bienveillante en apparence, Érik retourne aussitôt en compagnie de Mathieu sur le site de l'épave. Il tient avant tout à comprendre comment Alpide s'y était pris pour lui cacher la présence d'un si grand nombre de pénis dans sa cargaison.

Armé d'une caméra sous-marine munie de puissants réflecteurs, Mathieu photographie tout l'intérieur et l'extérieur de la coque du bâtiment, de même que les parties de celle-ci laissées ouvertes, telles les cales, la timonerie et le gaillard avant.

Revenus à terre au soleil levant, Érik et Mathieu visionnent les films sur vidéocassette qu'ils comparent avec ceux recueillis lors des excursions précédentes.

— Et puis, Mathieu, qu'est-ce que tu remarques? qu'Érik lui demande, perplexe.

— Bah! Rien de bien spécial, si ce n'est que la cale arrière où sont situés les moteurs et les engrenages du gouvernail semble avoir été ouverte et refermée par la suite. Tiens regarde, tu vois cette éraflure près de l'écoutille? ça ressemble à la marque d'un levier métallique.

— Oui, je vois. Mais pourquoi s'être introduit dans la cale arrière si les quelques pénis qu'on a recueillis ont été submergés avec les peaux provenant de la cale centrale?

— C'est pourtant vrai. Te rappelles-tu, par contre, que tu avais nommé Azade chef mécanicien et que c'est justement lui de son vivant, le pauvre, qui, sous l'emprise d'Alpide, essayait de te confondre sur ce qui s'était passé sur l'Orphelin.

— Mais oui, je commence à comprendre. Les pénis auraient été entreposés à mon insu dans la chambre arrière pour qu'ils s'en approprient par la suite secrètement à notre retour de l'Orphelin.

— C'est bien possible. Mais ça n'explique pas pourquoi il s'en trouvait quelques-uns dans les cales principales. C'est en retournant explorer tout l'intérieur de l'épave qu'on aura enfin la réponse, lui déclare Mathieu à la fin de leur échange de point de vue.

Érik visite son oncle à chaque fois que les préparatifs pour la tenue du procès le lui permettent. Aussi s'empresse-t-il de lui annoncer le résultat de sa dernière expédition sur le site de l'épave. Le Vieux s'en réjouit et l'incite à recueillir au plus vite les preuves sur la cachotterie d'Alpide. Il lui recommande du même coup de faire signer, devant un homme de loi, un document de non-divulgation à Mathieu et de ne parler à personne d'autre, même à Samy, de sa récente découverte.

— Garde... ton jeu jusqu'à... la toute bonne fin... qu'il lui conseille d'une voix étouffée par d'énormes difficultés à respirer.

— Mon oncle, à vous voir continuellement couché et souffrir comme ça, ne pensez-vous pas que vous seriez mieux soigné au Centre hospitalier de l'Archipel ?

— Quand on... entre à l'hôpital... on devient une... espèce de numéro... parmi tant d'autres. Ici à la maison, dans... mes affaires, je me... sens bien entouré par ta mère... qui m'apporte de bons... petits plats. Et puis il y a mes... compatriotes de mon âge... pour ce qui en reste... avec qui j'aime... me souvenir du temps *d'en premier*.

Érik sent que son oncle a abandonné la partie d'échecs avec la mort et qu'il est résolu à la laisser faire son œuvre. Le Vieux lui laisse savoir que dans son âme et conscience, il n'a pas seulement foi en la vie mais également en l'Être suprême. « Le bonheur, le vrai, c'est de se sentir aimé et de rendre la pareille aux autres. L'argent, la gloire, le pouvoir, ça n'achète pas la paix que procure le bien-être de se sentir beau dans son être. »

— Et toi... Érik, c'est quoi ton... chemin de vie ?

Érik, encore bouleversé par les dernières confidences du Vieux, se dit qu'il ne le connaissait pas sous cet angle. C'est sans doute la partie de son caractère gardé secret jusqu'au moment où la mort viendra le faucher. Reprenant peu à peu ses sens, il tente de satisfaire les aspirations du Vieux en lui annonçant ses propres objectifs de vie.

— C'est d'abord d'être disculpé de tout blâme dans le procès qui va bientôt se tenir, tout en aidant le groupe des onze à être acquitté. D'ici là, je vous promets de faire tout en mon possible pour avoir en main les preuves qu'Alpide m'a floué en se servant de Herb Smith comme complice.

— Parfait... mon Érik. Et Claudia ? Comment t'arranges-tu... avec elle ?

— C'est que... je ne réussis pas à comprendre pourquoi son père veut m'en éloigner et qu'elle-même continue à entretenir d'assez bonnes relations avec Alpide à Johnny.

Frédérik, le visage crispé par les aveux qu'il s'apprête à confesser, lui dit :

— Savais-tu, fiston... que ta mère... s'était marié obligée...

— Quoi ! Mais pourquoi qu'elle m'a menti en me faisant croire que j'étais venu au monde prématurément ? qu'il lui demande d'une voix cassante.

— Érik, arrête… C'était un secret entre… ta mère et moi et… personne d'autre…

— Ça veut dire que Claudia pourrait fort bien être ma demi-sœur et Samy, mon père naturel. Mais c'est épouvantable ! Et moi qui pensais être un enfant prématuré.

— Prématuré, non. Mais… mais comme père naturel… rien de très certain, que le Vieux lui bredouille, gêné. Qui de Samy ou de… de mon beau-frère Nathaël… a succombé à l'œuvre de chair avant le mariage avec ma… ma sœur ? Voilà une question… à laquelle je… ne saurais répondre…

Érik est complètement atterré par cette nouvelle situation. Il regarde son oncle qui a fermé les yeux et dont le visage a repris une certaine forme d'apaisement qu'il lui avait connu jadis. Il se lève, arpente la chambre en marmonnant sans cesse : « C'est pas possible, c'est pas possible. »

Voyant que son oncle essayait tant bien que mal de s'essuyer les yeux, mouillés par l'intensité du moment, il s'assoit à son chevet et lui dit :

— Ne vous en faites pas, mon oncle. Je ne voudrais pas pour tout l'or du monde dénigrer ma mère pas plus que mon père Nathaël. Ça va être à Samy de se mettre à table en faisant faire l'analyse de son ADN, qu'il s'empresse d'ajouter comme pour excuser son oncle d'avoir si longtemps attendu pour lui dévoiler son secret.

— Une quoi ? lui rétorque le Vieux, piqué de curiosité.

— Une analyse des cellules génétiques, des miennes et de celles de Samy.

— Ouais ! Promets-moi, Érik… sur la tête de… ta tante Maria… que tu… en parleras pas… à ta mère…

— Promis pour ma mère, qu'il lui répond non sans être contrarié par cet aveu. Mais pour Samy, c'est une tout autre chose. Pour l'instant, j'ai un autre chat à fouetter et je reviens demain vous en parler.

* * *

Soucieux d'en terminer avec la confirmation qu'il s'est fait flouer par Alpide, Érik profite d'une période d'accalmie pour se retrouver en secret, une dernière fois, sur l'emplacement de l'épave. S'accaparant des plans de rénovation de l'*Ariès*, il voudrait bien comprendre la raison qui a fait que quelques pénis de loup-marin seulement se sont échappés de la cale centrale en compagnie de peaux qui y étaient entassées.

Durant tout le voyage au Rocher, il examine en compagnie de Mathieu les dessins de la coque du navire dans ses moindres détails. Les deux remarquent que la seule communication possible entre la chambre des moteurs et la cale centrale qui contenait les peaux est la boîte qui recouvre le rotor relié au treuil de chargement. Comme Érik se rappelle avoir surveillé de près le chargement comme celui du niveau d'eau au fond des cales, il ne voit pas de raison apparente à la présence de pénis avec les peaux.

Les deux comparses arrivent sur les lieux vers les vingt heures environ. Lors de la plongée, Mathieu réussit à forcer l'ouverture de l'écoutille de la cale arrière pour constater que la partie du haut de la boîte recouvrant le rotor avait été enlevée sur toute sa longueur. S'apprêtant à revenir à la surface avec plusieurs photos à l'appui de ses découvertes, il décide de s'introduire dans la cale centrale pour y photographier la partie de la boîte du rotor qui est reliée au treuil de chargement. Réalisant que l'air de ses bonbonnes s'épuisait, il refait surface, non sans s'être aperçu que l'hélice avait été enlevée de son socle.

Peu après, les deux acolytes regardent les films et essaient de comprendre le subterfuge. Pour l'hélice, ils savent qu'Alpide l'a enlevée pas nécessairement pour sa valeur marchande, mais surtout parce que l'une de ces palmes tordues pourrait servir de preuve sur la négligence criminelle apparente de son rival, alors capitaine du navire. Visionnant à nouveau les films les uns après les autres, Mathieu constate que l'épave de l'*Ariès* s'est affaissée sous l'effet de l'émersion des peaux lorsque les écoutilles des cales centrales ont été ouvertes pour les libérer.

— Ça y est, Mathieu ! Je comprends maintenant, lui suggère Érik. En se disloquant de la quille, la carène a provoqué la rupture de la boîte recouvrant le rotor.

— Malheureusement ça n'explique pas tout. As-tu gardé comme preuve les quelques pénis qui étaient revenus à la surface avec les peaux ?

— Non, je ne pense pas. Mais je viens de comprendre qu'il aurait fallu. Écoute-moi bien Mathieu : je te paie en temps triple si tu décides de plonger une dernière fois pour me fournir la preuve d'une présence quelconque des pénis dans la boîte du rotor.

— Ça va. Prépare de nouvelles bonbonnes et je plonge dans une minute ou deux.

* * *

De retour chez lui aux petites heures du matin, Érik est confronté à sa mère qui l'informe que son oncle, incapable de se mouvoir, a passé une bien mauvaise nuit. N'attendant pas plus longtemps, il s'en va immédiatement chez le Vieux pour y rencontrer l'infirmière de garde qui l'informe de l'état de son patient.

— Votre oncle ne veut rien savoir des appareils qui pourraient l'aider à prolonger ses jours en dégageant ses bronches, qu'elle lui avoue en le conduisant dans sa chambre.

— Hein ? mon oncle, vous ne voulez rien entendre de l'aide que la technologie peut vous apporter ? lui demande Érik tout doucement en faisant son entrée dans la chambre à coucher.

— Approche-toi… fiston, qu'il lui dit en expirant difficilement. Tu sais que… tu ne pourras pas te… servir de mon mandat d'inaptitude… puisque j'ai… j'ai encore toute ma tête, qu'il ajoute à l'endroit de l'infirmière qui acquiesce. Je…. je suis prêt à partir retrouver… ta tante Maria… de même que… que mes amis chasseurs de la *Teaser*… qui doivent être déjà bien installés dans l'autre… l'autre vie.

Constatant que son oncle n'en avait pas pour bien longtemps à vivre, Érik, d'une voix angoissée, le renseigne sur les éléments de preuves qu'il avait rapportés de l'épave de l'*Ariès*.

— Je savais bien mais… mais garde ça pour toi… attends pour étaler ton… ton jeu en toute fin des négociations avec Smith… Pour l'hélice, ne… ne t'inquiète pas… Samy devra choisir entre toi et… et Alpide… je pense bien qu'il a un… un penchant pour toi… Sa fille avec…

201

— Mon oncle, je vais vous laisser vous reposer et vous verrez, tout ira bien. Vous savez, je n'ai pas encore dormi et il est déjà rendu six heures du matin.

— Non, non, encore un peu… pour que je te… te dise combien je suis content de toi…

Frédérik, par bout de phrases plus ou moins saccadées, l'informe de ses dernières volontés. Même si l'affaire de l'*Ariès* tournait mal et que la tenue du procès le défavorisait, il croit que sa carrière de courtier en produits marins va prendre une telle ampleur qu'elle fera de lui un marchand respecté et célèbre. Il reste confiant que tout se déroulera à son avantage et que parti dans l'au-delà, il intercédera auprès du Grand Chef. En retour, il lui demande d'agir pour le bien des autres, même s'il le faut au détriment de sa propre satisfaction. Le retour n'en sera que plus agréable. « Reviens aussi souvent que possible sur le sens même de la vie sur terre », lui demande-t-il. Dans le même ordre d'idée, il lui recommande de s'assurer que sa dette d'honneur envers les familles des disparus ne soit pas uniquement un versement monétaire, mais davantage en entraide et en amour d'autrui.

Érik est bouleversé par ces révélations qui viennent d'un cœur grand comme l'univers.

— Je tiens à vous dire, mon oncle, que vous m'avez tout appris de la vie et que même si ç'a l'air nigaud, je vous aime plus que tout au monde.

— Gardes-en pour… pour Claudia…. sinon pour ta mère, qu'il lui balbutie avec un faible sourire de soulagement. Fiston, approche-toi… encore plus… je sens que j'achève de vivre… Prends-moi… la main et aide-moi à faire le… le passage… Tu te… te rappelles quand… quand tu es revenu des limbes… c'est moi que t'as… t'as aidé…

— Voyons, mon oncle, pas maintenant, lui dit Érik, la voix étouffée par l'affolement de le voir en train de mourir. Tout en essayant de se ressaisir, il glisse sa main sous le drap du lit pour prendre celle du Vieux, qu'il caresse doucement dans l'espoir de faire fuir le froid qui l'envahit peu à peu.

— Mon oncle, ne lâchez pas le morceau, qu'il lui dit d'une voix remplie d'affliction. Je suis avec vous, qu'il poursuit tout doucement en s'approchant encore de plus près.

Lui empoignant la main un peu plus fermement, Érik sent un léger spasme qui se relâche aussitôt et qui, accompagné d'un profond râlement, lui fait réaliser que son oncle est en train de passer dans l'au-delà.

— Garde, amenez-vous! Mon oncle est entrain de mourir. Faites quelque chose! qu'il lui demande en se tournant vers la porte de la chambre.

— Ne t'en fais pas, Érik, je suis derrière toi avec ta mère. N'aie pas peur, ton oncle a toujours su bien faire les choses.

Érik se lève pour regarder le Vieux les yeux à demi clos, qui a cessé de respirer et dont le visage exprime une forme de détachement et de paix. En voulant sortir de la chambre, sa mère se jette dans ses bras pour lui dire:

— Tu comprends maintenant, mon grand. C'est ça qu'on appelle mourir de sa belle mort.

Érik, les yeux larmoyants, descend au rez-de-chaussée. Il se dirige dans le boudoir et met en place sur le gramophone du Vieux leur refrain préféré, *L'amour brillait dans tes yeux*. Regardant par la fenêtre les étoiles du matin s'éteindre les unes après les autres, il réalise qu'il est déjà en train de se sevrer de l'être qu'il a aimé le plus dans tout l'univers.

Il s'assoit par la suite dans le fauteuil préféré de son oncle, ferme les yeux et essaie de visualiser, comme dans un film, certaines scènes qu'il se rappelle avoir vécues avec lui. Il se souvient entre autres lorsqu'il était encore petit enfant, le Vieux l'emmenait pour lui faire faire une petite promenade sur les quais des pêcheurs en le tenant par la main. Il le voit encore parlementer avec ses compatriotes en leur présentant son cher fiston qui, leur disait-il, allait devenir un illustre Madelinot. « Vous allez voir comment il va vous extirper du joug des marchands », qu'il leur déclarait, surtout de celui de Samy avec qui il entretenait des relations seulement de convenance à ce moment-là.

Il se rappelle aussi que lorsqu'il était adolescent, son oncle avait une façon toute particulière de l'aguerrir à la vie de tous les jours en lui faisant subir des expériences de toute sorte. Mais ce fut surtout avec la chasse au loup-marin que le Vieux s'évertuait à l'amariner. Il prédisait que le loup-marin allait devenir un fléau au même titre que la pollution, si on ne s'occupait pas de stabiliser sa population grandissante.

Ouvrant les yeux, il regarde la vieille carte marine accrochée au mur, sur laquelle le Vieux lui avait expliqué maintes et maintes fois tout ce qui concerne les fonds de pêche de même que les bancs de chasse au loup-marin, et en particulier celui de l'Orphelin. Il le voit encore s'évertuer avec exaltation à le conseiller en cherchant toujours à réaliser ses propres rêves, même les plus fous. Il s'aperçoit du même coup qu'il n'aurait pu retrouver l'épave de l'*Ariès* sans ses astuces tissées de gros bon sens.

Oui, son oncle était pour lui plus qu'un père, plus qu'un protagoniste. Au fait, il était un maître, celui qui gouverne en quelque sorte sa vie, avec ses hauts et ses bas, mais en s'assurant tout de même de vivre chaque jour comme si c'était son dernier sur terre. Pourquoi fallait-il qu'il parte avant d'en avoir le cœur net avec la finalisation de ses démêlés avec Herb Smith ? Il aurait pu enfin réaliser son propre rêve de voir son fiston devenir un Madelinot mémorable et respecté. Enfin en savait-il plus que ce qu'il lui avait fait savoir pour Claudia, sa demi-sœur présumée, en lui déclarant en toute fin de vie : « Garde-toi de l'amour pour elle, sinon pour ta mère. »

* * *

Jamais n'avait-on vu autant de monde au salon funéraire des Îles. Le Vieux, qui dans ses dernières volontés avait désiré l'incinération, avait voulu tout de même laisser l'opportunité à ses compatriotes de venir se recueillir une dernière fois sur sa dépouille mortelle. À la file indienne, les gens passent devant le cercueil, méditant pour le repos de l'âme de ce grand Madelinot. Esthèle, Nathaël, Érik, ses deux frères et sa sœur se tiennent tout près, accueillant les condoléances des gens qui ne cessent d'affluer de tous les villages des Îles. Les notables de la place ne cessent de faire l'éloge de cet illustre personnage qui, disent-ils, a aidé nombre de pêcheurs de métier à se sortir d'une forme de soumission pour prendre en main leur destinée.

Parmi la foule, Érik remarque Samy, sa femme et Claudia en compagnie de plusieurs travailleurs à l'emploi du marchand. Après de longues minutes de recueillement de la famille de Samy auprès de la dépouille, Érik et sa mère reçoivent des accolades accompagnées d'embrassades polies dans la majorité des cas, mais plus chaleureuses dans d'autres, comme celles que Samy prodigue à Esthèle. Érik, qui se tient en tout dernier de la ligne de la parenté proche du Vieux, est enlacé fortement par le marchand qui ne tarit pas d'éloges à l'endroit de son ami Fred.

— Et si jamais tu as besoin de quoi que ce soit, mon Érik, je suis toujours là, tu le sais bien, qu'il lui dit en tentant de s'éloigner.

— Non, attendez, Samy. Pourquoi Alpide n'est pas ici, moi qui ai juré à mon oncle avant qu'il ne meure avoir fait la paix avec lui?

— Well… qu'il lui répond comme gêné par la question, ma fille qui approche pourra peut-être te le dire, qu'il poursuit en se retirant à l'écart.

— Mes sincères condoléances, Érik, lui déclare Claudia en lui serrant fermement la main en s'approchant pour l'embrasser.

— Merci pour tes bons vœux, Claudia. Ton père m'a dit que tu savais pour Alpide, qu'il poursuit en réalisant qu'elle ne porte aucun bijou d'importance.

En signe de réponse, Claudia se lance au cou d'Érik en lui prodiguant un long baiser fougueux et passionné, laissant ce dernier perplexe. La foule qui assiste à la scène, dont Samy, s'arrête pendant un court instant de bavarder.

Érik, penaud devant la situation, rompt la ligne et s'approche du cercueil pour regarder le Vieux. Sous les murmures qui ont repris, il le regarde en pensant qu'il avait peut-être déjà intercédé pour lui en créant les circonstances propices pour régler l'ambiguïté sur sa naissance supposément illégitime. Il se dirige par la suite vers Samy pour lui demander une rencontre particulière après les règlements d'usage des funérailles.

* * *

La cérémonie religieuse qui suit est à la fois empreinte de sobriété et de compassion. Le vieux vicaire de Bassin, confesseur préféré d'Érik, est demandé comme célébrant, sachant combien il a estimé le décédé de son vivant. À la fin de son homélie, il déclare à l'assistance cette phrase qui en fait réfléchir plus d'un : « Mes biens chers frères, le seul bien qu'on emporte avec soi en mourant est celui que l'on a fait aux autres. Que cela nous serve d'exemple à jamais. »

Lu par le notaire, le testament du Vieux institue sa sœur Esthèle comme héritière majoritaire, permettant ainsi aux frères et à la sœur d'Érik de terminer leurs études supérieures sans qu'ils soient obligés de participer à la *gagne* de la famille. Un legs particulier est fait à son neveu, constitué d'une bague sertie de multiples diamants de même que des outils et appareils de navigation anciens et nouveaux qu'il a toujours gardés jalousement. Érik trouve pénible que le cadavre de son oncle ait été réduit en cendres comme il le voulait dans ses dernières volontés. Par ailleurs, il est plutôt honoré d'avoir été choisi par lui pour vénérer sa mémoire lors d'un prochain voyage en bateau vers la grande-terre en dispersant une partie de ses cendres sur le Banc-de-l'Orphelin.

* * *

— Et puis, Érik, comment réussis-tu à t'en tirer depuis les funérailles de ton oncle? lui demande Samy au début de leur entretien.

— Pas si mal, Samy, mais passons immédiatement aux faits. Vous savez sans doute pourquoi je suis venu vous rencontrer?

— Pour sûr oui, surtout avec l'embrassade que tu as faite à ma fille.

— Laissez faire ça et dites-moi : avez-vous, oui ou non, séduit ma mère lors de vos fréquentations de jeunesse? C'est pas mal direct comme question, mais je suis tanné d'être dans l'incertitude.

Le visage devenu pourpre, Samy se lève de son bureau et s'empresse d'ouvrir une boîte de cigares rangée dans la commode.

— Tu en veux un, Érik? Tu sais ce sont des *Havana* que des Miquelonnais m'ont donnés en cadeau.

— Non merci et s'il vous plaît, arrêtez de me faire languir. Oui ou non, avez-vous déjà fait l'amour avec ma mère?

— Par hasard, ta mère ne t'en aurait pas déjà parlé? de lui répondre Samy en tentant d'allumer son cigare.

— Non et non. Tout ce que je sais, c'est que ma mère se serait effectivement mariée obligée et qu'elle a accouché de moi à terme. Ça fait que... étiez-vous, comme on dirait, dans les parages, pendant les quelques mois où elle a fréquenté mon père?

— *Well...* j'aime ta franchise, Érik, et voici ma réponse. Oui, on a succombé une première fois à la fin de nos fréquentations. Et si je me rappelle bien, c'était pendant qu'elle broyait du noir au sujet de mon père qui lui préférait une autre fille dans la lignée de mes ancêtres. Même si je m'en méfiais, je n'étais pas sûr que ta mère s'était mariée obligée. Est-ce qu'elle t'en aurait déjà parlé, par hasard ?

— Non mais quelle importance cela a-t-il puisque le résultat est le même : je pourrais fort bien me retrouver votre fils et en plus de ça, je me suis amouraché de Claudia qui ne semble pas me détester non plus.

— Tu sautes trop vite aux conclusions. Si je n'ai pas marié ta mère, c'est un peu à cause d'elle, pas uniquement de mon père. Sans égards aux moyens contraceptifs du temps, elle a voulu me faire souffrir en fréquentant sans attendre ton père Nathaël. Malgré mes multiples efforts, elle n'a jamais voulu revenir vers moi et ça faisait bien l'affaire de mon père avec qui je n'étais pas d'accord, du moins à ce moment-là.

— Vous ironisez sur une situation qui est extrêmement grave, Samy. Comme j'aime mes parents et en particulier ma mère, la seule façon d'obtenir la vérité sans l'offusquer serait qu'on fasse faire nos propres analyses d'ADN.

— Ouais ! mais ça ne serait pas facile à faire sans que toutes les Îles le sachent. Tu connais nos compatriotes lorsqu'il s'agit de fouiner dans la vie privée de quelqu'un…

— Peu importe ce qui va arriver. Quant à moi, je vais demander à mon médecin personnel de voir de quelle façon je dois procéder pour faire effectuer cette analyse. Je vous somme donc de faire le nécessaire, tout en évitant que la chose soit connue par personne d'autre que nous deux.

— *Well…* c'en est rendu maintenant que le fils aîné d'Esthèle, en plus de me faire concurrence en affaires, me donne des ordres. Je n'ai pas forcé ta mère à se donner à moi et elle porte elle aussi le fardeau de la preuve.

— C'est ça, vous voulez vous venger d'elle en refusant mon offre. En tout cas, d'ici un mois tout au plus, je déposerai chez votre notaire le résultat de l'analyse de mon ADN et il n'en tient qu'à vous de faire de même, parce que autrement…

— Autrement quoi, Érik ? lui rétorque Samy le visage devenu rouge de colère.

— Autrement, je vais tout dire à votre fille Claudia.

— Mais qu'est-ce qui te dit qu'elle ne le sait pas déjà ?

— Voyons, me prenez-vous pour une valise ? Pensez seulement une minute à la marque d'affection qu'elle m'a prodiguée aux funérailles de mon oncle.

— *Well…* ça va, Érik. J'y verrai en temps et lieu, qu'il lui répond d'un ton sec en l'invitant à le quitter.

CHAPITRE 12

On ne peut pas faire en sorte
que ce qui a été ne soit plus

Peu de temps après cet entretien déterminant avec Samy, Érik tombe dans une sorte de nonchalance. Non seulement doute-t-il des bonnes intentions de Samy pour l'analyse de son ADN, mais les remises consécutives sur la tenue du procès relativement à la destruction de l'hélicoptère le contrarient grandement. Il sait d'ores et déjà que son déroulement, comme sa conclusion, aura un effet certain sur son marché de peaux de loup-marin avec Herb Smith.

Depuis son bref entretien avec les enquêteurs de la SQ et de la GRC au cours de l'année passée, il y a eu plus de six remises sur la date de la tenue du procès qui, heureusement, n'est pas l'affaire des avocats de la IFAW. En effet, en expédiant aux présumés coupables une mise en demeure incluant une facture de plus de 200 000 $, la IFAW avait plutôt pour objectif de les déstabiliser puisque, de toute évidence, les assurances couvrent généralement ce genre de délit. En retour, comme il y avait eu méfait sur une place publique, la justice n'avait pas le choix de suivre son cours.

L'avocat qui représente le groupe des accusés ne cesse de travailler pour que ses clients soient acquittés, et ce, avec un minimum de coûts en honoraires. Cela inquiète d'autant plus Érik qui prétend à tort que les meilleurs avocats sont généralement extrêmement coûteux. Au fait, l'avocat qui représente les accusés a joué de stratégie pour que le procès se déroule devant un magistrat connu pour son gros bon sens. Il a réussi, entre autres, à convenir d'un arrangement à l'amiable avec le procureur de la couronne pour faire en sorte que les accusés plaident coupables aux allégations dont ils sont inculpés. En retour de leurs aveux de culpabilité, les conseillers juridiques des deux parties ont recommandé au juge d'accorder aux accusés une absolution conditionnelle de garder la paix pendant une période de deux ans. Néanmoins, même si cet arrangement a pour but d'éviter aux accusés un dossier judiciaire, cela n'oblige en rien le magistrat à accepter les recommandations des procureurs. Comme de coutume, le juge se réserve le droit d'en augmenter ou d'en diminuer la teneur après les représentations d'usage.

Arrive enfin le jour où les accusés reçoivent par huissier une assignation de se présenter en cour pour assister aux représentations sur sentence. Voulant user de stratégie, l'avocat qui les représente a l'intention bien arrêtée de faire fléchir le juge sur l'ampleur de la sentence en y présentant des témoins non seulement crédibles, mais également de grande qualité. Jamais de mémoire d'homme un procès aux Îles n'a suscité autant d'intérêt que celui sur la destruction de l'hélicoptère. D'une durée prévue de plusieurs jours, la session se tiendra au palais de justice de Havre-Aubert devant un juge du district de Gaspé.

Le juge, qui est arrivé aux Îles depuis quelques jours, a pu bénéficier entre autres d'une chambre privée au palais de justice avec les accommodations justifiées par son rang. Ce faisant, il a pu sauvegarder, en apparence tout au moins, son impartialité, laquelle aurait pu être influencée par certains Madelinots qui en *beurrent épais* en de telles circonstances.

Les onze accusés qui sont presque exclusivement des pêcheurs et chasseurs de loup-marin, y sont représentés par un avocat fortement expérimenté par le genre de délit qui y sera sentencié. Quant au procureur de la couronne, il est d'ores et déjà reconnu pour son bon jugement, à preuve l'arrangement qu'il a convenu avec son confrère de la défense.

Le premier élément à être présenté au juge d'instructions lors de la journée initiale des audiences est l'enregistrement des plaidoyers de culpabilité pour les délits commis par les onze accusés. Or ces délits sont décrits comme étant d'avoir brisé et endommagé un hélicoptère stationné sur le tarmac de l'aérodrome de Havre-aux-Maisons, d'avoir intimidé l'équipage composé de quatre représentants de la IFAW au point de les inciter à quitter les Îles sur-le-champ et, finalement, d'avoir saisi et détruit du matériel photographique. Ces infractions sur une place publique de juridiction fédérale sont énoncées par le juge comme étant passibles d'une sentence d'emprisonnement maximale de cinq ans avec, en sus, la possibilité que des amendes soient imposées.

Les gens qui assistent aux représentations en très grand nombre, apprennent par la suite de l'avocat de la défense qu'en plus de l'un des accusés, plusieurs témoins seront éventuellement appelés à la barre. Ces derniers auront à expliquer entre autres le contexte économique qui prévaut chez les pêcheurs et chasseurs madelinots.

Dès le début des auditions, l'avocat des accusés demande au juge l'autorisation de faire témoigner l'un des accusés qui va raconter de quelle façon lui et son équipage ont été empêchés de chasser librement les loups-marins sur la banquise où ils avaient accosté. Le capitaine expose à la cour qu'un navire appartenant à l'organisation de Paul Watson avait foncé carrément sur son bâtiment avec l'intention de l'éperonner afin de le contraindre à l'abandonner, tout en forçant son équipage à se réfugier ailleurs. Pris de peur et ne voulant pas risquer indûment des vies humaines, il avait dû quitter la zone de chasse pour revenir à son port d'attache aux Îles, à toutes fins utiles bredouille, sans égard aux énormes frais encourus pour ce genre d'expédition.

Par la suite, le procureur des accusés demande au juge la permission de faire entendre deux autres témoins. Ces derniers expliquent à la cour le contexte tout à fait particulier de l'économie des Îles qui dépend avant tout de la pêche, mais également des revenus d'appoint comme la chasse au loup-marin.

« Vous avez constaté, votre seigneurie, que la plupart des accusés ont une famille à faire vivre en plus d'avoir des obligations financières, déclare cérémonieusement au juge l'avocat de la défense en fin de leur témoignage. Ils ont des devoirs envers leurs compatriotes qui vivent eux aussi indirectement de leur profession. Les accusés ne sont pas des gens criminalisés, ni antisociaux, et l'intérêt de la communauté madelinienne, malgré certaines divergences de vue, n'a jamais été mis en danger, quel que soit le moment. »

L'avocat de la couronne, tout en acceptant le bien-fondé des arguments énoncés autant par le chasseur qui a raconté son incident que par les deux témoins, revient souvent sur le fait que personne n'a le droit de se faire justice.

« Un crime est un crime, et ce, malgré toutes les bonnes raisons que l'on puisse avoir. Notre système judiciaire répond adéquatement à ces concepts en donnant des pouvoirs aux policiers qui ont le devoir de faire respecter les lois », fait-il remarquer au juge qui acquiesce à peine d'un hochement de la tête.

L'assistance s'aperçoit cependant que ses arguments, quoique véridiques, sont énoncés avec peu de convictions, comme en font foi les mentions souvent répétées par la suite de circonstances atténuantes.

* * *

Après ce premier jour de plaidoirie, les gens qui assistent aux délibérations restent sur leur appétit. Personne ne peut entrevoir de quel côté la balance penchera en toute fin et tous attendent avec frénésie le témoignage d'Érik à Nathaël, reconnu pour son esprit analytique et son discours percutant. Considéré par ses compatriotes comme l'incarnation même du discernement, les accusés espèrent que sa comparution prévue pour le lendemain saura faire suffisamment impression pour que le juge soit enclin à la clémence recommandée par les deux procureurs.

Sur recommandation de l'avocat de la défense, Érik est resté cantonné chez lui pendant la première journée du procès, répondant ainsi à cette obligation légale de laisser libre cours à la justice, si justement on est appelé à témoigner. D'autre part, cette retraite forcée l'a obligé à se remémorer certains conseils fort judicieux du procureur de la défense, dont l'un est de regarder constamment le juge directement dans les yeux, sachant fort bien qu'ils sont généralement le reflet de l'âme. Dire la vérité sans artifice et sans vouloir impressionner le magistrat qui en a vu d'autres a été aussi une recommandation de bon aloi. Il lui a également conseillé de toujours garder son calme en essayant de ne pas être distrait par les apartés de l'avocat de la poursuite ni par ceux de l'assistance qui, à l'occasion, exprime par le brouhaha son approbation ou sa désapprobation. Il lui suggère finalement, à l'occasion, de tourner le regard vers son propre mentor qui, par l'expression de sa physionomie, devrait lui signifier son assentiment, ou, à l'inverse, son opposition sur le déroulement de son témoignage.

Inquiet de ce qui s'est passé au cours de la première journée du procès qui vient de se terminer, Érik appelle Mathieu.

— Et puis, Mathieu, qu'est-ce qui s'est produit aujourd'hui, au palais de justice?

— Il y avait tellement de monde que j'ai eu peine à me frayer un chemin dans la foule afin de pouvoir faire partie de l'assistance que le juge a rappelée à l'ordre maintes et maintes fois. D'après ce que j'en sais, la journée de demain sera déterminante, d'autant plus que tu devrais y témoigner tout comme Alpide, n'est-ce pas?

— Quoi Alpide? Mais ne fait-il pas partie des accusés? lui demande-t-il afin de s'en assurer.

— Ah bon? Tu ne savais pas? D'après ce que j'en ai déduit des palabres entendues à gauche et à droite, l'avocat de la défense voudrait te faire témoigner en premier et Alpide par la suite, si nécessaire. N'est-il pas l'un de ceux qui a déjà eu des démêlés avec cette bande de *pelleteux de nuages*?

— Oui c'est vrai, mais Samy, lui, qu'est-ce que tu sais de lui? Était-il dans l'assistance avec sa fille Claudia?

— Samy, oui, mais pas sa fille qui, m'a-t-on raconté, se tenait à l'extérieur du palais de justice en compagnie de nombreux employés du Marchand.

— Et Alpide, faisait-il partie du nombre? qu'il lui demande, exaspéré.

— Ça, je ne pourrais pas te le dire. Mais ne t'en fais pas avec ça. Tu as d'abord besoin d'une bonne nuit de sommeil et tu verras, tout devrait bien aller. J'ai confiance en toi, tu sais.

— Merci bien, Mathieu. On se revoit demain au palais de justice.

Essayant de s'endormir, Érik ne cesse de ressasser dans sa tête le témoignage qu'il aura à livrer le lendemain à l'ouverture de la deuxième et peut-être dernière journée du procès. Il essaie de visualiser tant bien que mal son apport en tant que porte-parole des accusés mais s'inquiète, principalement, de la présence d'Alpide comme autre témoin. Ce dernier n'avait-il pas participé intensément à la destruction de l'hélicoptère? Et puis, au cours de la soirée, il était apparu armé d'une matraque servant à assommer les loups-marins ainsi que des chaînes qu'il s'était enroulées autour des poignets. N'eût été de son intervention pour calmer les esprits, Alpide aurait pu être gravement blessé et accusé d'avoir résisté aux forces de l'ordre. Mais rien de tout cela ne s'était produit et ce fier-à-bras avait même réussi à se soustraire à des accusations criminelles en dépit des gestes d'une violence inouïe pour mettre à sac l'hélicoptère.

Ne sachant plus s'il peut accomplir correctement la tâche que l'avocat de la défense lui avait confiée, Érik s'en remet à son oncle Frédérik décédé tout récemment. Il se rappelle vaguement que le Vieux avait peut être intercédé pour lui lorsque Claudia lui avait donné un baiser fulgurant lors de ses funérailles.

Étendu sur son lit, les yeux fixant sa photo sur le mur de sa chambre, il se met aussitôt à lui parler comme s'il était près de lui. « Vous connaissez sans doute la situation, mon oncle. Je ne suis pas un homme à vouloir me cacher derrière mes responsabilités envers mes compatriotes et en particulier les familles des disparus. Vous m'avez fait un premier signe avec Claudia, mais là, avec Alpide qui doit témoigner après moi, je ne sais plus à qui m'en remettre. Dois-je accepter d'être le pion qu'on place sur l'échiquier en vue de faire avancer d'autres pièces ou plutôt refuser d'être ce jeton au risque de perdre à la fois l'estime de moi et l'amour des autres ? Ce n'est pas facile de répondre, mais je vous fais confiance, mon oncle. Combien de fois m'avez-vous dit : "Fais donc confiance en la divine Providence, mais n'oublie pas cependant de croire d'abord en tes propres capacités ?" »

* * *

— Maître, avez-vous des témoins à nous faire entendre aujourd'hui ?

— Oui, monsieur le juge, deux dont l'un attend d'entrer pour témoigner cet avant-midi et l'autre, au besoin, par la suite.

— Et vous, Maître, en regardant le procureur de la couronne, avez-vous des témoins à faire entendre à la Cour d'ici la conclusion de l'audience ?

— Non, Votre Seigneurie. Par contre, j'apprécierais avoir un entretien privé avec vous et mon confrère au sujet des témoins de la défense.

— La Cour est suspendue pour 30 minutes, lance le juge à l'assistance.

Érik, qui s'était présenté à l'avocat en matinée en attendant qu'on l'appelle à témoigner, entend du bureau où il s'est réfugié le brouhaha de l'assistance. Il entrevoit à même une porte entrouverte le juge en compagnie des procureurs qui font leur entrée dans un petit cabinet adjacent au sien. La discussion qui s'ensuit est suffisamment animée pour qu'il puisse saisir quelques brides qui lui font croire qu'Alpide — ou peut-être lui ? — ne peut être cité témoin de la défense à cause d'un vice présumé de procédures.

Puis, quelques minutes par la suite, il entrevoit le magistrat qui retourne dans la salle d'audience pour déclarer :

— Après avoir entendu les deux parties, j'annonce à la cour qu'un seul autre témoin sera entendu d'ici la fin de l'audience. Maître, faites donc entrer votre témoin, qu'il poursuit d'une voix grave.

Érik, à demi conscient tellement il ressent de l'angoisse d'avoir été choisi, entend l'huissier l'interpeller.

— Viens, Érik, c'est ton tour. Tu verras, tout ira bien.

Les jambes tremblantes, Érik fait son entrée dans la salle d'audience, lui qui n'avait jamais mis les pieds dans un palais de justice de sa vie. Il est d'abord frappé par le décorum en apercevant les juristes qui, vêtus de toges noires, le regardent tel un condamné à mort. L'immense foule silencieuse, dont la moitié est restée debout à l'arrière de la salle, en fait tout autant. Les regards qu'il perçoit ici et là le rendent si fébrile qu'il pense perdre connaissance avant même de pouvoir entrouvrir la bouche pour répondre aux questions d'usage sur son identification et prononcer le serment d'office.

— C'est au tour de votre témoin, Maître, que le juge dit à l'avocat de la défense.

— Plaise à la Cour, mon témoin nous racontera de quelle façon la destruction de l'hélicoptère est devenue presque un devoir au même titre que celui de pêcher pour subvenir aux besoins des familles des accusés.

— Objection, Votre Seigneurie ! Le témoin de la défense n'a assisté à la scène qu'en soirée quand on sait fort bien que tout le grabuge a débuté en après-midi.

— Objection non retenue, Maître. Laissez donc le témoin commencer son témoignage avant de vouloir l'empêcher de s'exprimer librement.

— Voilà, votre… Monsieur le Juge, lui déclare Érik d'une voix tremblante et à demi éteinte. Si je n'ai assisté qu'en soirée à cet incident, c'est que je n'y étais pas invité avant. Je peux vous assurer, Monsieur le Juge, qu'il ajoute en le fixant droit dans les yeux, que si cela avait été le cas, j'aurais essayé que le pire n'arrive pas. Vous savez, Monsieur le Juge, que pour nous, les Madelinots, la chasse au loup-marin fait partie des mœurs ancestrales et que l'on pratique cette activité de père en fils un peu malgré nous, qu'il lui fait savoir d'un ton plutôt neutre en s'éclaircissant la voix.

— Comment pouvez-vous faire une telle affirmation, vous qui n'avez jamais été considéré un chasseur dans l'âme ? lui demande le juge.

— Si je n'ai jamais été capable de tuer de sang-froid un loup-marin, c'est parce que mon cœur n'est pas capable de dire à mon cerveau : « Vas-y, c'est lui ou toi. » Tu tues pour avoir une vie plus aisée ou tu laisses faire les autres à ta place. Non que je peux affirmer que mes compatriotes puissent éprouver un plaisir quelconque à tuer, mais on s'habitue à ça tout comme le fils du fermier s'accoutume à la mise à mort d'agneaux et de jeunes veaux de lait pour lesquels il s'était épris d'affection.

— Pourquoi ce parallèle ? lui demande le magistrat en fronçant les sourcils.

Érik, qui se sent de plus en plus dans sa bulle, continue son propos :

— La banquise, c'est notre territoire, tout comme la terre est celle du fermier. On n'a jamais demandé aux loups-marins de venir nous visiter par ici à chaque printemps. Ce sont eux les intrus et pas nous. C'est plutôt leur instinct de procréation qui fait qu'ils viennent près des côtes des Îles-de-la-Madeleine. Imaginez un court instant, Monsieur le Juge, que des caméramans se mettraient à parcourir les fermes du Québec pour filmer les scènes de castrage et de mise à mort de petits agneaux et de jeunes veaux de lait dont la viande fait le régal des grands centres urbains. Pourquoi les opposants tels que Brigitte Bardot, Brian Davies, Paul Watson et compagnie ne cessent-ils d'appeler le blanchon *bébé phoque* ? Comment le public réagirait si le menu des grands restaurants huppés annonçait *escalopes du bébé de la maman vache à la milanaise* ou encore *carrés du bébé de la maman brebis tendre et juteux* ?

— Votre Seigneurie je crois que le témoin de la défense est en train de vouloir nous instruire sur ce qui ne concerne pas cette Cour, lui déclare le procureur de la défense en interrompant Érik. C'est de l'intrusion malveillante de la part d'un habitant des Îles qui n'est pas sans reproche, à ce que je sache.

— Laissez donc le témoin s'expliquer totalement. Personne dans cette cour, et surtout si on n'est pas Madelinot, ne peut prétendre tout savoir sur le parallèle que le témoin essaie de nous faire comprendre entre l'homme et l'animal. Et s'il vous plaît, Maître, laissez les Madelinots juger eux-mêmes du passé du témoin de la défense.

Voyant qu'un léger applaudissement prenait forme dans la salle, le juge intervient.

— Silence ou je fais évacuer la salle !

— Merci, Monsieur le Juge. Je disais donc que… ah oui ! Si on veut régler une fois pour toute le cas des organismes qui défendent une cause supposément noble, il faut prendre les moyens du bord, comme on dit. Au rythme où vont les choses, il ne nous sera plus possible d'ici quelques années de bénéficier de ce revenu d'appoint. Plus de phoques dans le golfe Saint-Laurent, c'est moins de morue, moins de hareng, et j'en passe. Personne ne peut nier que chaque phoque adulte mange plus de deux mille kilogrammes de poissons par année, laquelle nourriture fait partie de la chaîne alimentaire dont nous faisons partie évidemment. Le seul prédateur réel du loup-marin est l'homme. L'empêcher de jouer son rôle ancestral serait de laisser libre cours au loup-marin à une surconsommation de nourriture, et reléguer les chasseurs à de simples postes d'observateurs. Ces opposants n'ont pas retenu la leçon que leur avait servie le préfet de comté du temps. Ils ont plutôt préféré envoyer leur lieutenant à leur place en faisant état d'une supposée panne d'essence. Ils nous prennent pour des illuminés pour croire en cette hypocrisie puisque depuis une semaine au moins, cet hélicoptère sillonnait la banquise de toutes parts en importunant autant les forces de l'ordre que les chasseurs eux-mêmes. N'ayant pu filmer à leur guise des scènes fortes en émotions, ils se sont dit: « Simulons donc une panne d'essence et arrangeons-nous pour être attendus à terre et voir si on ne pourrait pas les faire enrager encore plus pour nous permettre de compléter notre film à sensation. » Vous voyez ça, Monsieur le Juge, des scènes de mises à mort de phoques par des chasseurs qui brandissent le poing à l'endroit de ces supposés nobles défenseurs d'animaux? Ces scènes leur auraient permis de vider encore plus les poches d'hommes et de femmes riches qui en les visionnant auront eu l'impression, avant de quitter cette terre, qu'ils ont contribué d'une certaine façon à sauver l'humanité de sa perte.

— Votre Seigneurie…

— Maître, je vous ordonne de laisser le témoin s'exprimer librement jusqu'à la fin, faute de quoi je vous enlève le droit de l'interroger.

— Merci, Monsieur le Juge. Je disais donc… Comment empêcher un groupe de chasseurs qui, selon mon humble avis, a droit à la privatisation de l'image, autant celles qui vous ont été fournies par les forces de l'ordre que celles captées par ces organismes de malheur. Ceux qui chassent les loups-marins le font sur des banquises situées dans des eaux privées canadiennes. Ils possèdent des permis en bonne et due forme et respectent les règlements en vigueur. La chasse, tout comme la pêche, aux Îles, c'est une question de vie et de subsistance pour nous tous. On ne s'est pas attaqué aux individus, mais à la source même de nos problèmes, c'est-à-dire à un objet tel un hélicoptère et du matériel photographique qu'il contenait. Les opposants lorsqu'ils nous harcèlent ou nous empêchent de pratiquer librement la chasse font souvent fi des lois qui les concernent en se faisant justice à eux-mêmes. Paul Watson n'a-t-il pas sabordé son navire qui avait été saisi par les forces de l'ordre ? On s'est tous dit, en voyant les sentences ridicules que la justice canadienne leurs imposait : « S'ils veulent la guerre, nous répondrons par la guerre. »

Sentant qu'il s'aventurait sur un chemin glissant, Érik jette un coup d'œil vers son avocat dont l'expression du visage le priait de revenir à la base même des justifications du crime commis.

— On se doit de respecter nos droits à l'image afin qu'elles ne soient pas diffusées dans le monde envers et contre nous. On n'a pas le droit non plus de nous empêcher de pratiquer une activité qui met le beurre sur le pain de nos enfants et petits-enfants, qui seront en droit de se demander un jour : « Mais qu'avez-vous fait de nos coutumes ancestrales de chasse et pêche pour laisser des millions et des millions de loups-marins bouffer notre propre ressource hauturière ? » Peut-être avons-nous été trop loin, monsieur le juge. En retour, ça fait des décennies qu'ils ont été trop loin eux aussi et ils ne semblent pas vouloir s'arrêter pour autant. On ne peut pas faire en sorte que ce qui a été ne soit plus, et dans ce sens, il nous faudra bien vivre avec nos actes et gestes du passé. C'est tout, Monsieur le Juge.

À peine Érik a-t-il terminé son témoignage que l'assistance se met aussitôt à l'applaudir à tout rompre.

— Silence ou je fais évacuer la salle, que le juge réclame à la foule en faisant tonner son maillet.

— Je tiens à vous remercier pour votre excellent témoignage, lui dit le juge en le regardant par-dessus ses petites lunettes. Je suis enclin à recommander à l'avocat de la couronne de s'abstenir de vous interroger, à moins qu'il y tienne absolument, qu'il poursuit en inclinant légèrement la tête vers celui-ci.

— Non, pas vraiment, qu'il lui répond quelque peu mal à l'aise. J'estime même que le témoin nous a passablement convaincus d'une certaine clémence à l'endroit des accusés.

— Excellente suggestion, Maître ! lui fait savoir le juge. Vous pouvez disposer maintenant, Érik, lui recommande-t-il en le regardant quitter la barre avec une lueur de compassion dans les yeux.

La tête vide, complètement épuisé, Érik se retourne et s'avance d'un pas rapide. Il s'arrête vers l'assistance aux premières rangées pour jeter un regard de feu vers Alpide, assis à la gauche de Samy, qui détourne la tête en riant jaune. Claudia, présente à la droite de son père, lui sourit tendrement tandis que sa mère, près d'elle, ne peut se retenir de lui dire : « Érik, qu'est-ce qui te prend d'avoir cet air de chien battu ? N'as-tu pas été à la hauteur de la situation ? »

Faisant fi des cris de l'assistance qui continuent de s'amplifier, il quitte la salle d'audience en entendant le juge cogner à nouveau avec son maillet pour déclarer : « Silence ! Autrement, je suspends la cour et je fais évacuer la salle. »

Arrivé chez lui, Érik se jette sur le canapé en se demandant s'il a tout dit de ce qui était important, un peu comme un étudiant qui vient de passer son examen de fin d'année. Reprenant peu à peu ses sens, il entend le téléphone qui sonne mais décide de ne pas y répondre. Il essaie plutôt de penser de quelle façon le juge, qui lui avait paru sympathique, interprétera ses propos.

Sentant le calme l'envahir peu à peu, il ferme les yeux et se concentre sur les images qui défilent devant ses yeux. Il y voit l'épisode d'une expédition à la chasse au loup-marin au Corps-Mort en compagnie de son oncle qui avait assez mal tourné, merci! Le Vieux, aux prises avec une forte crise d'angine, l'avait saisi par les épaules en lui disant: « C'est à toi maintenant, mon Érik, de prendre les commandes pour ramener mon escouade de chasseurs à bon port. » Tant bien que mal, il avait réussi à le faire. Il sait maintenant que le Vieux veille sur lui.

* * *

— Érik, réveille-toi, lui dit sa mère en le secouant. Veux-tu bien me dire ce qui t'est arrivé pour quitter le palais de justice aussi rapidement? Tu aurais dû voir le monde qui t'attendait à la sortie après les représentations des avocats qui misaient surtout sur ton témoignage.

— Ça va, Maman, laissez-moi tranquille. Surtout que j'ai besoin de comprendre lorsque je vous ai vue au côté de Claudia et de Samy en compagnie d'Alpide, pendant que moi, votre fils, je jouais ma réputation pour une cause qui n'est pas proprement mienne.

— Comment peux-tu croire à de telles choses? Avant de me diriger au palais de justice, ce matin, j'ai assisté à la messe et j'ai prié pour toi, ce qui de toute apparence n'a pas nui à ta performance, mon grand. Je crois que tu broies du noir, Érik. Se pourrait-il que tu sois en train de tomber à nouveau en dépression si justement tu ne fais pas l'effort d'être objectif?

— Voyons, maman. Je ne suis pas du tout affecté d'une dépression. Vous semblez oublier que si jamais le jugement se concluait en faveur des accusés, tout le monde va dire que c'est grâce à leur avocat. Au contraire, s'il s'avérait être contre eux, toutes les Îles-de-la-Madeleine s'évertueront à dire que c'est de ma faute avec mon discours sur la noblesse de nos us et coutumes.

— Je n'en reviens pas de la façon dont tu interprètes l'avenir. Savais-tu que Samy m'a affirmé que le supposé témoignage d'Alpide, qui aurait suivi le tien, n'était au fait qu'une diversion pour te lancer un défi, t'obligeant ainsi à la meilleure des performances? Tu vois: tout est bien qui finit bien.

— Oui, pour à peu près tout le monde qui était concerné sauf que pour moi, ça ne change pas grand-chose dans ma vie. L'avenir nous dira qui, de la justice ou de la raison, va triompher. Maintenant que ce damné procès est terminé, j'ai besoin de solitude et de revenir aux bases mêmes de mes ambitions. J'ai comme premier but de faire le vide complet de mes tourments afin de faire de la place à l'objectivité. Vous ne pouvez pas vous imaginer, maman, l'effort qu'il m'a fallu pour ne pas craquer lorsque je vous ai vus, tous les quatre assis ensemble, me regardant comme un taureau qu'on amène dans l'arène.

— Mon Dieu Seigneur de la Vie, comment en es-tu arrivé à te compliquer l'existence à ce point ? Et si je te disais que Claudia a hâte de te rencontrer, qu'est-ce que tu répondrais à ça ?

— Pas plus elle que les autres, sauf Mathieu, à qui j'ai déjà confié certaines tâches.

— Si c'est comme ça que tu le prends, fais donc comme bon te semble. Tu es assez grand pour savoir ce que tu as à faire. N'oublie pas les médicaments que le docteur t'a prescrits à ta sortie de l'hôpital. Aide-toi et le ciel t'aidera, mon grand.

* * *

Pendant plusieurs semaines qui font suite au déroulement du procès, Érik demande à sa mère de filtrer les appels qui lui sont destinés. En fait, il ne s'entretient qu'avec Mathieu qui le tient au courant tant bien que mal des aléas qui pourraient survenir en rapport à son commerce. Ne réservant que les tâches administratives, il en profite le soir venu pour faire de longues marches dans la nature en parlant au Vieux tout comme s'il l'accompagnait. Il évacue ainsi peu à peu le négativisme dont il s'était enduit lors des dernières contrariétés qu'il avait vécues. Ainsi, son marché avec Herb Smith qui devrait se conclure prochainement ne saurait être qu'à son avantage, considération faite du jugement à venir qu'on chuchote être des plus conciliants avec son témoignage. Sa supposée filiation avec Samy n'est pas la fin du monde après tout. Si elle s'avérait vraie, il se dit qu'il sauverait l'honneur de sa mère au prix de vivre un amour platonique avec Claudia.

Quant à la dette d'honneur qu'il avait juré au Vieux de payer coûte que coûte aux familles des disparus, il considère ce défi comme des plus stimulants. Aidez ceux qui sont dans le besoin matériellement ou autrement ne peut qu'apporter la satisfaction du devoir accompli et la reconnaissance par ses pairs. Après tout, se dit-il, il pourra toujours tirer son épingle du jeu en misant sur sa profession de marchand en produits marins qui prend de plus en plus d'ampleur aux Îles.

Devenu de plus en plus confiant en ses moyens et assuré que l'avenir lui appartient, Érik appelle Samy. « Pas de nouvelles, bonnes nouvelles », lui répète-t-il chaque fois qu'il s'informe. Par ailleurs, il a constaté que Claudia est toujours absente de la maison et que, même s'il demande à Samy de le rappeler, il n'en fait rien. Plus inquiétant encore aux dires de Mathieu, Alpide aurait quitté les Îles pour affaires pour régler le marché convenu entre Samy et Smith au sujet des produits ramenés de la dernière saison de chasse au loup-marin. Toujours est-il que *par une bonne marée**, sa mère l'interpelle en ces termes :

— Érik, c'est Samy qui t'appelle au téléphone, qu'elle lui annonce en le sortant de sa torpeur.

— Oui, Samy, qu'est-ce qu'il y a de nouveau ? Je commençais justement à me faire du mauvais sang en apprenant qu'Alpide n'était plus aux Îles et que votre fille Claudia est toujours absente de la maison lorsque je vous appelle.

Après un silence qui en disait long, Érik l'interpelle à nouveau.

— Hé, Samy ! Êtes-vous encore au téléphone ?

— Oui, oui, Érik, et j'ai une très bonne nouvelle pour toi. Imagine-toi donc que je me suis procuré une copie du jugement où les accusés ont reçu comme sentence une absolution conditionnelle.

— Ouais, c'est très bien ! Je vous l'avais dit que ça se terminerait à notre avantage. Et puis, l'avez-vous appris à Claudia ? qu'il poursuit, le trémolo dans la voix.

— Pas encore. Il faut avant tout que je te rencontre au plus sacrant pour t'expliquer. Tu sais, c'est beaucoup trop dangereux au téléphone avec ces balayeurs d'ondes. Amène-toi et je vais te renseigner sur tout ce que tu veux savoir.

— Si c'est cela que ça prend, je me rends chez vous d'ici une demi-heure.

Dès son arrivée chez Samy, Érik voit bien que plusieurs affaires personnelles appartenant à Claudia ont disparu et que sa mère s'en remet à son mari pour tout lui expliquer.

---

* Par une bonne marée : Une bonne fois.

— Entre, Érik, et assieds-toi dans ce fauteuil, que Samy lui dit en le faisant passer dans son bureau. Je te dis que c'est notre jour de chance ! qu'il poursuit en lui présentant le jugement ainsi qu'un de ses cigares favoris.

— Merci bien, Samy. Mais si c'est, comme vous dites, notre jour de chance, voulez-vous bien me dire où se trouve actuellement Claudia ?

— *Well…* tu veux toujours aller trop vite. Lis donc ce jugement pendant que je demande à la servante de nous préparer un bon café cognac et on jasera de tout ça par la suite.

Érik ne peut s'empêcher de commencer par la fin pour constater que tous les accusés sauf un ont reçu comme sentence une absolution conditionnelle avec engagement de garder la paix et une bonne conduite pour une période d'un an. Il s'aperçoit que cette sentence est bien moins contraignante que la proposition faite au juge par les procureurs, d'autant plus qu'aucune amende n'est imposée. Reprenant la lecture du document, il se réjouit des arguments énoncés dans le jugement comme représentant une forme de conciliation des témoignages des témoins, dont le sien en particulier. En résumé, le juge indique que le crime commis, même s'il est punissable, en est un de nature primaire. Les accusés ont gardé le contrôle d'eux-mêmes, écrit-il en s'en prenant non pas aux personnes, mais aux objets qui les empêchaient d'exercer leur droit de chasser en respectant les règlements en vigueur. Le parallèle d'un chasseur de loup-marin avec un fermier d'élevage y est énoncé de façon à réhabiliter le droit au respect de l'image qui découle de leurs activités. Finalement, le juge se dit sympathique à la cause des chasseurs tout en appréciant la grande franchise de tous les intervenants au dossier.

— C'est très bien comme jugement, n'est-ce pas ? lui dit Samy en le voyant terminer sa lecture. Somme toute, il y a encore des êtres humains sur terre qui comprennent nos malheurs avec cette éternelle controverse sur la chasse au loup-marin. Le revers de la médaille, cependant, est que l'avocat qui s'est occupé de leur défense a appris par Alpide que le fameux Paul Watson préparerait un coup d'éclat ultime en venant aux Îles.

— Et alors, une fois de plus ou une fois de moins, qu'est-ce que ça me fait ? Vous ne m'avez toujours pas appris où se trouve votre fille Claudia…

— *Well*... Claudia a quitté les Îles pendant ta longue retraite avec une mission bien arrêtée de...

— Avec mon bon ami Alpide, lui riposte Érik en lui coupant la parole. Pourquoi ne pas tout m'avouer d'un seul trait? qu'il lui demande d'une voix sèche.

— Érik, tu tires sur le messager avant qu'il ne te fasse connaître son message. Ou bien tu me laisses continuer ou tu t'en retournes avec ton petit bonhomme de chemin. À toi de décider.

— Ça va Samy, je m'excuse. Allez, je vous promets de retenir ma langue le plus longtemps possible.

— Voilà. Pressé par ma fille qui ne cessait de me harceler pour lui fournir les raisons qui faisaient que je l'éloignais de toi, j'ai suivi ton ordre. Je lui ai donc remis sous scellé quelques échantillons permettant de faire analyser mon ADN dans un laboratoire spécialisé de Montréal.

— Quoi? Vous lui avez tout avoué de mes origines douteuses?

— Ouais! Et qu'est-ce que ça change que cela soit devenu un secret à trois plutôt qu'à deux? Je te gage, mon Érik, que tu n'as pas encore pris les dispositions qu'il fallait, n'est-ce pas?

— Mais... j'attendais après vous. Ça va, j'y verrai dans les plus brefs délais, qu'il lui répond en réprimant un mouvement d'irritation. Mais ne me faites pas des *accroires* que c'est uniquement le but de son voyage.

— Non pas vraiment. Du même coup, elle a rendu visite à ses cousines de Ville LaSalle, avec le mandat de préparer le terrain pour mon propre départ pour la grande-terre.

Érik, le visage frappé de stupeur, ne comprend pas tout à fait.

— Ah oui! Mais dites-moi par quelle coïncidence Alpide serait du même voyage.

— *Well*... je vois une pointe de jalousie dans tes yeux, mon Érik. Au fait, Alpide n'était que de passage à Montréal avec destination finale Terre-Neuve. De retour aux Îles depuis la semaine passée, il a bien répondu à mon appel en *fermant* définitivement mes ventes de peaux, de viande et du lard qui ont été rapportés par mes escouades de chasseurs du printemps dernier. Pour tout te dire, c'est lui qui m'a confirmé que Paul Watson de la IFAW venait aux Îles prochainement.

— Mais pour y faire quoi? lui demande Érik.

Pendant que Samy lui étale plusieurs scénarios possibles, Érik ne cesse de penser à la précarité de son marché avec Herb Smith dont il n'a pas entendu parler depuis le paiement du premier tiers des peaux. Au tout début, dans l'euphorie du moment, il avait évalué son stock de peaux à plus trois-quarts de million de dollars. Cependant, la livraison d'un premier tiers lui avait rapporté tout au plus une somme de 150 000 $, une baisse d'environ 30 % sans doute due à l'effondrement du marché. Quant aux deux tiers encore stockés, il se pourrait bien que Paul Watson, de combine avec Herb Smith, fasse en sorte que le prix plancher ne soit qu'un mirage qui disparaîtra dans la nuit. En somme, il se voit pris à son propre piège. En effet, il se voit dans l'obligation de livrer d'ici peu le restant des peaux, risquant ainsi que Herb Smith ne lui donne qu'une somme à peine suffisante pour payer ses frais encourus jusqu'à ce jour. Pire encore, si jamais il bénéficiait d'un léger surplus il se sentirait gêné de ne pas le donner aux familles des disparus.

— Érik, tu m'écoutes ou tu penses à autre chose ? lui demande Samy, en interrompant ses rêvasseries.

— Oui et non. C'est que... qu'est-ce qu'on fait maintenant ?

— Ce qui doit être fait a été fait à l'heure actuelle, mon cher Érik, lui répond Samy, très sûr de lui.

— Qu'est-ce que vous voulez dire par là ? lui demande-t-il, le visage raidi par ses nombreuses préoccupations.

— C'est que ton stock de peaux aurait bien pu être déplacé vers l'extérieur des Îles. Comme ça, on coupe l'herbe sous le pied à Paul Watson et, du même coup, on oblige Herb Smith à en prendre livraison à la date stipulée au contrat.

— Mais sans mon assentiment, Samy, cela ressemble à de l'extorsion pure et simple.

— Pas si sûr que ça puisque, toujours aux dires d'Alpide, Watson croit qu'elles sont encore aux Îles. Voilà une des raisons pour lesquelles il se prépare à s'en venir par ici pour faire du grabuge.

— Je crois bien, Samy, que vous êtes après m'embarquer dans un joli bateau. Claudia est à Montréal, Alpide y est allé faire son tour et le stock de peaux qui m'appartient d'emblée aurait pu quitter les Îles. Et moi, je poireaute sur place. Me prenez-vous pour un imbécile, Samy ?

— Je vois là le fils d'Esthèle qui…

— Et peut-être le vôtre ? qu'il lui réplique en lui coupant la parole.

— Comme je m'apprêtais à te le dire, mon Érik, le fils d'Esthèle est bien mieux aux Îles à surveiller les allées et venues de Watson que de s'éparpiller en voulant tout contrôler. Pour en revenir à ton stock de peaux, c'est sur la recommandation de notre avocat, tu sais celui que je t'ai choisi, qui m'a informé du choix que nous avions à faire avec les risques que cela comporte.

— Oui, mais vous m'avez devancé en prenant sur vous pour décider que le stock de peaux devait quitter les Îles.

— Je n'ai pas eu le choix. Ayant appris il y a quelques jours la forte probabilité que Paul Watson s'amène aux Îles, j'ai aussitôt affrété en secret l'un de mes bâtiments pour que ta marchandise puisse disparaître avant qu'il ne soit trop tard. Après tout, c'est moi qui paie l'avocat, ce avec quoi tu étais d'accord. Comme quoi la décision prise n'était que pour ton bien et non pour le mien ou celui de qui que ce soit d'autre. Tu vois cela, Érik, une autre mise sous scellée due aux controverses des familles des disparus qui auraient été subjuguées par ce damné Watson ?

Érik voit bien que Samy le traite comme son propre fils et qu'il n'a pas grand-chose à dire au sujet des décisions prises à sa place.

— Et Claudia, qu'est-ce qu'elle pense de tout cela ?

— *Well…* je l'ai priée de s'entendre d'abord avec mon frère de Ville Lasalle pour que ton stock de peaux soit entreposé à l'insu des intervenants, même de Herb Smith qui pourrait voir par là une sorte de faux-fuyant.

— Et quoi d'autre, Samy ?

— Voir à ce que le nécessaire soit fait avant que j'aille à Montréal en personne. Tu sais ce dont je te parle Érik, n'est-ce pas ?

— Ça m'a l'air d'être une bonne décision, qu'il lui répond, plus mêlé que jamais sur les intentions réelles du marchand. Mais Herb Smith n'est-il pas l'autre partie de notre entente ? Comment allez-vous le contraindre à respecter son contrat ?

— *Well…* mon bureau d'avocats s'en occupe déjà. Ils ont tout en main, incluant le résultat de notre propre analyse sur le degré de contamination des peaux de même que les conditions de livraison et de paiement. Smith devra les satisfaire, faute de quoi une poursuite en bonne et due forme lui sera adressée.

Érik s'aperçoit que si leur propre analyse sur la contamination des peaux pouvait faire preuve au dossier, l'affaire du marché des pénis entre Herb Smith et Alpide pourrait lui permettre de prendre ce dernier comme garantie.

— Samy, pourquoi que je ne me servirais pas d'Alpide, comme garant à mon entente? N'est-ce pas lui qui, de concert avec Herb Smith, m'a floué lors de l'expédition sur l'Orphelin?

— Le marchand devenu livide par cette affirmation se lève et regarde à la fenêtre de son bureau. Il ne connaît pas toute l'ampleur des connaissances intuitives d'Érik sur le sujet. Cependant il se dit qu'à force de vouloir l'asservir à sa manière, Érik pourrait bien le renier l'un de ces jours comme son père biologique.

— CFIM annonce du mauvais temps et pourtant mon baromètre me dit tout le contraire, qu'il fini par lui dire en s'assoyant.

— S'il vous plaît Samy, allez-vous répondre oui ou non à ma question?

— *Well...* Alpide n'est-il pas celui qui nous a fourni des informations privilégiées sur la venue de Paul Watson aux Îles? Tu sais, Érik, il ne faut pas le mépriser parce que autrement tu vas te retrouver gros Jean comme devant.

— Vous avez peut-être raison, Samy. Après tout, on est mieux de surveiller Paul Watson qui aurait bien pu s'allier à Herb Smith pour faire échouer mon marché en le payant grassement pour qu'il lui demande de faire disparaître mon stock de peaux en un tour de main.

— Tu raisonnes comme moi, mon Érik. N'oublie pas cependant l'analyse de ton ADN, d'autant plus que Claudia est maintenant au courant.

CHAPITRE 13

La vie n'est pas faite uniquement
de rendez-vous manqués

Paul Watson, un Californien d'origine naturalisé canadien, est l'un des cofondateurs de Greenpeace. Insatisfait des actions de cet organisme, à tel point que plusieurs membres de l'exécutif se plaisent à l'appeler le *terroriste des mers*, il fonde en 1977 sa propre organisation : la *Sea Sherperd Conservation Society*. Ses interventions radicales et musclées lui ont permis entre autres d'attirer l'attention des médias, l'un des principaux outils pour rallier l'opinion publique à ses différentes causes traitant des mammifères marins.

Fort de ses convictions, il est allé jusqu'à harponner et miner par la suite la baleinière norvégienne *Sierra* pour la faire sombrer. Arrêté, traîné en justice en maintes occasions, son premier navire, le *Sherperd I* a été saisi pour faute de paiement d'amendes. Il réussit cependant à le saborder, démontrant ainsi aux autorités en place qu'il s'est fait martyr pour protéger ses amis les animaux marins.

Le physique de l'homme est d'une élégance certaine. Sa forte stature, ses longs cheveux gris retroussés en arrière, ses lèvres épaisses, son nez fin et ses grands yeux légèrement en amande lui vont à merveille et l'aident même à se faire respecter comme chef. Son entourage ne lui résiste pas. Comme preuve : « Si vous n'êtes pas à 100 % avec moi, vous êtes contre moi », leur a-t-il dit un jour, si bien que les trois quarts de son équipage le quittèrent pour une peccadille.

Provocateur avec ses coups de gueule, Paul Watson est quand même d'un grand courage. Il a déjà affronté les Russes, les Portugais, les Japonais, les Norvégiens, même les Canadiens et, plus particulièrement, les chasseurs madelinots. Fait prisonnier en 1983 en attendant son appel pour cassation d'inculpation sur un territoire réservé uniquement aux chasseurs, il a dû faire face une fois de plus à une mésaventure qui l'a presque ruiné. En effet, les autorités canadiennes ont saisi son navire, le *Sea Sperperd II* qui se trouvait — par hasard? — dans les eaux territoriales privées de chasse et de pêche entourant les Îles-de-la-Madeleine.

Aigri au plus haut point par ce contretemps, il a fait connaître peu de temps après son intention d'aller aux Îles-de-la-Madeleine avec son hélicoptère pour y loger dans un hôtel avec ses hommes de main et quelques journalistes triés sur le volet. Il espère ainsi que la hargne des chasseurs à son égard le portera une fois de plus au pilori des suppliciés.

Il sait déjà que les Madelinots ont la mémoire longue. N'a-t-il pas déjà essayé de harponner le *Sadi-Charles*, un bateau d'à peine vingt mètres, avec son navire qui en mesurait plus du triple. L'enduit de couleur rouge indélébile dont il avait couvert avec son équipage plus de 1500 blanchons avait rendu furieux les chasseurs madelinots. Recouvertes ainsi de teinture, les femelles avaient abandonné leurs petits à leur triste sort. En effet, elles ne reconnaissaient plus, par leur odorat, la présence de leurs nouveau-nés qui dégageaient une odeur qui leur était devenue totalement inconnue.

* * *

— Érik! lui crie sa mère, Samy est au téléphone et il veut te parler absolument.

Concentré à terminer la lecture des écrits et reportages sur Paul Watson, Érik fait mine de ne rien entendre.

— Érik, veux-tu bien venir lui parler? qu'elle ne cesse de lui répéter.

— Mettant de côté sa documentation, il s'accapare du combiné. Oui, Samy, qu'est-ce que ça conte de bon?

— *Well...* un peu comme je le disais à ta mère, c'est le temps que tu fasses la paix avec Alpide. Vous en sortirez gagnants tous les deux, j'en suis certain.

— Et qu'est-ce que j'ai à faire? qu'il s'enquiert, surpris par cette invitation.

— Tu n'as qu'à venir nous rencontrer à ma *factrie* de mise en conserve.

— Vous voulez dire celle qui appartient maintenant à Alpide?

— Arrête tes balivernes et amène-toi si tu ne veux pas le regretter un de ces jours.

Chemin faisant, Érik ne cesse de penser de quelle façon il va aborder Alpide. «Une autre combine de Samy, se dit-il, pour faire d'une pierre deux coups. Si, effectivement, il est démontré que je suis son fils naturel, Alpide aura ainsi le chemin libre pour parfaire sa conquête de Claudia qui verra d'un mauvais œil son demi-frère en brouille permanente avec son futur mari. »

— Entre, lui dit Samy en guise d'accueil. Alpide t'attend dans son bureau. Viens, je vais t'y conduire.

Tout en accompagnant le marchand, Érik jette un léger coup d'œil sur le personnel réduit de moitié en train de préparer les mises en conserve de crustacés et de poissons, lui confirmant ainsi le déclin certain de ce genre d'activité aux Îles.

— Érik, quelle bonne surprise! lui dit Alpide dont l'expression du visage reflète un certain scepticisme.

— Allez, leur dit Samy. Je vous laisse seuls comme des hommes d'affaires avertis qui sauront sûrement s'entendre.

— Et puis, Alpide, il paraîtrait que tu es prêt à faire la paix avec moi une fois pour toutes?

— Oui et non, Érik. Oui, si tu le veux également, et non, si tu ne veux rien savoir.

— Mais oui, Alpide. Qu'est-ce que tu penses? J'ai pas de problème avec ça. On commence par quoi?

— Écoute-moi bien, Érik. Depuis que le jugement sur le procès dans l'affaire de l'hélicoptère a été rendu public, les pêcheurs et les chasseurs en particulier n'en ont que pour toi. Même que plusieurs d'entre eux ne comprennent pas la raison pour laquelle j'ai hérité de la *cannerie* de Samy; mais ça, c'est une autre affaire. Pour en revenir aux faits, ces gens voudraient bien que tu leur viennes une fois de plus en aide pour extirper ce *simonacle* de Paul Watson lorsqu'il sera arrivé aux Îles. Tu t'exprimes bien en anglais et avec tes propres convictions sur la chasse au loup-marin, tu pourrais l'obliger à nous foutre la paix une fois pour toutes.

— Ça semble raisonnable comme démarche. De toute façon, cela pourrait me servir autant à moi qu'aux autres. Si ma présence en tant qu'interlocuteur auprès de Watson peut aider à nous entendre, eh bien voilà, j'y serai comme un seul homme.

— Parfait, lui répond Alpide spontanément. Tu sais, Érik, j'ai vraiment mal agi lorsque j'ai déchiré la quittance que tu m'avais remise avec le chèque de 25 000 $. D'ailleurs, Herb Smith, que j'ai rencontré à maintes occasions ce printemps, me l'a remis sur le nez.

— En parlant de lui, comment as-tu réussi à obtenir un prix raisonnable pour les produits de la dernière chasse au loup-marin ? Tu n'es pas sans savoir que l'effondrement annoncé du marché de la fourrure aura un impact important sur mon propre stock de peaux dont il aura à prendre livraison dans une semaine à peine.

— Tu sais, Érik, négocier avec Herb Smith n'est pas chose facile. Cependant, ça dépend toujours de ce qu'on a à offrir comme monnaie d'échange. Tu prends, par exemple, le marché des *pifs* de loup-marin. Les Asiatiques raffolent d'en acheter, ça fait que…

— Ça fait que quoi ? lui demande Érik tout en pensant aux nombreux spécimens que son interlocuteur avait accumulés à son insu dans la cale de l'*Ariès*.

— Bien… Ça dépend du nombre et de la qualité, autant de facteurs qui font varier le prix qui peut fluctuer entre 50 et 200 $ pièce, en argent américain évidemment.

Érik se demande bien en l'écoutant s'il sait que Mathieu et lui connaissent déjà sa cachotterie sur les pénis emmagasinés dans la boîte du rotor de l'*Ariès*.

— À ce que je sache, ce n'est pas la première fois que tu prélèves des *pifs* de loup-marin.

— Bon… disons que… lors de notre expédition sur l'Orphelin, je m'étais fait la main avec Azade, comme on dit. Mais pas plus que ça.

— Et de quelle façon peux-tu t'en rappeler si bien que ça, toi qui as souffert la mort lors de ton retour sur la terre ferme ?

— Bien… Tu sais, c'est une question d'habitude. J'ai toujours un petit calepin dans mes poches dans lequel je note mes allées et venues. Enfin, tout ce qui mérite qu'on s'en rappelle au moment voulu. Sait-on jamais, de nos jours, avec tout ce qui se ressasse aux Îles sur l'actualité…

— Comme notre expédition sur le Banc-de-l'Orphelin, par exemple ? lui demande Érik pour lui tendre la perche.

— *Simonacle*, tu ne crois tout de même pas que j'ai noté du tout au tout pour faire un double de ton livre de bord ?

— Peut-être que oui, peut-être que non. Qu'est-ce que tu en penses ? qu'il lui demande afin d'en avoir le cœur net avec les quelques feuilles de papier que lui avait montrées Claudia.

— Érik, on n'est pas pour commencer à se chicaner sur ce que tu aurais dû faire ou ne pas faire sur l'Orphelin. Moi aussi, j'ai fait des erreurs. Tout ça, c'est du passé. Revenons-en à ce qui m'importe à l'heure actuelle.

— Si, justement. Pourquoi veux-tu absolument t'approprier de l'épave de l'*Ariès* et en retour de quoi devrais-je te la céder ?

— Là, Érik, tu parles comme un gentleman. En la renflouant, je pourrais en faire une pièce de musée d'une grande valeur. Qu'est-ce que tu en penses ?

— Mais n'est-elle pas le cercueil de sept vaillants Madelinots ? de lui répondre Érik qui, pendant quelques secondes, sent comme si un poids lourd lui avait passé sur tout le corps tellement il se considère responsable de la perte de tant de vies humaines.

— Mais je procéderai avec toute la décence possible pour que les familles soient tenues au courant. Renflouer l'*Ariès*, ça sera comme sortir des profondeurs de la mer la tombe de nos amis qui autrement, avec le temps, se démembrerait pour disparaître à jamais. Et puis toi, Érik, tu te sentiras soulagé de voir que moi, Alpide à Johnny, je prendrai sur mes épaules la suite des événements dans cette triste histoire.

— Cela a peut-être du sens, mais comment vas-tu t'y prendre ?

— Ça reste à voir. Avec la permission du Receveur d'épave, j'ai déjà fait quelques plongées de reconnaissance. Par contre, je pourrai savoir encore plus comment m'y prendre lorsque j'en deviendrai le propriétaire.

Érik se sent pris dans un enchevêtrement de décisions qui permettront à Alpide, s'il le veut bien, d'altérer les preuves matérielles des causes du naufrage. De ce fait, les falsifications pourraient servir de monnaie d'échange contre une réclamation future de sa part lorsque les deux tiers des peaux seront vendues et payées.

— Ça va, j'irai voir le Receveur d'épave dès demain. En contrepartie, tu devras me signer une quittance complète et parfaite eu égard à ma supposée responsabilité dans le naufrage de l'*Ariès*.

— Autant que pour la mienne, de renchérir Alpide. Sait-on jamais ce qui pourrait arriver avec les ayants droit des familles des disparus.

— Sauf si tu as volontairement… Bon, laisse faire Alpide, on n'en finira plus de *s'accrocher dans les fleurs du tapis* si on exige tous les deux une entente parfaite à tous points de vue.

— C'est bien ce que je me disais, Érik. Claudia serait déçue d'apprendre qu'on n'a pas réussi à exaucer le souhait le plus cher de son père.

— Justement, en parlant d'elle, comment va-t-elle ? Ne reviens-tu pas d'un voyage supposément d'affaires à Montréal ?

— Elle va merveilleusement bien. À tel point que je ne crois pas qu'elle revienne aux Îles avant que son père ne se soit bien installé dans une grande maison qu'il s'est fait bâtir à ville LaSalle, tout près des rapides. Et toi, comment va ta recherche sur la vérité ?

Pendant plusieurs secondes, Érik entre dans un état de panique qu'il essaie de ne pas lui faire voir. « Alpide, qui a le nez fourré partout, doit savoir pour ses origines, se dit-il. Comment faire alors pour se sortir de ce guet-apens ? »

— La vérité, Alpide, c'est que j'aime Claudia et je suis à peu près certain que c'est réciproque.

— Et tu persistes à le croire encore malgré tous tes appels chez son oncle de Ville LaSalle qui sont demeurés sans réponse ?

Érik est piqué à vif par cette vérité sortant de la bouche même du prétendant de celle qu'il porte dans son cœur plus que toute autre femme.

— Je te dis que cette fille-là est très affectueuse ! qu'il poursuit pour jeter encore plus l'huile sur le feu. Nos sorties ensemble m'en ont appris bien plus sur elle que ce que tu prétends savoir.

— Ça va, Alpide. Inutile de continuer ton boniment. Je suis assez vieux pour savoir ce que j'ai à faire.

— Comme tu voudras, Érik. Oublie pas, cependant, notre accord sur l'épave de l'*Ariès*.

— Pas de problème. On s'organise pour faire disparaître Paul Watson des Îles, tu me signes une quittance et, en retour, je te cède la propriété de l'*Ariès*.

* * *

234

Les jours suivant cette confrontation, une mobilisation se fait sur tout le territoire des Îles-de-la-Madeleine pour évincer Paul Watson et ses acolytes aussitôt qu'ils auront mis le pied sur la terre ferme.

— Oui, allô !

— C'est toi, Érik ? lui annonce Julianna d'une voix fébrile.

— Oui. Qu'est-ce que tu me veux encore ?

— Pourquoi refuses-tu toujours de me courtiser ? Tu sais, un service en attire un autre. Imagine-toi donc que mon amie de fille, tu sais la serveuse au bar de l'auberge Madeli, eh bien ! elle m'a dit tout à l'heure qu'un groupe d'Américains, dont fait partie Paul Watson, était déjà logé dans une des suites de l'hôtel.

— Mais comment les a-t-elle reconnus ?

— C'est simple comme bonjour ! Avec les cartes de crédit qui lui ont été remises.

— Eh bien ! Merci pour l'information. Je te vaudrai la pareille un de ces jours.

— J'y compte bien, Érik. Tu sais, je suis tannée d'attendre toujours après toi.

— Ne t'en fais pas. J'étais justement en train de me demander pourquoi on ne reprendrait pas nos chaleureuses fréquentations d'autrefois ! Merci encore une fois Juliana.

Érik se précipite aussitôt chez Samy pour constater qu'il est déjà au courant de toute l'affaire.

— Prépare ton discours, mon Érik, lui dit-il en l'accueillant. Paul Watson, considéré par nos compatriotes madelinots depuis belle lurette comme Lucifer en personne, vient d'atterrir aux Îles avec son hélicoptère.

— Ah oui ? Et combien sont-ils avec lui ?

— Well… je crois qu'ils sont quatre ou cinq, dont une femme ainsi que l'acteur américain Martin Sheen, à ce que je sache.

— Eh bien ! Ça ne sera pas du gâteau de les évincer des Îles.

— C'est justement pour ça qu'un groupe de chasseurs t'attend au point de rassemblement, à la jonction de la route 199 et du chemin qui mène à Fatima.

— Et où se trouvent-ils à l'heure actuelle, ces prophètes de malheur ? lui demande Érik de façon à lui cacher sa récente conversation avec Julianna.

— Ils se sont barricadés dans une chambre de l'auberge Madeli en s'assurant au préalable d'avoir hurlé une montagne d'injures aux chasseurs et pêcheurs déjà rassemblés près de là.

— Ça va, je m'en vais les retrouver. Cependant, pensez-vous qu'ils sont assez nombreux pour créer l'effet recherché?

— *Well...* ils sont au moins une cinquantaine. Allez, dépêche-toi.

Plus d'une heure après, Érik arrive au point de rassemblement indiqué par Samy. Il aperçoit quelques lambineux qui, avec plusieurs bières ingurgitées, l'informent que tout le groupe a déjà quitté pour s'introduire dans l'auberge, il y a de ça plus d'une heure. Sentant qu'il était peut-être un peu tard pour intervenir, il s'y rend quand même pour se faire interpeller violemment par Alpide:

— *Simonacle,* Érik, qu'est-ce qui t'arrive? Ça fait plus de deux heures qu'on t'attend, vocifère-t-il.

— C'est pas ma faute. J'ai fait une crevaison sur le Havre-aux-Basques, qu'il lui réplique quand, en réalité, il souhaitait de tout cœur que pendant son absence l'affaire se soit bâclée.

— Bonne déblâme! qu'il lui riposte d'une voix cassante. Viens et amène-toi pour que tu donnes l'ordre à ce Watson de malheur de sortir de sa suite et de quitter les Îles au plus sacrant.

— Je te suis, Alpide, qu'il lui répond, largement dépassé par les événements.

Érik a toutes les difficultés du monde à se frayer un passage dans l'aile gauche de l'hôtel où se sont entassés plus d'une vingtaine de chasseurs qui ne cessent de crier: «*Out you go, Watson, out you go!*»

Plusieurs participants essayent de forcer la serrure de la chambre où Watson et ses acolytes se sont barricadés. Il leur faudra donc user de force s'ils veulent être capables de les atteindre.

— Attention, leur crie un chasseur à l'autre bout du corridor, les agents de la SQ arrivent sur le stationnement avec leurs *cerises* allumées.

— Ils font semblant de vouloir venir nous arrêter, leur lance un autre.

— Ils sont aussi bien de rester tranquilles parce que cette fois-ci, ils ne pourront pas nous empêcher de faire notre job, balbutie un vieux loup de mer peu habitué à ce genre de confrontation.

— Écoutez-moi, leur clame un chef d'escouade. Si la montagne ne vient pas à vous, ne pensez-vous pas que c'est à nous d'y aller? Faites attention, cependant, de ne pas toucher aux personnes à l'intérieur. Autrement, vous savez de quoi ces Américains sont capables.

Il n'en fallait pas plus pour qu'une dizaine d'hommes biens costauds s'accaparent de matraques et de massues pour défoncer la porte d'entrée, laissant pantois l'agent qui les accompagne.

Érik, tel un robot mal programmé, suit le groupe tant bien que mal à l'intérieur de la suite. Il y voit d'abord Paul Watson debout au milieu de la pièce qui brandit un bâton muni de fils branchés à une batterie qu'il porte à sa ceinture. « *Don't touch me!* », qu'il leur dit en fixant le groupe des chasseurs. « *You're a bunch of bastards and killers.* »

Érik aperçoit, près d'une fenêtre, ce qui lui semble être un reporter de télévision qui n'ose prendre sa caméra, par peur de représailles. Il ne se gêne pas, cependant, pour actionner son téléphone cellulaire en décrivant à voix basse le déroulement de la scène.

Détournant son regard, il reconnaît le comédien Martin Sheen, recroquevillé dans un coin, les mains au-dessus de la tête, l'air éberlué, ne sachant pas tout à fait pourquoi il s'est embarqué dans une telle galère.

Paniquée, une femme, très jolie d'ailleurs, que plusieurs prétendent être une des amies de cœur de Watson, ne cesse de narguer l'agent de la SQ en lui criant: « *Shoot them! Shoot them, those bastards!* »

— Vas-y, Érik! lui lance Alpide. Parle-lui dans le *kisser* à ce *simonacle* de Watson.

— *Mr. Watson, in the name of the Magdalen Islands hunters, you must go away of the islands right now.*

— *Don't touch me!* ne cesse de répéter Watson, en regardant le reporter qui voudrait bien se servir de sa caméra, ce dont il est empêché par deux membres du groupe.

Tout à coup, un des chasseurs s'aventure pour empoigner Watson. Malencontreusement il reçoit une terrible décharge électrique qu'il transmet à un autre chasseur qui voulait intervenir.

— *I told you: don't touch me, you bastard!* leur clame Watson, fier de voir que son *shock gun* fonctionne à merveille.

— Pas question de le laisser faire, crie un chasseur en s'accaparant de son bâton qu'il balance dans les airs, pour finalement faire perdre l'arme à Watson.

— *What are you waiting for, you, Cooper? Shoot them! Shoot them!* ne cesse de hurler la femme.

Le reporter d'une station de télévision de Toronto, ne pouvant plus se servir de son téléphone qu'on lui a enlevé, prend des notes tant bien que mal, toujours contraint de ne pas toucher à sa caméra-vidéo. Quant à l'agent de la SQ qui les accompagne, il ne bouge pas d'un poil, même s'il est constamment harcelé par Watson et ses acolytes.

— Monsieur l'agent, c'est Paul Watson qu'on veut sortir de là, lui dit Érik. Les autres, ils ne nous intéressent pas. Vous pouvez les relocaliser ailleurs, si vous voulez.

Sans attendre la réponse du policier, quatre chasseurs empoignent Paul Watson. Ce dernier se laisse traîner sans trop de résistance jusqu'à l'extérieur de la suite. Traversant le couloir rempli de chasseurs en colère, le captif lance un grand cri de douleur qui le fait grimacer.

— Tiens, vocifère un chasseur non identifié, voilà comment j'harponne l'homme qui a essayé de s'en prendre à mon escouade le printemps dernier. Un bon *six pouces*, ça va te faire réfléchir *for a very very long time.*

Le visage défait par l'intense douleur qu'il ressent dans la cuisse, Paul Watson sort de l'hôtel en boitant pour s'adresser à l'autre agent qui est resté près de son véhicule : « *You've got a gun, Cooper. Aren't you gonna use it to defend me ?* »

Comme réponse, les chasseurs le forcent à s'introduire dans une automobile dont le chauffeur leur crie de se dépêcher. « Il paraîtrait qu'un détachement anti-émeute de la SQ est actuellement en route pour les Îles ! » qu'il leur annonce d'une voix forte.

L'automobile quitte aussitôt l'hôtel, accompagnée de celle des agents de la SQ. Quelque vingt minutes plus tard, Paul Watson est forcé d'embarquer dans un petit avion spécialement affrété par l'Association des chasseurs de loup-marin, non sans avoir été fouillé au préalable dans le but d'éviter une éventuelle automutilation qu'il pourrait par la suite faire passer sur le dos des chasseurs.

Les autres opposants sont aussitôt relocalisés ailleurs sur les Îles, sous la surveillance de la Sûreté du Québec. Les chasseurs acceptent une trêve de 24 heures pour les laisser quitter les îles en paix, en autant que l'escouade anti-émeute soit détournée de sa destination. Pendant cette accalmie, les chasseurs réussissent tout de même à fouiller l'hélicoptère afin de s'assurer qu'aucune pièce à conviction compromettante ne soit présente à bord.

Tout est bien qui finit bien puisque le reste du groupe des opposants peuvent quitter les îles avec l'hélicoptère en toute quiétude, le lendemain sur l'heure du midi. Aucune arrestation ni déposition de quelque nature que ce soit n'a été effectuée, comme quoi le jugement sur le droit à l'image aura enfin servi de justification à ces actes empreints d'une violence certaine.

* * *

Pendant plusieurs jours qui suivent l'éviction de Paul Watson des Îles, Érik essaie d'élucider les contrecoups que celle-ci aura sur le marché des peaux. Sachant que Samy s'apprête à quitter les Îles pour s'établir en permanence sur la grande-terre, il le rencontre pour en discuter avec lui.

— Il paraîtrait que vous allez fuir les Îles pour Montréal par le prochain bateau et qu'en plus, Alpide va vous accompagner comme un chien de garde, lui déclare Érik au début de leur rencontre.

— *Well...* Tu me prêtes encore une fois de mauvaises intentions. Savais-tu qu'en quittant les Îles, je vais d'abord m'occuper de ton stock de peaux entreposé à Montréal et dont Herb Smith va prendre livraison dans les prochains jours, tel que le stipule le contrat entre vous deux?

— Ça va pour ça, mais *désespoir*, Samy, allez-vous me dire une fois pour toutes ce qui se passe entre votre fille et cet Alpide de malheur? qu'il lui demande, la rage au cœur.

Dans le but de ne pas lui répondre, le marchand se met à lui expliquer les motivations qui l'incitent à lever l'ancre des Îles-de-la-Madeleine, ces îles qui l'ont vu naître et lui ont rempli les poches des fruits de la pêche et de la chasse au loup-marin. Certes, il a transféré à Alpide, pour une somme symbolique, sa *factrie* de mise en conserve. Cependant, celui-ci a l'obligation formelle d'y faire travailler les membres des familles des disparus de même que de l'entourage d'Azade qui, il y a à peine un an, a mis fin à ses jours. Rendu dans la

239

soixantaine avancée, il informe Érik qu'il veut d'abord s'approcher des grands centres, là où les services de soins médicaux, quoique insuffisants, sont quand même d'une grande qualité.

— Le meilleur exemple à cela est ma femme dont les reins fonctionnent à peine, qu'il lui fait savoir. Eh bien ! c'en est rendu qu'à force d'aller à Québec pour sa dialyse, ça la rend plus malade qu'autrement, surtout que plus ça va, plus les intervalles se raccourcissent. Les gouvernements disent qu'ils n'ont plus d'argent pour ça, mais ils en trouvent toujours pour se chicaner entre eux. Tiens, prends donc un bon cigare, qu'il poursuit en lui tendant la boîte. Même si fumer n'est pas ton fort, tu vas voir que ça apaise les tensions.

— Merci bien, Samy, qu'il lui répond en le priant de l'aider à procéder au rituel qui précède une toute première bouffée d'un cigare de grande qualité.

— L'avenir aux Îles-de-la-Madeleine pour un vieux haïssable comme moi n'a plus sa raison d'être. Si ce n'est pas les coopératives qui nous ont remplacés comme intermédiaires, ce sont les pêcheurs — pour ceux qui restent — qui sont devenus propriétaires de leurs propres usines d'affrètage et de transformation. C'est vrai que la pêche au crabe des neiges, et surtout celle au homard, reste un apport économique important pour nos compatriotes. Toutefois, ce sont les Japonais et les Américains qui mènent le bal avec des offres de prix en conjoncture avec la mondialisation des marchés, quand ce n'est pas la fluctuation du dollar canadien qui embrouille encore plus les cartes. Le transfert des quotas de pêche au crabe aux pêcheurs de morue dont on a racheté les permis sont autant d'éléments qui me compliquent la vie, à tel point que plutôt que de me battre, j'abandonne.

— Oui, mais vous oubliez l'essor considérable du tourisme aux Îles, de lui répliquer Érik en essayant de prendre une première bouffée de cigare.

— Laisse faire le tourisme pour le moment. Je n'ai pas encore terminé mon discours d'adieu sur la ressource même qui nous a permis de survivre aux Îles depuis que mes ancêtres s'y sont installés. Tu prends comme exemple la chasse au loup-marin, il n'y a plus rien qui ressemble à *en premier*. En plus des règlements sévères sur le statut de chasseur comme sur les méthodes d'abattage, c'en est rendu qu'on veut déterminer des sites réservés aux chasseurs et d'autres pour l'observation des blanchons. C'est assez pour faire retourner de bord dans sa tombe mon défunt père. Tu sais quoi, Érik ? C'est qu'à partir de cette année, il a fallu rapporter du large non seulement les peaux, mais également les carcasses pour qu'elles soient apprêtées en charcuterie de toutes sortes.

— Quant à parler de la chasse au loup-marin, j'ai entendu dire que le gouvernement s'apprêtait à subventionner un centre d'interprétation pour expliquer aux touristes les dessous de toute cette affaire qui en a fait jaser plus d'un dans tout le monde entier.

— Parle-moi pas des gouvernements ! Cette subvention, c'est d'abord pour les faire paraître *politically correct*. Tant et aussi longtemps qu'ils n'accorderont pas aux Madelinots la reconnaissance de leurs droits ancestraux sur la gestion de la chasse et de la pêche dans le golfe Saint-Laurent, il n'y a rien d'autre à faire que de s'exiler sur la grande-terre. Mais toi, Érik, penses-tu pouvoir faire ton avenir aux Îles ? qu'il lui demande en fronçant ses gros sourcils noirs.

— Moi ? Peut-être que oui, mais en autant cependant que je sois bien entouré d'individus expérimentés, tout comme l'était mon oncle Frédérik et même vous, qui allez nous quitter d'ici quelques jours.

— Merci bien pour le compliment, Érik. En fait je te laisse le chemin libre de procéder comme tu l'entends avec les pêcheurs qui m'étaient déjà acquis et que j'ai informés que je transférerais leurs ententes avec toi.

— J'apprécie grandement, Samy. Qu'allez-vous faire, par contre, de vos installations autres que celle que vous avez cédée à Alpide, lui demande-t-il, curieux qu'il est d'en savoir plus long sur ses intentions futures. À part ça, il y a votre majestueuse maison avec ses dépendances, qui ferait l'affaire de bien des pêcheurs de crabe et dont plusieurs sont riches à craquer.

— Ça, c'est réservé à ma fille Claudia et à celui qui l'aura méritée.

— Comme Alpide, peut-être ? de lui répliquer Érik en sentant comme un serrement de cœur. Finalement, Samy, allez-vous répondre à ma première question qui en sous-entend une autre : avez-vous *froliqué**avec ma mère au moment où elle fréquentait mon père Nathaël ?

---

* Froliquer : s'amuser avec excès dans les jeux de l'amour.

Samy, comme réponse, fait faire un demi-tour à sa chaise de façon à lui tourner le dos. Il prend plusieurs bouffées de cigares qu'il rejette en essayant tant bien que mal d'effectuer des ronds de fumée.

— Tu as vu ces ronds, mon Érik ? qu'il lui dit en se retournant.

— Oui, pourquoi ?

— Voilà : ils représentent le nombre de fois où j'ai séduit ta mère Esthèle avant qu'elle ne convole en justes noces. Ça fait que les probabilités que tu sois mon fils sont tout à fait vraisemblables.

Érik commence à croire que Samy, en accord avec sa mère, lui cache la vérité. Comme ça, ils vont lui éviter un traumatisme qui pourrait le faire basculer à nouveau dans une forme de dépression. Samy, voyant Érik perdu dans ses pensées, lui demande :

— Ne voulais-tu pas connaître mon impression sur les touristes aux Îles ?

— Ouais… si ça peut vous faire plaisir.

— Le tourisme aux Îles, ça pourrait devenir une très bonne affaire. Il faudrait cependant que nos compatriotes cessent de vendre leur maison à ces *étranges* qui viennent y passer une partie de l'été pour les laisser vides par la suite.

— Peut-être bien, mais c'est le marché de l'offre et de la demande. Comme négociant, vous connaissez ça.

— Tant qu'à ça, tu as raison. Par contre, pour le poisson de fond, même s'il y a une forte demande, l'offre elle-même n'existe pas avec tous les moratoires que les gouvernements ne cessent de décréter. Tu sais, Érik, la cerise sur le gâteau qui m'a fait décider pour de vrai de quitter les Îles, c'est le récent naufrage du chalutier *Nadine* qui a causé huit morts. Je crois bien que je ne m'en remettrai jamais, qu'il lui dit en toute fin de leur entretien.

De retour chez lui, Érik ne cesse d'être tourmenté par les dernières révélations de Samy. Il est de plus en plus convaincu de sa filiation avec lui. Cependant, il reconnaît qu'il ne peut se laisser distraire par cette ambiguïté au moment même où son marché avec Herb Smith va prendre une tournure déterminante sur son avenir comme homme d'affaires.

* * *

Plusieurs jours par après, Érik se présente au débarcadère du navire cargo-passagers qui s'apprête à quitter les Îles pour son voyage hebdomadaire vers Montréal. Voyant Alpide qui fait des pieds et des mains avec les valises de Samy, il ne peut s'empêcher de lui faire cette remarque :

— Eh bien ! C'en est rendu que le prétendant de Claudia accompagne le beau père pour l'assurer qu'il va lui montrer sa loyauté jusqu'au bout !

— C'est bien ce que je pensais, Érik. Tu ne peux t'empêcher de voir de la manigance dans tout ce qui t'affecte. Tu devrais plutôt regarder autour de toi et voir combien Julianna, par exemple, attend seulement que tu lui fasses signe pour qu'elle se jette dans tes bras.

Comme Érik s'apprêtait à fignoler une réponse qui ne lui donnerait pas tout à fait raison, Samy s'approche pour lui donner l'accolade. Il l'embrasse sur les deux joues et lui dit :

— *Well...* Je te quitte, Érik, mais je ne laisse pas pour autant tomber l'homme qui m'a tellement épaté et que j'aime jusqu'au plus profond de moi-même. Si jamais tu te décidais, tu sais ce que tu as à faire. La porte de ma maison, même celle sur la grande-terre, te sera toujours grande ouverte.

La voix et le cœur à l'envers, Érik ne peut que bredouiller une dernière salutation :

— Allez, Samy, on vous attend à bord. Mon cœur est du voyage et mes yeux vous suivront jusqu'à ce qu'ils ne puissent plus vous repérer à l'horizon.

* * *

Une heure tout au plus par la suite, ayant promis au marchand de suivre le navire sur la portion du voyage qui doit contourner la partie sud-ouest des Îles, Érik escalade une à une les buttes des Demoiselles situées sur l'île de Havre-Aubert. Il peut suivre ainsi le navire qui vogue au fil de l'eau, tel un immense oiseau blanc qui disparaît peu à peu de l'horizon teinté d'un soleil couchant orangé.

De retour chez lui, il retrouve sa mère qui se berce, les yeux tristes, en regardant le panorama lointain de la longue dune de sable qui contourne son île.

— On vient de perdre tout un homme au profit des étrangers, lui lance Érik.

— Oui, mon grand, et pas seulement lui, peut-être bien sa fille avec.

— Pourquoi vous me torturez avec ça, maman ? Vous devez savoir combien elle m'intéresse.

— Si je le sais ! Je prie chaque jour que le bon Dieu m'emmène pour que tu ne subisses pas les contrecoups des erreurs passées de ta pauvre mère.

Érik, la sentant mure pour tout lui avouer, lui tend l'appât :

— Et cette erreur, ça me concerne, maman ?

— Toi, Samy et même ton pauvre père. Viens que je t'embrasse, mon grand. Tu sais, la vie n'est pas uniquement faite de rendez-vous manqués.

Penaud, le cœur à l'envers, Érik embrasse sa mère en lui disant combien il la respecte et l'aime, tout en s'abstenant de lui demander d'aller plus loin avec son secret.

CHAPITRE 14

On ne peut pas changer la direction du vent, mais on peut tout de même ajuster sa voile

— Érik, lui demande sa mère, cesse ta lecture et viens parler à Mathieu.

Laissant de côté les documents traitant de son entente avec Herb Smith, Érik s'empare du combiné.

— Oui, Mathieu, qu'est-ce qu'il y a?

— C'est toi qui me demande ça, quand ça fait presque deux semaines que tu me fausses compagnie?

— C'est quoi le problème?

— Le problème, mon cher ami, est que vu ton insouciance à t'occuper de tes affaires, la cinquantaine de pêcheurs que Samy t'avait transférés sont en train d'être courtisés par Alpide.

— Je m'excuse, Mathieu, mais depuis que Samy a quitté les Îles, je suis tombé dans une espèce de léthargie, d'autant plus que Claudia qui est avec lui semble me fuir comme la peste.

— Je te comprends, mais n'empêche qu'Alpide ne cesse de harceler les pêcheurs, dont Samy t'avait déjà transféré leur engagement.

— Et qu'est-ce ç'a donné comme résultat jusqu'à ce jour?

— Eh bien! Si ça continue, tu vas te retrouver sur la paille et moi avec.

— Je m'en occupe dès demain. Tu vas voir que je n'ai pas les pieds dans la même bottine! qu'il lui répond d'un ton exprimant une certaine détermination.

— C'est bien ce que je me disais. Ce n'est pas parce que Samy n'est plus aux Îles pour te provoquer que tu vas te laisser manger la laine sur le dos par Alpide à Johnny. Tu sais quoi? Il se vante à tous ceux qui veulent l'entendre d'avoir réussi un fameux coup de dés en bénéficiant des installations du marchand en plus d'avoir l'opportunité d'épouser sa fille.

— Pour la compétition, je sais comment m'organiser avec ça, qu'il lui répond en ravalant son indignation. Quant au reste, que veux-tu que je fasse ? Je ne peux quand même pas forcer Claudia à revenir aux Îles…

* * *

La fidélisation des pêcheurs que lui avait transférés Samy avait effectivement été ébranlée par les nombreuses insinuations d'Alpide. Lors de ses rencontres avec eux, Érik s'aperçoit que Samy détenait effectivement encore plusieurs licences de pêche au homard, au crabe et aux pétoncles. Afin de contrer les règlements faisant état d'un permis de pêche par capitaine de bateau, le marchand avait comploté avec eux pour les faire agir comme prête-nom.

Aussi, considérant la restriction sur la largeur de moins de onze mètres des bateaux exerçant la pêche hauturière, plus de la moitié des pêcheurs sous sa gouverne exerçaient leur métier avec des bâtiments qui respectaient cette partie du règlement. Néanmoins, ils avaient compensé la perte de tonnage en faisant construire des bâtiments dont l'excès de largeur frisait, dans certains cas, le ridicule. Enfin, plusieurs pêcheurs qui n'avaient pu s'équiper de bateaux neufs continuaient tout de même de pêcher avec des bâtiments de plus de onze mètres en apportant avec eux des doris. Ainsi ils pouvaient s'en servir pour pêcher les poissons qu'ils transféraient par la suite dans leur navire enregistré en bonne et due forme comme navire marchand.

Non que ces pêcheurs se plaignaient de Samy. Ils le considéraient plutôt comme leur mentor qui les conseillait sur la façon de s'ajuster aux lois d'un gouvernement qui voulait, malgré leurs revendications, faire la pluie et le bon temps. Mieux que ça, Samy avait maintes fois par le passé effacé leur crédit accumulé, vu leur malchance à contrer les soubresauts de la température rude et sournoise des Îles-de-la-Madeleine. Enfin, le marchand, rusé comme pas un, se servait de cette largesse de cœur comme monnaie d'échange pour ceux qui étaient tentés d'aller à l'occasion voir si le gazon du voisin était aussi vert qu'il leur paraissait.

Quant à la forme de maraudage qu'exerçait Alpide, Érik s'aperçoit qu'il y avait lieu de s'inquiéter. En effet, plusieurs pêcheurs voulaient se retirer de l'entente sur la vente de leurs captures à Érik si justement ce dernier les remettait à Alpide qui essayait d'outrepasser l'entente sur le travail à accorder aux membres des familles des disparus de l'*Ariès*.

En général, aucun document officiel n'existait entre le marchand et ces pêcheurs, si ce n'est quelques chiffres et dates écrits au hasard sur un papier quelconque. Au fait, Érik s'aperçoit que Samy est non seulement un homme de parole, mais aussi de cœur, qui tient avant tout à rendre heureux sa famille proche, certes, mais également tous ceux et celles qui font affaire avec lui.

* * *

— Oui, allô?

— Est-ce bien toi, Claudia? lui demande Érik, surpris de l'entendre répondre au téléphone.

— Mais oui, Érik. Quelle belle surprise! Comment vas-tu? Ça fait une éternité que je n'ai pas eu de tes nouvelles.

— Mais moi aussi, qu'il lui répond, dans un soupir d'irritation. En as-tu pour longtemps encore à Montréal? Comment se fait-il que tu n'aies pas répondu à mes lettres?

— Mais… Mais je ne comprends pas, Érik. Je n'ai jamais vu l'ombre d'une lettre depuis que je suis arrivée à Montréal. Peut-être que le courrier n'a pas été livré à l'adresse de notre nouvelle maison. Quant à savoir si j'en ai encore pour longtemps, ça dépend de mon père.

— Toujours ton père… Mais pourquoi ne pas m'avoir appelé lorsque je te laissais un message?

— Je n'ai jamais, mais au grand jamais, reçu un message de te rappeler, Érik. Je te le jure sur la tête de ton défunt oncle.

— Je ne comprends plus rien, lui rétorque Érik dont la voix laisse paraître un certain scepticisme. Ça n'explique pas pour autant les raisons pour lesquelles tu n'as pas fait les premiers pas en m'appelant.

— Ce n'est pas à moi de devancer tes attentes. Je te connais assez pour savoir que tu t'en ferais un point d'orgueil et que tu aurais bien pu me le mettre sous le nez par la suite. À part de ça, tu sais fort bien ce qu'il te reste à faire si tu veux être en mesure de conquérir mon cœur.

— S'il y reste encore de la place, surtout avec Alpide qui te tourne autour, même aussi loin qu'à Montréal.

— Et toi? Qu'est-ce que tu as à dire de ma petite cousine qui ne te lâche pas d'une semelle, même si tu m'as déjà avoué que tu lui résistais? Et qu'est-ce que tu attends pour t'en venir à Montréal?

— Si j'ai bien compris, tu veux que je te confirme qu'avec Julianna, c'est bel et bien fini. En plus, tu t'attends à ce que je fasse le nécessaire pour écarter tout doute sur mon ascendance. Eh bien! voilà ma réponse : c'est oui dans les deux cas. J'aimerais maintenant parler à ton père qui a laissé un message à ma mère de le rappeler, qu'il ajoute, un brin d'indépendance dans la voix.

— Je l'aperçois qui vient. N'oublie pas de t'occuper de ce que tu dois faire. Tu sais, l'avenir appartient aux audacieux.

« Et la misère aussi », qu'il se dit.

— Eh bien! Tu en as mis du temps pour nous donner de tes nouvelles, lui dit le marchand d'un ton acide.

— Ne faites pas l'innocent, Samy. Vous avez parlé à ma mère maintes et maintes fois depuis que vous avez quitté les Îles, entre autres pour qu'elle m'annonce que Herb Smith avait apparemment vendu mon stock de peaux et qu'il tardait à me les payer.

— *Well…* laisse faire ça et écoute-moi bien. As-tu une feuille de papier pas trop loin? Aussi, est-ce que ta mère pourrait écouter notre conversation?

— Pour ma mère, elle a déjà quitté la maison. Pour les notes à prendre, je suis prêt.

— Voilà, Érik. Même si tu n'es pas convaincu encore de venir en ville pour régler nos affaires en commun, moi j'y ai vu depuis un bon bout de temps, tu sais. Claudia, ta mère est-elle sortie? qu'il entend en arrière-plan.

— Elle est sortie avec ma tante, papa.

— Bon, pour en revenir aux faits, Érik, attends une seconde, si tu veux… Ah oui! est-ce que tu utilises actuellement ton portable? qu'il lui demande.

— Mais non, Samy, ne vous inquiétez pas. Je sais depuis belle lurette que les téléphones portables font les délices des balayeurs d'ondes. Allez, dites-moi ce qu'il advient avec vous, avec Claudia, de même que mon marché avec Herb Smith, enfin tout.

— *Well...* les résultats sur l'analyse de mon ADN ont été déposés chez le notaire Michel Imbeau du bureau des conseillers juridiques Mc Carty, Stevenson & Archambault, dont voici le numéro de téléphone.

Érik, pris de court, note les coordonnées nécessaires en écoutant Samy ajouter qu'un dénommé Édouard Ravensky est le spécialiste rattaché à l'hôpital universitaire du CHUM qui a procédé aux analyses.

— Et qu'est-ce que ça veut dire? lui demande Érik d'un ton anodin.

— Fais pas l'innocent, Érik. C'est à toi maintenant de faire le deuxième pas. J'y compte bien, et ma fille également.

— Bon, bon. Ça va. Mais avez-vous des nouvelles fraîches de Herb Smith?

— Cette affaire-là devient de plus en plus compliquée. C'est le même bureau de conseillers juridiques qui s'en occupe, mais pas la même personne. Lui, c'est un dénommé Alex Leblanc, un avocat originaire des Îles et qui a fait ses classes en ville. Tu n'as qu'à l'appeler pour en savoir plus.

— Pas de problème, Samy. Je vais m'en occuper sur-le-champ. Étiez-vous au courant, par contre, que j'ai tout dernièrement reçu une mise en demeure d'un avocat à la réputation véreuse qui a été mandaté par les familles des naufragés de l'*Ariès*?

— Non... mais je me méfiais que cela arriverait un de ces jours. Raison de plus pour que tu t'amènes à Montréal au plus sacrant si tu veux éviter d'énormes contrariétés. Tu vois, Érik, que tout ce qui traîne se salit.

— Vous avez raison. Cependant, vous ne m'en voudrez pas si je ne mets pas tous mes œufs dans le même panier, surtout s'il s'avérait que...

— J'ai compris ce à quoi tu fais référence, mon Érik. Dis-toi bien, par contre, que j'accepterais mal de voir mon propre fils s'amouracher d'une fille aussi volage que Julianna. Il n'en dépend que de toi pour regarder ailleurs, qu'il lui déclare en toute fin de leur conversation.

Julianna, surnommée la cuisse légère, aguiche facilement les hommes en quête de plaisirs charnels. De grands yeux bleus, des lèvres épaisses et sensuelles, de même que sa longue chevelure blonde et ondulée ne sont que quelques-unes des caractéristiques qui jouent en sa faveur.

Julianna ne soutire pas nécessairement directement de l'argent à ses amants. En retour, elle affectionne particulièrement les bijoux de grande valeur qu'elle exhibe lors de ses sorties, précédées généralement d'un somptueux repas bien arrosé.

Frédérik, soucieux de l'avenir de son fiston, lui avait recommandé un jour la modération en ces termes : « Même si tu es son préféré parmi tous ses amants, n'oublie pas qu'elle est la petite cousine de Claudia. Et tu connais les femmes lorsqu'elles sentent leur proie leur échapper. »

Laborieux qu'il était d'en arriver à ses fins avec la conquête du cœur de Claudia, Érik se sentait tout de même honteux à chaque fois qu'il assouvissait ses fantasmes avec elle. Il se promettait dans son âme et conscience d'y mettre fin au moment même où sa dulcinée répondrait positivement à ses attentes en autant cependant qu'elle ne soit pas effectivement sa demi-sœur.

* * *

— Mc Carty, Stevenson & Archambault, conseillers juridiques, bonjour. Que puis-je faire pour vous ?

— Heu… voici. Je voudrais parler au notaire Michel Imbeau au sujet d'une affaire avec un dénommé Samy Cavendish des Îles-de-la-Madeleine.

— Un instant, Monsieur, je vous communique à son bureau, lui répond la réceptionniste peu habituée à de telles présentations.

— Bonjour, Érik. Comme je suis heureux de vous parler enfin. Votre père, pardon… monsieur Cavendish m'a remis effectivement ce qu'il faut et nous n'attendions que vous pour que…

— Pas trop vite, lui dit Érik en l'interrompant. Avant tout, j'ai plusieurs questions à vous poser.

— Allez-y, je suis à votre service.

— Est-il absolument nécessaire que je me rende personnellement à Montréal ? Aussi, les résultats sont-ils garantis à cent pour cent ?

— En réponse à votre première question, oui c'est préférable. Quant à la deuxième, afin qu'il n'y ait pas d'ambiguïté entre nous, je vous mets immédiatement en contact avec notre spécialiste en la matière, le docteur Édouard Ravensky. N'oubliez pas cependant de rappeler notre bureau pour l'autre dossier, qu'il lui recommande avant de transférer son appel.

Plus d'une vingtaine de minutes par la suite, Érik, en fermant l'appareil, se voit contraint d'accepter la réalité. D'une part, il doit nécessairement se rendre à Montréal pour confirmer hors de tout doute s'il est ou non le fils à Samy. D'autre part, il devra rappeler un dénommé Alex Leblanc du même bureau pour connaître plus à fond les aléas dans l'affaire de la vente des peaux provenant de l'*Ariès*.

* * *

Quelques jours par la suite, au moment où il prépare son voyage à Montréal, il reçoit par la poste une grande enveloppe qu'il ouvre nerveusement. À sa grande surprise, il y trouve une copie complète de documents ressemblant étrangement à un livre de bord d'un navire écrit de la main même d'Alpide. Avant même d'en parcourir le contenu, il regarde l'estampe de l'affranchissement qui mentionne un bureau de poste situé aux Îles-de-la-Madeleine.

En parcourant le cahier de plus d'une douzaine de pages, il y découvre un tas de subterfuges de son rival Alpide. Soucieux de tirer au clair certaines situations compromettantes autant pour lui que pour son détracteur, il demande à Mathieu de réviser en détail avec lui les films de l'épave de l'*Ariès*.

En toute fin du visionnement, tous les deux en viennent à la conclusion qu'Alpide détient des preuves de grossière négligence d'Érik en ayant récupéré l'hélice dont une palle avait été pliée au départ du navire de son port d'attache. Pire encore, il a probablement en sa possession les pièces de rechange du radiotéléphone qu'Érik, avait omis d'installer sur l'*Ariès* pour le rendre fonctionnel, lors de son expédition sur l'Orphelin.

En retour, Mathieu lui fait remarquer qu'ils détiennent certains indices pour le moins compromettants des manigances d'Alpide. Il lui montre entre autres la liste du matériel acheté pour fabriquer un double fond au compartiment entourant le rotor afin d'y cacher les pénis de loup-marin provenant de l'Orphelin. Ainsi, cette cachotterie pourrait incriminer non seulement Alpide qui en est l'auteur, mais également Herb Smith avec qui il avait transigé par la suite pour les écouler. Aussi, en examinant de plus près les films de la cale arrière, les deux comparses constatent que les bordages semblent avoir été disloqués à divers endroits, nécessitant que celle-ci soit souvent pompée afin de mettre à l'épreuve l'autorité du jeune capitaine.

* * *

— Érik, lui annonce sa mère en l'apercevant entrer chez lui, un dénommé Alex Leblanc de Montréal a laissé un message pendant ton absence. Il demande de le rappeler le plus tôt possible.

— C'est justement ce que je m'apprêtais à faire, Maman. Vous a-t-il appris du nouveau sur l'affaire des peaux provenant de l'*Ariès*?

— Non. Mais pourquoi tu me demandes ça, mon grand?

— Pour rien. Et Samy, lui, lui avez-vous parlé dernièrement?

— Oui. Il s'est informé, entre autres, comment allaient tes relations amoureuses avec Julianna à Évrade.

— Ah oui? Bon, j'appelle immédiatement maître Leblanc. Ça vous ferait rien, maman, d'aller trouver papa qui est en train d'apprêter des mises en conserves dans la remise?

— J'ai compris, lui rétorque sa mère. J'oublie trop souvent que tu en es rendu depuis longtemps à pouvoir voler de tes propres ailes.

Alex Leblanc, le brillant avocat qui avait été mandaté par Samy pour régler l'affaire des peaux de l'*Ariès*, avait dû quitter les Îles tout jeune, faute d'institutions en éducation qui auraient pu satisfaire sa soif de connaissances. Un nombre incalculable de pêcheurs et travailleurs d'usine avaient déjà fait affaire avec lui pour des causes tant sur l'assurance-emploi que sur l'application des règlements qui régissent la pêche en général. D'une stature imposante, la physionomie de son visage révélait la bonté même. Ses plaidoiries en cour de justice effrayaient ses adversaires qui, à court d'arguments ou de jurisprudence, s'en prenaient au témoin qu'il avait pris grand soin de préparer au préalable.

— Enfin, je suis en mesure de vous parler, Érik, lui annonce maître Leblanc. Mais dites-moi, pourquoi ce mutisme ? Nous venons de recevoir un chèque certifié au montant de 100 000 $ en réponse à notre mise en demeure de nous dévoiler les prix obtenus par Herb Smith pour la vente de la totalité des peaux à des manufacturiers. Le geste me fait croire que son avocat est probablement prêt à négocier certaines conditions énoncées dans votre entente.

— Pas si pire, lui répond Érik d'une voix monocorde. Mais avez-vous déjà discuté de ces informations avec Samy ?

— Mais oui et c'est lui-même, en personne, qui a déboursé une somme de 25 000 $ en garantie d'honoraires avant que l'on n'entame les discussions.

— Et l'autre dossier avec le notaire Imbeau, qu'est-ce que vous en savez ?

— Absolument rien, Érik. Ici, à notre bureau, la confidentialité est de rigueur entre tous les professionnels qui y travaillent, quel que soit le type de dossier qui concerne un client.

— Ah bon ! Et comment voyez-vous le déroulement dans l'affaire avec Herb Smith ?

— C'est à la fois simple et complexe. Le problème est l'élément de preuve dont on ne dispose pas pour incriminer Herb Smith qui, avec son chèque de 100 000 $, a respecté à peine le prix plancher de l'entente. Et le pire, c'est que toutes les peaux ont déjà été écoulées sur le marché. Finalement, son avocat nous a informés de la possibilité d'une demande reconventionnelle si jamais notre mise en demeure se traduisait en action en justice.

— Cette demande, que vous appelez reconventionnelle, qu'est-ce que ça veut dire pour moi ?

— Cela signifie qu'il pourrait vous réclamer des dommages et intérêts pour avoir participé, entre autres, à l'expulsion de Paul Watson et de ses acolytes des Îles-de-la-Madeleine, lesquels n'ont pas hésité par la suite à vous donner mauvaise presse tant sur le continent européen qu'américain.

— Ah bon ! Une *déblâme* de plus ou une de moins…

— Vous savez, Érik, la justice, c'est très très compliqué. Étiez-vous au courant que son avocat a aussi évoqué vos derniers démêlés avec l'affaire de l'hélicoptère ?

— Mais pourquoi?

— Imaginez-vous donc qu'ils ont exposé l'appareil pendant une année complète chez nos voisins du sud qui ont décrété depuis un moratoire complet sur les produits dérivés du loup-marin. Voilà pourquoi l'avocat de Herb Smith prétend que ce paiement de 100 000 $ est complet et final, même s'il est tout juste au niveau du prix plancher convenu dans votre convention.

— Comme vous dites, Maître, ça se complique de plus en plus. Et comment puis-je faire pour contrer ce Herb Smith de malheur?

— Samy m'a parlé de votre propre analyse sur le degré de contamination des peaux comme élément de preuve.

— Et rien d'autre? lui demande Érik.

— Non, je ne crois pas, et c'est là le problème. Écoutez, je vais vous expédier aujourd'hui même, par courrier prioritaire, notre projet de requête pour une action en justice. Vous pourrez la réviser en détail afin que nous puissions la déposer à la cour et auprès de la partie adverse, en autant cependant que vous soyez d'accord avec nous. Et pourquoi ne viendriez-vous pas nous rencontrer ici même sur place? Loin des yeux, loin du cœur, vous savez.

— Ça, soyez-en certain, je le sais plus que quiconque, qu'il lui répond en pensant à Claudia. J'attends de recevoir vos documents, je les révise, je vous les retourne et j'annoncerai à Samy le moment où je me déciderai d'aller à Montréal.

✳ ✳ ✳

Plusieurs semaines plus tard, Érik se voit contraint de prendre une décision : ou il prend les guides en allant à Montréal, ou il reste aux Îles à attendre après il ne sait quoi. Il prie son oncle Frédérik de lui prêter secours afin qu'il prenne la bonne voie, celle qui le guidera vers son destin, enfin celle qui lui permettra de rendre son entourage heureux et fier de lui.

En discutant avec sa mère, il apprend qu'étant donné le moratoire sur la pêche au poisson de fond, son père Nathaël vient de se faire racheter son permis de pêche à la morue pour une somme approchant les 100 000 $.

— Tu vois, mon grand, comme la Divine Providence voit à tout, lui dit-elle. Ton frère a pu hériter du transfert du permis de pêche au homard de ton père, nous permettant ainsi d'avoir un peu de bon temps.

— Oui mais je ne réussis pas toujours à me décider à quitter les Îles, maman. J'ai peur d'aller à Montréal et de me faire malmener par les entourloupettes des avocats.

— La décision que tu prendras sera la bonne, j'en suis certaine. Si nos Îles t'ont donné jusqu'à ce jour des opportunités de grande réussite, ça ne veut pas dire qu'en les quittant, tu ne vas pas y revenir. Tiens, voici ce que m'a prié de te remettre Samy, qu'elle poursuit en lui remettant un billet d'avion pour Montréal.

Il n'en fallait pas plus pour qu'il voie dans ces paroles et ce geste une semblable intervention du Vieux qui lui avait dit un jour empreint de morosité : « On ne peut changer la direction du vent, mais on peut tout de même ajuster sa voile. »

* * *

En survolant les Îles, Érik ne peut s'empêcher de regarder du haut des airs les attraits comme les horreurs que la main de l'homme a façonnés sans égard à l'environnement. Quelle beauté que la grandeur et la pureté des plages, des collines, de la mer et des maisons de couleurs vives éparpillées comme si elles avaient été semées à tout vent. Hélas, il constate également des laideurs quand il aperçoit d'anciens bâtiments abandonnés, des carrières désertées, les chemins tracés pour véhicules tout terrain dans les dunes et les petites forêts (pour ce qu'il en reste). En prenant encore plus d'altitude, il aperçoit la grande plage du Sandy Hook, là où il a failli mourir noyé dans une saignée d'eau glacée lors d'une expédition de jeunesse à la chasse au loup-marin.

Quittant les cieux entourant les Îles, l'anxiété commence à le tirailler. Qui sera à l'aéroport pour l'accueillir ? Claudia sera-t-elle du comité de réception ? Son père ? Ou encore le notaire qui l'avait averti que l'analyse de son propre ADN devrait requérir de trois à cinq jours avant de la comparer avec celle du marchand.

Regardant son porte-documents qu'il s'empresse d'ouvrir, il révise avec minutie une copie des documents que lui avait expédiés son avocat et qu'il avait signifiée à qui de droit. En effet, même si Herb Smith s'était montré intéressé à régler le différend à l'amiable, maître

Leblanc l'avait convaincu qu'il fallait lui signifier une requête pour une action en justice si on voulait l'acculer au pied du mur.

Après plusieurs atterrissages et décollages, Érik entend les consignes de sécurité annonçant l'arrivée de l'avion à sa destination finale. Même s'il avait déjà voyagé à travers les provinces Maritimes, il ne peut s'empêcher de regarder à travers le hublot. Il y voit en premier lieu les raffineries qui crachent une pollution exécrable sur les humains de la grande et belle ville de Montréal. Puis, ce sont les gratte-ciel, orgueil de l'homme qui veut défier les lois de la physique en facilitant la densité des employés qui y travaillent pour des grandes corporations. Le Mont-Royal l'éblouit également non pas par sa splendeur mais par ses espaces verts luxuriants. Les multiples maisons en rangées serrées auxquelles une piscine est souvent rattachée lui font penser que rien, mais rien de tout cela, ne ressemble au paysage des Îles-de-la-Madeleine.

Sentant les soubresauts de l'avion qui vient d'atterrir sur le tarmac, il ne peut oublier le dicton qui dit que « quiconque est chanceux en affaires est plus souvent qu'autrement malheureux en amour ». Le contraire est tout aussi vrai. C'est peut-être la loi des probabilités qui agit ainsi, mais les manifestations sont nombreuses. À preuve, sa mère et Samy.

CHAPITRE 15

La grande ville, elle t'avale
ou tu lui résistes à force de caractère
et avec l'aide du Tout-Puissant

Couché sur l'heure de minuit dans un grand lit à baldaquin d'une luxueuse suite du Ritz Carlton, Érik essaie de se remémorer les faits qui l'ont marqué depuis sa descente de l'avion. Certes, il avait été reçu par Samy qui lui avait fait une chaleureuse accolade, mais l'absence de Claudia l'avait non seulement déçu, mais fortement inquiété.

— *Well…* elle a quitté Montréal pour les Îles pour affaires sur le même avion que tu as pris pour arriver, lui avait-il dit tout bonnement.

— Pour affaires? Mais avec qui?

— Tu as la mémoire courte, mon Érik. Tu seras sans doute absent des Îles pour un bon bout de temps, ça fait que…

— Ça fait qu'elle est allée retrouver Alpide, lui avait-il alors répliqué.

— Et puis, Alpide n'est-il pas devenu un homme d'affaires qui a encore des comptes à me rendre? que Samy lui avait rétorqué mettant fin à une discussion où chaque interlocuteur cachait tant bien que mal son embarras.

À sa sortie de l'aérogare, la limousine de Samy avec chauffeur privé les attendait pour les amener faire un tour de ville rapide. Samy s'était évertué à expliquer à Érik les raisons d'être de telle ou telle caractéristique d'une grande cité comme Montréal. Le cosmopolitisme des gens, leur exubérance et leur air sérieux, avec leurs gestes pressés, lui avait fait voir que cette belle et grande ville était en train de perdre son identité propre.

— Et puis, ta mère se porte bien? lui avait demandé Samy pour casser le silence qui s'était installé entre eux.

— Mais, voyons, Samy, vous lui parlez presque chaque jour que le bon Dieu amène.

— Ce n'est pas cela que je voulais dire, Érik. C'est plutôt au sujet des deux raisons principales de ta présence à Montréal, voyons donc.

— Ne vous en faites pas avec ça. Jamais, même pour tout l'or du monde, j'aurais voulu obliger ma mère à m'avouer quoi que ce soit sur ma filiation présumée avec vous. Au pire, elle m'a parlé du *mal de l'amour* qui accompagne souvent les dernières années d'un long mariage.

Un peu plus rassuré, Samy l'avait amené visiter son nouveau coin de pays: une magnifique villa de quatre étages érigée sur le boulevard qui longe le fleuve Saint-Laurent à Ville LaSalle.

— Tu vois, Érik, ces rapides qui ne cessent de tourbillonner, eh bien, ça me rappelle un peu l'omniprésence de la mer aux Îles.

Rendu à l'hôtel, il avait informé Samy de son intention de se rendre le plus rapidement possible à la clinique du docteur Édouard Ravensky pour procéder à l'analyse de son propre ADN. Finalement, à la demande expresse du marchand, il lui avait remis ses propres observations au sujet de la requête pour une action en justice qui avait été signifiée à Herb Smith depuis plusieurs semaines pour qu'il l'examine. Tous deux avaient terminé la soirée dans le chic restaurant de l'hôtel discutant de la progression des affaires d'Érik et du transfert des ententes des pêcheurs à son endroit. Quant aux occupations d'Alpide aux Îles, le marchand avait donné pour mission à Claudia de s'y rendre afin d'éclaircir certaines situations demeurées obscures à ses yeux.

Cherchant le sommeil qui ne vient pas, Érik ne cesse de penser à la façon dont Samy l'avait traité depuis son arrivée à Montréal. La somptueuse suite qu'il occupait tout comme le faste repas du soir au restaurant avait non seulement comme objectif de l'amariner au *crachin* des hommes d'affaires, mais également, croit-il, d'impressionner les intervenants dans l'affaire qui le liait à Herb Smith. En le faisant passer pour un gentleman averti, sûr de lui et assez fortuné pour aller jusqu'au bout, la stratégie ne pouvait que porter fruits.

Regardant la photo de son oncle Frédérik qu'il venait de sortir de sa mallette, il essaie de se rappeler des paroles qu'il lui avait déjà adressées au sujet d'une grande ville telle que Montréal. « La grande ville, lui avait-il déclaré un jour, c'est comme une majestueuse banquise remplie de *bouscoulis* et de saignées d'eau. Pour y tracer ton chemin, il te faudra les escalader et progresser dans la recherche des vraies valeurs, tout en évitant que les saignées d'eau te fassent couler dans le gouffre de la drogue, du jeu, du vice et de tes bas instincts. »

* * *

Le lendemain, Érik se présente à la clinique du docteur Édouard Ravensky.

— Oui, Monsieur, que puis-je faire pour vous ? lui demande la réceptionniste.

— Eh bien, voilà. Je suis arrivé hier des Îles-de-la-Madeleine et on m'a informé de me présenter ici pour que vous procédiez à l'analyse de mon ADN.

— C'est donc vous, Érik à Nathaël, comme vous avez l'habitude de vous prénommer aux Îles. Je vous dis que votre père présumé se faisait du mauvais sang ! Allez, suivez-moi. Une technicienne va s'occuper de vous.

La première exigence à laquelle Érik doit se plier est l'identification positive de sa personne au moyen de pièces d'identité avec, en plus, un certificat de naissance et de citoyenneté canadienne. À première vue, cela ne semble pas trop compliqué. Cependant, au moment où une autre technicienne le prie d'ouvrir bien grande la bouche afin de procéder à des prélèvements de serpillière de joue, il se rebiffe :

— Avant d'aller plus loin, je voudrais discuter avec le Dʳ Ravensky, si ça ne vous offusque pas trop.

— Mais voyons, il n'y a pas de problème. Je vous amène à lui immédiatement.

Traversant un long corridor, il aperçoit à travers quelques portes vitrées les laboratoires d'analyse dans lesquels s'affairent des hommes et des femmes entièrement vêtus de blanc.

— Venez et asseyez-vous, Érik, lui annonce le docteur Ravensky. Alors, qu'est-ce que je peux faire pour vous ?

— Eh bien voilà, Docteur. Je voudrais savoir si tout est complet avec monsieur Cavendish.

— Mais oui et depuis plus d'un mois. Il s'est plié à nos exigences à tout point de vue. Cependant, il craignait comme la peste que vous ne vouliez pas coopérer, qu'il poursuit en grimaçant.

— Et alors, qu'est-ce que Samy vous a fourni plus exactement comme éléments pour que vous puissiez effectuer l'analyse de son ADN?

— Je m'excuse, mais cela est du domaine strictement confidentiel, et ce, avant même qu'il soit établi hors de tout doute qu'il est votre père de sang, comme on dit communément.

— Je comprends, mais les résultats sont-ils garantis à cent pour cent?

— Mais oui... surtout si vous voulez collaborer avec nous. Autrement, il nous faudra s'arranger avec les moyens du bord. Je sais que vous êtes bien informé au sujet des interventions que nous allons entreprendre avec vous. Cependant, laissez-moi vous expliquer ceci. Les personnes du sexe féminin possèdent à leur naissance deux chromosomes sexuels identiques appelés XX, tandis que chez nous, les hommes, ils sont différents. Voilà pourquoi nous les appelons XY et, de ce fait, nous devons comparer les échantillons de l'ADN de votre père présumé aux vôtres. C'est donc pour cette raison qu'il n'est pas nécessaire à toutes fins utiles d'analyser l'ADN d'une mère pour le confronter avec celui de son enfant. C'est très courant, vous savez, et la bonne volonté des gens ne nous est pas toujours acquise. Il nous faut alors utiliser les échantillons qu'on nous apporte tels que poils, cheveux, mégot de cigarette, enfin quelque chose qui peut contenir suffisamment d'images, d'éléments servant à nos analyses. Vous me suivez? qu'il ajoute en le voyant perdu dans ses pensées.

En l'écoutant, Érik se dit pendant un court instant que Samy avait dû leur apporter le mégot de cigare qu'il avait laissé dans le cendrier la veille de son départ pour Montréal. C'est donc dire que le marchand sait déjà avec un certain degré de certitude qu'il est son propre fils et qu'il veut s'en assurer à cent pour cent en faisant refaire l'analyse de son ADN. Voilà la principale raison qui fait que Claudia, sa demi-sœur, est retournée aux Îles.

— Érik, vous m'avez bien compris? lui dit le docteur, un brin d'agacement dans la voix.

— Excusez-moi, c'est que… Ah oui! C'est vrai, c'est confidentiel, mais pas au point de savoir qui va payer les honoraires pour tout ce travail. Enfin, à quel moment vais-je être informé des résultats?

— C'est Samy qui paie tout. Quant aux résultats, cela ne devrait pas tarder, les produits réactivants qu'on utilise ayant déjà été commandés. S'il n'y a pas autre chose, je vous renvoie à notre technicienne.

S'étant promis d'aller jusqu'au bout, Érik se prête volontiers aux prélèvements exigés. Il s'en retourne à son hôtel sur l'heure du midi, non sans avoir demandé à la réceptionniste d'avertir Samy de sa visite à la clinique.

* * *

En après-midi, Érik reçoit la visite de l'avocat Alex Leblanc afin de réviser avec lui ses notes qu'il avait inscrites sur une copie de la requête pour une action en justice contre Herb Smith.

— Et puis, qu'est-ce que vous en pensez? demande-t-il à maître Leblanc au début de leur entretien.

— Le contenu de vos remarques est tout à fait approprié. J'en ai d'alleurs déjà discuté avec le marchand Samy. Cependant étant donné votre disponibilité, il a fallu que je m'entende sur un échéancier avec l'avocat qui va représenter Herb Smith.

— Et cet échéancier, est-il contraignant?

— Oui, suffisamment, d'autant plus que l'un des représentants du bureau des procureurs de la défense voudrait vous rencontrer en premier lieu pour essayer de tirer au clair certains faits énoncés dans notre requête.

— Pour qu'il soit en mesure de mieux préparer sa défense, répond Érik en faisant la moue. Et puis en avez-vous débattu avec le marchand Samy?

— Mais oui. C'est lui qui nous a mandatés et qui paie nos honoraires, rubis sur l'ongle. En voyant la façon dont vous êtes logé, je suis encore moins inquiet.

— Et alors, quel est son avis?

— Rien qui vaille pour le moment. Il vous laisse faire en se fiant à votre sens élevé de jugement, comme il me l'a si bien dit.

— Ça veut donc dire que si on retire tout de suite notre requête pour une action en justice, je m'en retourne aux Îles avec une somme approchant les 250 000 $, moins les frais d'honoraires évidemment. Par contre, Maître, si on continue les procédures, qu'est-ce qu'il me reste à faire ?

— Il vous faudra faire venir à Montréal votre gérant d'affaires, un dénommé Mathieu à…

— … à Philias, complète Érik.

— Oui, c'est ça, afin que celui-ci nous aide à parfaire les preuves qui appuient notre requête pour une action en justice.

— Eh bien ! je m'en vais le faire venir au plus vite. Ça passe ou ça casse, qu'Érik lui déclare, plus sûr de lui que jamais.

— Ah bon ! mais vous devez savoir qu'il y aura éventuellement des interrogatoires préalables et alors…

— Et alors quoi ? de répliquer Érik d'un ton ferme. Faites-moi donc confiance et vous verrez de quel bois je me chauffe. Vous voulez souper avec moi, Maître ? qu'il ajoute comme pour s'excuser de propos pour le moins irritants.

— Non merci. Vous venez de me donner du travail à faire et je dois m'en occuper au plus tôt.

En soirée, Érik appelle sa mère pour essayer de lui tirer les vers du nez au sujet d'Alpide et surtout de Claudia. « Ni vu ni connu, qu'elle lui répond. C'est bien plus Julianna qui s'inquiète de ton départ pour Montréal sans que tu ne lui en aies dit un traître mot avant de quitter les Îles. »

Esthèle s'informe par la suite de la manière dont il gère en compagnie de Samy les négociations avec Herb Smith. Elle le renseigne sur les dernières palabres qui circulent aux Îles du fait qu'on voit de plus en plus regroupées les familles des naufragés de l'*Ariès*.

« Je suppose, lui dit-elle, qu'elles s'attendent à recevoir un certain montant de ta part si justement tu réussis à gagner ta cause. » En réponse à quelques questions inusitées de son fils, elle ne semble pas se méfier qu'il ait demandé de faire faire l'analyse de son ADN, ou encore ne veut-elle pas le laisser paraître.

Avant de se mettre au lit, Érik regarde la photo de son oncle Frédérik qu'il a placée sur la table de chevet. Il lui demande de le préserver de la déchéance humaine, celle qu'il avait pu constater en faisant la rencontre de nombreux itinérants des grandes artères de Montréal. En s'imaginant qu'il est l'enfant véritable de Samy, il le prie d'intercéder auprès du Très-Haut pour qu'il se métamorphose en un fils véritable qui va prouver à son père qu'il répond largement à ses ambitions. Quant à Claudia, il devra s'obliger à l'aimer comme sa demi-sœur, et se résigner à ce qu'elle épouse à un moment donné son éternel rival Alpide.

* * *

Le lendemain, Mathieu arrive à Montréal. Il est aussitôt prié de rencontrer Érik et son avocat afin de déterminer la validité des preuves qui pourraient convaincre le juge du bien-fondé de leur requête pour une action en justice.

— J'ai cru comprendre, lors de notre entretien d'hier après-midi, que vous n'aviez pas d'objections à ce qu'un représentant de la défense vienne nous rencontrer pour assister à la démonstration des preuves? lui demande maître Leblanc au début de leur rencontre.

— Non pas vraiment. J'aimerais cependant que vous m'expliquiez la raison d'une telle intrusion dans notre dossier.

— Eh bien! Même si je suis originaire des Îles, j'ai toute la misère du monde à m'expliquer ceci: comment un navire qui fait naufrage après avoir fait la chasse au phoque peut-il se retrouver plus d'une année par la suite sur un haut-fond à près de cinquante milles nautiques du lieu où il a sombré? Imaginez alors qu'un conseiller juridique, originaire des États-Unis, qui vient à Montréal pour affaires à l'occasion et qui n'a jamais visité les Maritimes, et encore moins les Îles-de-la-Madeleine, puisse y comprendre quelque chose!

— Mais est-ce que cela ne pourrait pas nous nuire plutôt que nous aider?

— Mais non, c'est plutôt le contraire. Il nous faut le mettre à l'épreuve, essayer de savoir si Herb Smith, qui en passant ne sera pas présent à cette rencontre, a trempé dans cette affaire de pénis de phoque. Cela va nous permettre également de connaître jusqu'à quel point il est convaincu que son client ira jusque devant un juge pour se défendre.

— Cela semble logique, Maître, de lui répondre Érik en voyant Mathieu qui acquiesce d'un signe de la tête.

— Mais faites attention. Pas question d'aller trop loin dans les éléments de preuve. Il faut plutôt les effleurer et voir sa réaction. De toute façon, cette manière de procéder, quoique très rare dans notre profession, ne peut être évoquée devant un juge comme représentant une forme d'interrogation à caractère juridique. C'est comme l'histoire « de l'homme qui a vu l'homme qui a vu l'ours lui courir après », qu'il poursuit avec un sourire en coin.

— Ça va, vous pouvez le faire venir.

Cartes marines à l'appui, Érik, avec l'aide de Mathieu, essaie pendant plus d'une heure d'expliquer le phénomène sur la chasse au loup-marin du Groenland aux Îles-de-la-Madeleine. Les méthodes d'abattage, de dépouillement de la fourrure de même que les risques inhérents au chasseur y sont traitées avec tout le verbe nécessaire. En survolant pendant quelques minutes le marché des pénis de phoques, Érik s'aperçoit que l'avocat un dénommé Peter Savage est au courant de quelque chose sans qu'il puisse en connaître tout à fait la teneur. Tout en lui expliquant la manière dont certains opposants ont été forcés de cesser leur harcèlement à l'endroit des chasseurs, le représentant de la défense démontre par quelques réflexions un certain acquiescement.

Enfin le degré de contamination des peaux, mais surtout du lard qui les recouvre, est précisé en évoquant les causes tout en prenant garde de ne pas dévoiler que plusieurs spécimens de celles-ci avaient été conservés religieusement pour fins d'analyse comparative.

En terminant son allocution, Érik offre à son auditoire de prendre le *lunch* dans sa suite, question de détendre l'atmosphère. Le représentant de la défense, entre autres, est invité à sortir de son cadre professionnel et de parler de sa famille et de son cheminement de carrière.

Une heure plus tard, Mathieu est prêt à prendre la relève. Au moyen des vidéos qu'il fait visionner à son assistance, il tente de leur expliquer la séquence des événements fortuits qui ont engendré le naufrage de l'*Ariès*, évitant de citer les agissements d'Alpide comme un des mobiles plausibles.

— La cale arrière de l'*Ariès*, où logeaient le moteur et l'équipement, leur dit-il, devait sûrement ingurgiter l'eau de mer par les bordages, ceux-ci ayant cédé par l'intérieur dans le gaillard d'avant, bien au-dessus de la ligne de flottaison. Cela prouve que l'*Ariès* devait prendre de plus en plus de la bande arrière plutôt que par bâbord ou tribord, comme un certain survivant l'aurait raconté.

— À ce que j'en comprends, l'accident a été désigné par le coroner comme étant acte fortuit, leur dit le représentant de la défense.

— C'est bien ça. La calle avant où logeaient les chasseurs étant remplie d'eau, l'étau de la banquise qui se resserrait de plus en plus par la force des courants a fait que le navire a été recouvert de nombreux morceaux de glace sans pour autant couler à pic.

— Et comment ça ?

— C'est qu'ayant participé à la rénovation de l'*Ariès*, j'ai convaincu Érik de rendre étanche la cale principale de chargement en bâtissant des cloisons doubles entre le gaillard d'avant, la cale centrale et celle à l'arrière, contenant les moteurs et les appareils de navigation. Regardez sur ce vidéo, qu'il lui dit. Vous voyez les quelques bulles d'air qui s'écoulent lorsqu'on a forcé l'entrée des écoutilles ?

— Et pour donner raison à Mathieu, la timonerie ainsi que l'entrée du gaillard d'avant ont disparu de leur base, de renchérir Érik.

— Repassez donc les films vidéos de l'intérieur du navire, lui demande maître Savage. J'ai besoin de comprendre quelque chose.

Mathieu déroule le film de tout l'intérieur de l'*Ariès* en constatant que le représentant du défendeur fronce les sourcils lorsqu'il visionne la cale arrière, lieu de nombreuses controverses.

— Je comprends mieux maintenant pourquoi le bateau a pu séjourner en suspension aussi longtemps jusqu'à ce qu'il s'échoue sur un haut-fond près du Rocher-aux-Oiseaux, je crois.

— Et voilà pourquoi l'hélice a disparu de son socle, de même que le radiotéléphone qui se trouvait dans la timonerie avec d'autres appareils d'usage, poursuit Érik comme pour tenter une fois de plus de savoir ce qu'il connaissait d'Alpide.

L'avocat ne bronche pas d'un poil et détourne son regard vers maître Leblanc pour lui dire :

— Ces explications m'en apprennent beaucoup, cher confrère. Nous allons donc déposer notre défense à la date requise par l'échéancier dont nous avions convenu ensemble.

— Maître Savage, il va de soi qu'on verra à vous le démontrer hors de tout doute raisonnable en temps et lieux, qu'il lui répond en mettant fin à l'entretien.

Quelques jours plus tard, Érik reçoit un appel de maître Leblanc lui indiquant qu'on lui avait signifié la réponse au sujet de la requête pour son action en justice et lui demande une entrevue dans les meilleurs délais pour en discuter avec lui.

— C'est rapide comme processus, Maître, qu'il lui dit dès le début de leur entretien.

— Vous devez savoir, Érik, que nous, les avocats, on discute très souvent entre nous avant même de déposer officiellement les procédures. De ce fait, les procureurs de Herb Smith avaient déjà commencé à préparer sa défense depuis un certain temps.

— Et puis, ça a l'air de quoi ? qu'il lui demande en serrant les dents.

— Pas si pire que ça. Tenez, regardez par vous-même !

Parcourant le document, Érik y découvre plein de citations plus ou moins précises. En tout premier lieu, la défense admet tous les faits qui sont d'une évidence même, mais en retour réfute la plupart des autres. Contrairement à ce que maître Leblanc lui avait déjà fait savoir, il n'y voit pas d'énoncé direct d'une demande reconventionnelle. Le document se termine avec des formalités assez positives du fait que la partie adverse a déjà payé le prix plancher, dans le but de démontrer que Herb Smith a toujours été un citoyen corporatif de premier ordre avec les chasseurs madelinots. En revanche, la défense n'admet pas de responsabilités sur les accusations présumées de manipulation des expertises sur le degré de contamination des peaux ainsi que sur l'obligation de dévoiler le prix obtenu sur le marché asiatique. Finalement, il est mentionné que la défense se réserve le droit de revoir le prix plancher déjà versé si jamais la poursuite ne met pas fin immédiatement aux procédures en cours.

En toute fin de lecture, Érik est surpris de constater que le document est signé par un dénommé Frank Zalardi d'un grand bureau d'avocats de Toronto.

— Mais, dites-moi Maître, pourquoi le nom de Peter Savage n'apparaît pas sur le document de la défense ?

— Vous ne m'en voudrez pas si je vous disais qu'en accord avec le marchand Samy, maître Savage, un confrère de travail, n'était en fait qu'une supercherie de notre part. Nous voulions savoir en procédant ainsi de quelle façon vous réagiriez au moment voulu avec ce fameux Frank Zalardi, renommé pour ses nombreuses frasques qui ont permis à plusieurs animalistes d'être disculpés des accusations qui pesaient sur eux.

— C'est très audacieux, Maître. Mais j'y pense, n'est-ce pas Zalardi qui a réussi à faire innocenter tout dernièrement Paul Watson ?

— C'est bien lui. Non seulement vous vous êtes très bien tirés d'affaires avec maître Savage, mais également vous m'avez inculqué vos connaissances de telle sorte que je pourrai les mettre au profit de la justice lorsque l'on aura à en débattre devant le juge.

— Merci pour le compliment. Cependant je ne vous mentirais pas si je vous disais que j'ai d'autres munitions qui vont davantage nous servir au moment opportun.

— Je n'en ai jamais douté Érik et encore moins le marchand Samy.

— Mais pour en revenir aux faits, lui avez-vous montré la réponse de la défense ?

— Oui. D'ailleurs, il nous attend dans la pièce d'à côté en compagnie de Mathieu.

Quelques minutes plus tard :

— Et puis, qu'est-ce qu'on décide de faire ? demande maître Leblanc à Samy, en prenant place avec Érik dans la pièce servant de salle de conférence.

— *Well...* ce n'est pas à moi de décider, mais bien plus à Érik. Il y a un dicton qui dit : « Un tiens vaut mieux que deux tu l'auras. » Par ailleurs, notre propre analyse sur la contamination des peaux devrait les convaincre de *beurrer* un peu plus leur offre.

— Et toi, Mathieu, qu'est-ce que tu en dis ? lui demande Érik.

— Moi, j'abonde dans le même sens que Samy. Non seulement avons-nous des preuves sur l'exagération du degré de pollution des peaux, mais également sur le manque de loyauté d'Alpide envers toi. Il ne faut pas oublier que Herb Smith a accepté d'acheter de lui des *pifs* de loup-marin provenant de l'épave de l'*Ariès*.

— Pas si sûr que ça, mes amis, leur réplique maître Leblanc. Lorsque l'on parle de preuves lors d'un procès, il faut les exhiber comme telles au juge. Vous savez, des films vidéo, ça peut toujours être truqué. Quant à la visite de l'épave, cela devient périlleux sinon impossible à faire. Mais vous, Érik, qu'est-ce que vous en pensez vraiment?

— Si je comprends bien, il faut esayer de prouver en premier lieu si les pénis de loup-marin faisaient partie de la cargaison de l'épave de l'*Ariès*.

— C'est bien ça. Je m'aperçois, Érik, que vous comprenez très bien la situation.

— De plus, Maître, il est impératif de s'interroger à savoir si les prix plafond et plancher, tels que définis au contrat, incluent ou non la commission de 20 % du négociant Herb Smith.

— Mais mon Dieu, vous lisez dans mes pensées! Vous auriez dû faire carrière comme conseiller juridique.

— On verra à ça dans le temps comme dans le temps, comme on dit aux Îles. En résumé, tant et aussi longtemps que nous ne connaîtrons pas le prix obtenu pour la vente de la totalité des peaux, on vogue dans l'incertitude.

— Oui et c'était l'objectif poursuivi avec le dépôt de notre requête pour une action en justice, lui confirme maître Leblanc.

— Ouais, je m'aperçois que le droit contractuel est très souvent sujet à interprétation d'autant plus qu'on ne peut prévoir la décision d'un juge. J'ai donc à choisir entre deux options: la première — la plus facile — est la somme de 250 000 $ déjà encaissée et dont la moitié a été amputée par le paiement des quotes-parts aux naufragés de l'*Ariès*. La deuxième — beaucoup moins garantie de succès celle-là — est de toucher un montant pouvant atteindre 650 000 $ avec la possibilité d'un partage inévitable avec les ayants droit.

— Et comment ça? lui demande maître Leblanc.

— Vous oubliez la copie de leur mise en demeure que je vous ai expédiée des Îles avec mes observations sur le projet de requête pour une action en justice.

— C'est pourtant vrai, qu'il lui répond quelque peu mal à l'aise.

— Donc en acceptant leur offre, on arrête tout. Au contraire, si je refuse cela signifie que des interrogatoires préliminaires vont avoir lieu et ainsi de suite.

— C'est bien ça et je tiens à ce que vous sachiez que ces interrogatoires sont en réalité comme le procès lui-même. Ils devront être révisés après coup par les parties en sachant que la défense s'y référera très souvent pour essayer de vous contrarier, voire vous déstabiliser, et même vous faire mentir. Les risques sont quand même là. Les paroles s'envolent mais les écrits restent, vous savez.

— C'est bien correct, leur dit Samy. À la guerre comme à la guerre, comme on dit! Érik est assez grand pour savoir ce qu'il a à faire.

— Une petite question, Maître, lui demande Érik. Lors de ces interrogatoires, allez-vous questionner d'autres individus que Herb Smith?

— Non, et personne d'autre que vous ne sera interrogé par l'avocat de la défense. Mais avant de vous quitter, dites-moi, Érik, quel est ce fier personnage qui se trouve sur cette photo, sur votre table de chevet? qu'il lui demande en étendant les bras.

— Lui, c'est son oncle dont je vous avais parlé, lui répond Samy d'emblée. Un bon ami à moi et un genre de guide moral pour Érik.

— Vous l'avez remplacé ou presque… renchérit Érik à l'endroit de Samy qui, embarrassé, voudrait mettre fin à l'entretien.

— Et c'est pour quand votre réponse? lui demande maître Leblanc en se levant.

— Au plus tard avant 21 heures ce soir.

* * *

Aussitôt que tout le monde l'a quitté, Érik entre en communication avec la clinique où il avait demandé l'analyse de son ADN, Samy lui ayant apparu de plus en plus comme un père qui prend soin d'encadrer généreusement son fils. En guise de réponse, le docteur Ravensky l'informe qu'il leur faudra encore quelques jours, que les échantillons prélevés sont de première qualité et que les résultats seront donc garantis à cent pour cent. « Pas de nouvelle, bonne nouvelle », qu'il se dit en l'entendant le rassurer sur le fait que ce léger retard ne devrait pas l'empêcher d'accomplir scrupuleusement les tâches qui lui seront dévolues dans les prochains jours.

Refermant l'appareil, il place la photo du Vieux bien en vue et se met à arpenter sa suite en lui parlant tout comme il s'y était habitué lors de ses visites hebdomadaires chez lui.

« Pour sûr, Samy est mon père, qu'il lui dit, et s'il ne me l'a pas annoncé tout de suite, c'est que cette probabilité n'est pas encore absolue. À vrai dire, mon oncle, il n'y a pas de mal à ça. Samy va sûrement préférer m'avoir comme son propre fils. Quant à Alpide, le marchand va s'organiser pour que sa fille convienne de l'épouser, ce qui n'est pas assuré pour autant. Aimer Claudia uniquement comme ma demi-sœur, ça ne peut ressembler à l'amour réel que j'éprouve actuellement pour elle. Peut être que finalement je vais devoir me contenter de Julianna qui ne cesse de me harceler pour qu'on fasse vie commune. C'est probablement le prix à payer pour avoir trop abusé de ses charmes par le passé. »

Regardant de plus près la photo du Vieux, Érik croit y déceler un petit sourire d'apaisement.

« Et puis, cette fameuse affaire avec Herb Smith, je crois qu'il y a bien plus de points pour que contre moi, n'est-ce pas ? Avec le degré de contamination des peaux dont la moitié est constituée de blanchons, on va sûrement démontrer avec preuve à l'appui que la défense a largement exagéré le résultat de sa propre analyse. Et puis si je n'avais pas écouté mon cœur et que j'avais laissé mes hommes exécuter une tuerie facile, il n'y aurait pas ce problème de contamination présumée du lard. À la fin du compte peut-être qu'Alpide n'aurait pas été enclin également à prélever des pénis de loups-marins adultes pour combler ce manque à gagner imposé par un capitaine au cœur tendre. Comme quoi, mon oncle, il y a toujours deux côtés à une médaille. »

Question de se rassurer sur la décision qu'il va prendre, Érik s'en va prendre le pouls de la grande ville de Montréal. En sortant de son hôtel il se dit qu'il doit non seulement se persuader lui-même d'une réussite réelle, mais également envers ceux qui vont tout faire pour le désillusionner.

Marchant le long de « la Catherine », il se fait accoster par toutes sortes de gens qui lui offrent une panoplie de plaisirs instantanés : d'une drogue de qualité supérieure à une escorte de tout âge, sexe et nationalité, de même qu'une soirée au casino avec choix de guide lui apprenant comment faire pour augmenter les probabilités de gains rapides. Érik, se rappelant les paroles de sa mère, voit bien qu'il faut résister à ces appels au plaisir, surtout si on n'y est pas suffisamment préparé. Avec les nombreux itinérants et jeunes *squeegees* en quête d'argent pour satisfaire leurs besoins d'assouvissement, il voit là la preuve d'une grande ville qui restitue en quelque sorte ses enfants mal aimés.

Revenu à son hôtel, il prend le téléphone et informe maître Leblanc que sa décision est prise. Il est prêt à faire face à la musique et à aller jusqu'en cour de justice, s'il le faut.

« Parfait, lui répond l'avocat. Les interrogatoires préliminaires sont prévus demain à dix heures, dans un local du palais de justice. Je vous y attendrai à l'entrée. Herb Smith sera le premier à être interviewé, et vous par la suite, possiblement en après-midi. »

Étendu sur son lit, essayant de s'endormir, Érik se demande s'il n'a pas été trop vite avec sa prise de décision. Par contre, s'en retourner aux Îles avec une somme d'argent représentant le prix plancher de 250 000 $ pourrait avoir l'air louche aux yeux des familles des naufragés. En retour, en allant jusqu'au bout, il a la chance de sauvegarder son honneur mais surtout, s'il gagne le gros lot, d'en léguer une bonne partie aux familles qui doivent suivre de loin les péripéties de sa visite à Montréal.

Lumière au tableau des preuves, s'il y en a une, est l'affaire du marché présumé des pénis entre Alpide et Smith, qui pourrait forcer la défense à augmenter sa mise. En contrepartie il a promis à Claudia de ne jamais se servir des affirmations de preuves énoncées dans une des pages du journal personnel d'Alpide. Autrement cela pourrait fort bien briser le climat de confiance qu'il a établi avec elle et également avec Samy, son père présumé. Quant aux autres documents qu'il avait reçus sans en connaître l'expéditeur, il considère dans son for intérieur qu'il pourrait toujours s'en servir, eu égard à la parole donnée à Claudia.

CHAPITRE 16

N'oublie pas que si les femmes nous font tourner la tête, l'argent, lui, nous la fait basculer

Le lendemain soir, de retour à son hôtel, Érik arpente la suite où il loge, essayant de s'imprégner des dernières expériences au cours desquelles il avait dû répondre à une rafale de questions des avocats. La journée avait commencé de façon à honorer la promesse faite à sa mère d'assister à la messe à la chapelle de Notre-Dame-du-Bonsecours, patronne des marins, située dans le Vieux-Montréal. Il y avait rencontré le marchand Samy qui y pratiquait ses dévotions à sa façon très personnelle. Croyant qu'il s'y était rendu pour vérifier son engagement envers sa mère, Érik lui avait fait savoir en ces termes :

— C'est rendu que ma mère envoie son confident pour vérifier ses plus profonds désirs.

Ce à quoi il lui avait répondu :

— *Well…* qu'est-ce que ça change du fait que c'est dans un lieu comme celui-ci que tu pourras puiser la force mentale qu'il te faudra pour affronter l'adversité.

Dû sans doute à un coup du sort, il était arrivé de très bonne heure au palais de justice pour y apercevoir l'avocat Frank Zalardi assis sur un banc adjacent à une salle d'audience, en train de réviser, lui semblait-il, certains documents juridiques.

N'ayant pas aperçu Herb Smith dans les environs, il s'était approché à pas de loup de l'avocat qui semblait tracassé. Au risque de se faire retourner, il lui avait adressé la parole pour lui dire combien il avait le dédain de la chasse au loup-marin et le féliciter pour la récente victoire de son client Paul Watson avec la justice canadienne.

Gonflé d'orgueil, l'avocat avait alors étalé son jeu de coulisse jusqu'à ce qu'il s'aperçoive qu'il parlait en fait au principal témoin de sa poursuite.

Sur ces entrefaites, cependant, Herb Smith était apparu l'air malportant et fort contrarié de voir son avocat discuter avec lui. Il avait fait savoir à son conseiller juridique, par un signe de la main, qu'il n'appréciait guère son attitude et qu'il désirait le rencontrer à l'écart. L'échange entre les deux fut suffisamment acerbe pour lui signifier que son stratagème de faire parler maître Zalardi sur ses réussites professionnelles avait réussi.

Dans un petit local adjacent à une salle d'audience, les salutations furent à peine courtoises dans le groupe. Maître Alex Leblanc avait demandé à Érik de se placer juste à côté de lui afin de vérifier, par certaines expressions corporelles de Herb Smith, les possibilités qu'il cache certains faits qu'il ne voulait ou ne pouvait dire, sachant qu'ils pourraient l'incriminer encore plus. Ce dernier, par contre, avec sa grande expérience, avait réussi à cacher suffisamment ses émotions en fixant à l'occasion son propre avocat et en feignant devoir faire une pause pour prendre quelques gorgées d'eau.

La seule fois qu'il avait vu les mains de Herb Smith trembler fut lorsque maître Leblanc lui avait demandé les raisons qui l'avaient motivé dans le temps à vouloir inciter Érik à chasser au Banc-de-l'Orphelin et à prendre à son bord Alpide à Johnny, son rival avoué. Smith étant obligé de répondre tout au moins par une affirmation ou une négation, avait déclaré l'avoir fait uniquement par compassion pour un jeune homme qui, contrairement à ses compatriotes, ne réussissait pas à s'amariner à la chasse au loup-marin.

Enfin, à maintes occasions, à la demande expresse de maître Leblanc, la sténographe s'était vu prier de demander à Herb Smith de répéter ses réponses, ce qui l'avait agacé et quelque peu déstabilisé. Finalement, au moment où il fut question des péripéties d'Alpide lors des recherches de l'épave de l'*Ariès*, il avait été embarrassé au point où il s'était fâché.

Lors du lunch au Ritz Carlton, maître Leblanc avait signifié à Érik sa grande satisfaction sur le déroulement de l'interrogatoire préalable, avec Herb Smith. Lorsque les questions avaient porté sur le marché présumé des pénis de loup-marin provenant de l'*Ariès* il avait constaté un grand embarras chez lui. En retour, l'avocat Frank Zalardi avait promis d'apporter en preuve les registres comptables démontrant le prix payé par les manufacturiers pour l'achat des peaux. À la toute fin, l'avocat de la défense était venu à la rescousse de son client, signifiant ainsi à son collègue que la première manche était probablement nulle. Il ne restait donc à son client qu'à remporter la deuxième, en évitant les pièges qu'il rencontrerait sûrement lors de son propre interrogatoire.

Avant de partir pour le Palais de justice, Érik s'était rendu dans sa suite à l'hôtel pour méditer en regardant la photo de son oncle Frédérik. Il lui avait demandé d'être son ange gardien tout le long de l'après-midi.

Au début, tout s'était bien passé, sauf les fois où il s'était aperçu que Herb Smith alimentait son avocat à voix basse, essayant de le coincer sur des questions de prépondérance de preuves. Tous les faits qui avaient été énoncés dans la requête pour une action en justice avaient été repris un à un, l'obligeant à expliquer les raisons pour lesquelles il leur faudrait ajouter foi à ces affirmations. La tentation avait été grande, mais il n'avait répondu que par des approbations ou négations courtes et formelles, d'autant plus que maître Zalardi n'insistait pas trop. Lorsqu'il s'était senti sur un terrain glissant, il avait demandé une pause pour aller aux toilettes quand, en réalité, il voulait interrompre le jeu de cache-cache pour s'imprégner de l'esprit de son oncle qu'il a cru par moments être témoin de la scène.

Tâtant la petite boîte de pilules qui ne le quittait jamais, il s'était refusé une fois de plus à s'en servir comme répulsion à sa grande nervosité, en utilisant comme réponse à une question embarrassante de maître Zalardi : « Auriez-vous l'obligeance, Maître, de m'expliquer le sens de votre question ? »

À la toute fin, son avocat avait remis à son confrère les résultats de leurs propres analyses sur la contamination des peaux, démontrant ainsi que le prix plancher offert par la défense était largement insuffisant. Ces analyses avaient été faites sur des échantillons de peaux conservées à l'origine de leur récupération. Elles avaient été corroborées par la suite à partir d'une certaine quantité achetée directement de Herb Smith par l'intermédiaire d'un acheteur indépendant, mandaté pour se faire.

En fin d'après-midi, le marchand Samy s'était joint à Érik et à maître Leblanc. Ensemble ils avaient révisé les points qui ressortaient en faveur ou non d'un arrangement à l'amiable, toujours possible avant que le procès ne prenne son allant en cour de justice. Certes, si leur analyse indépendante sur la contamination de peaux a eu un impact fort positif, l'affaire sur le marché présumé des pénis a quant à elle du plomb dans l'aile, faute de preuves incontestables.

Jetant un regard sur la photo de son oncle sur la table de chevet, Érik s'aperçoit tout à coup qu'un message téléphonique lui est destiné.

— Oui allô, maman. Vous m'avez appelé, je crois?

— Bien oui, mon grand. Comment vas-tu? Il paraîtrait que tout s'est bien passé au palais de justice? J'ai tellement prié pour toi, tu sais.

— Eh bien! Je crois que vos prières ont été exaucées, maman! Tout a bien été et, aux dires de maître Leblanc, on va probablement se voir offrir un arrangement hors cour fortement juteux, quelque chose comme deux à trois cent mille dollars, en sus de ce que j'ai déjà encaissé.

— Mon Dieu! C'est beaucoup d'argent! Peut-être es-tu trop optimiste? Tu sais, il y a tant de palabres aux Îles ces temps-ci que plusieurs te voient comme le dauphin de Samy.

— Et vous, maman, vous y croyez? Mais parlez-moi donc de Claudia. Comment va-t-elle?

— Mais pourquoi, Érik? Julianna ne t'intéresse plus? Elle ne cesse de me demander de tes nouvelles.

— Vous ne m'avez pas compris, maman. Je voudrais savoir si vous avez vu Claudia dernièrement en compagnie ou non d'Alpide à Johnny.

— Tu voudrais maintenant que je sois ton détective? Si tu veux savoir, Érik, oui, je l'ai vue quelquefois et elle s'est informée de toi, de même qu'Alpide qui était en sa compagnie.

— Ah oui? Mais les avez-vous vus ensemble autrement que pour affaires, comme par exemple en train de vagabonder sur la Grave?

— Pardon? Tu voudrais que je me promène comme une espionne? Voyons, tu exagères, comme d'habitude, mon grand.

— Enfin, peut-être allez-vous trouver ma question un peu trop indiscrète, mais l'auriez-vous vue assister à la messe de dimanche dernier ? Et puis, est-elle allée communier ?

— Érik, qu'est-ce que tu me demandes là ? de lui répondre sa mère d'une voix imprégnée de colère. Je crois que cette affaire avec Herb Smith t'a fait chavirer pour de bon. Tu aurais aimé ça que je t'espionne lors de tes sorties avec Julianna pour savoir si oui ou non tu sombrais dans l'œuvre de chair ?

— C'est pas pareil, maman. Enfin, excusez-moi si j'ai écorché votre sensibilité, qu'il poursuit d'une voix confuse avant de raccrocher l'appareil.

« C'est bien ça, se dit Érik. Si je perçois une réussite avec Herb Smith, l'échec d'un véritable amour avec Claudia est en train de se réaliser. »

* * *

Quelques jours par la suite, les documents relatant les interrogatoires tant avec Herb Smith qu'avec Érik sont révisés par les parties en cause. Maître Leblanc en profite pour présenter à Érik le document de défense sur lequel il a noté plusieurs contradictions compte tenu de l'interrogatoire de Herb Smith.

— Prenez-en d'abord connaissance, Érik, et dites-moi ce que vous en pensez.

Après avoir parcouru fébrilement le document, ce dernier lui dit :

— Selon moi, la partie adverse nous tend une perche en ayant déposé officiellement leur défense avant même les interrogatoires. Pourquoi ne ferions-nous pas de même en leur offrant une dernière chance de négocier à l'amiable ?

— Eh oui, faites le test, renchérit Samy en ajoutant qu'Érik ne peut retourner aux Îles avant plusieurs jours encore, puisqu'une autre affaire — très personnelle celle-là — n'a pas encore connu son dénouement.

— Eh oui ! Samy a raison, qu'il confirme à maître Leblanc. On fait un blitz et par la suite, on verra bien.

En fin d'après-midi, Érik est informé par maître Leblanc qu'une rencontre décisive aura lieu dès le lendemain avec les représentants des deux parties. La rencontre se tiendra dans deux locaux séparés en compagnie des avocats respectifs. Mis au courant de cette nouvelle, Samy rejoint Érik au Ritz pour le souper et en profite pour discuter avec lui sur les probabilités de succès dans l'affaire qui le relie à Herb Smith. Le marchand a confiance que tout se soldera par une victoire, tout au moins avec décision partagée, lui évitant ainsi des frais d'honoraires supplémentaires d'environ 20 000 $ en plus des 35 000 $ déjà déboursés.

— Ne t'en fais pas avec Claudia en qui j'ai mis toute ma confiance, lui dit-il à la fin de leur repas. Elle devrait revenir des Îles d'ici une couple de jours tout au plus.

— Pour venir célébrer notre triomphe avec son demi-frère ? lui demande Érik.

— Well… peut-être que oui, peut-être que non, ça dépend des résultats définitifs de nos analyses comparatives. À bien y penser, Érik, je me demande bien si je ne préférerais pas que tu sois mon propre fils plutôt que mon futur gendre, même si cela alimenterait encore plus les palabres. Par chance que je me suis installé pour de bon en dehors des Îles, avec en plus l'avantage que ma femme Armanda s'est grandement rapprochée des services de dialyse.

À la toute fin de leur rencontre, les deux compères se quittent en se saluant d'une accolade fort chaleureuse. « Après tout, se dit Érik, pourquoi un homme comme Samy, qui a une main de fer dans un gant de velours, ne serait-il pas mon père naturel ? Autrement, il va me falloir recommencer à nouveau avec la conquête du cœur de sa fille, ce qui n'est pas une garantie de succès à cent pour cent. »

En soirée, il appelle sa mère pour s'excuser des propos tenus la veille au sujet de Claudia et qui ont dû l'angoisser fortement. Non seulement elle lui pardonne, mais il sent dans ses paroles une sorte d'acceptation du destin qui ne peut être que pour le plus grand bien de tous et chacun.

* * *

Réunis dès le lendemain matin dans une petite salle du palais de justice, Érik, Samy, Mathieu ainsi que le spécialiste qui a procédé à l'analyse sur la contamination des peaux sont en compagnie de maître Leblanc. Dans une autre pièce, se retrouve maître Zalardi avec divers intervenants de la partie adverse, dont Herb Smith, pour ne citer que lui. Chacun des groupes doit étaler à son propre conseiller juridique son point de vue sur les négociations qui prendront leur élan, sans dévoiler cependant l'identité des personnes présentes dans chacun des locaux, les avocats s'étant mis d'accord au préalable sur cet aspect des pourparlers.

Comme base de discussion, maître Leblanc, avec l'aide d'Érik et de Samy, refait les calculs des divers montants déboursés jusqu'à ce jour à différentes périodes de livraison de peaux. Ainsi, il est établi qu'un dépôt en garantie au montant de 25 000 $ avait été versé au moment de l'entente, plus une somme de 125 000 $ lors de la livraison du premier tiers des peaux. Finalement, un montant de 100 000 $ avait été remis à son avocat en réponse à une mise en demeure. Somme toute, le montant de 250 000 $ est bien loin du prix plafond de 650 000 $ mentionné au contrat entre les parties.

Dès le début des discussions, maître Leblanc fait comprendre à son auditoire que les négociations pourraient durer une bonne partie de la journée. Aussi, tout comme lors d'une partie de poker, chacun des joueurs peut augmenter sa mise jusqu'à ce que l'un d'eux soit obligé d'étaler son jeu au grand jour.

Toujours est-il qu'en première ronde, une première demande de majoration est faite pour une somme de 500 000 $ afin de connaître le degré de résistance de l'adversaire.

— Voici une très bonne nouvelle, leur dit maître Leblanc, en revenant d'une courte rencontre avec son homologue. Ils sont disposés à verser une somme supplémentaire de 150 000 $ étant donné leur intention de ne pas contester nos propres analyses sur la contamination des peaux. J'ai cru également comprendre qu'ils pourraient peut-être renchérir si on leur prouvait que l'effondrement du marché des peaux vendues par Herb Smith pouvait être négligeable.

— Parfait, lui répond Érik, et voici en preuve l'original du registre comptable d'un monsieur Édouard Roberts qui démontre l'achat d'une petite quantité de chaque type de peaux de Herb Smith. Vous pourrez y constater le prix qu'il a pu obtenir par la suite sur le marché asiatique, tant pour la fourrure que pour le lard.

Maître Leblanc s'aperçoit que sa position est bonne et que son client possède de bons arguments pour aller plus loin. Néanmoins, son confrère lui avait affirmé en preuve que le marché de la fourrure s'était effondré, au point qu'une seule peau d'adulte d'excellente qualité s'était vendue dans les 30 $, soit environ la moitié du prix offert avant que les opposants procèdent à leur grabuge. En retour, le marché de l'huile provenant du lard pressé à froid est en pleine effervescence, surtout pour celle provenant des blanchons, vu l'absence presque totale de contamination quelconque.

— Cela veut-il dire qu'on refuse leur offre? lui demande maître Leblanc en se retournant vers Samy, son commettant.

— C'est à Érik et à lui seul à décider, qu'il lui répond en se levant. Si ça vous fait rien, Maître, la nature m'appelle…

— Et puis, Érik, qu'est-ce qu'on fait? Vous savez, même si je ne mets pas en doute les registres de ce dénommé Roberts, il n'est pas certain que Herb Smith n'ait pas réussi à faire *arranger* ses propres livres comptables que l'on a exigé de voir lors des interrogatoires préliminaires.

— Et comment ça? qu'il lui demande sèchement.

— Vous savez sans doute déjà que dans chacune des professions, il y a toujours des individus avides de faire de l'argent rapidement en modifiant les données qui pourraient servir éventuellement de preuves.

— Alors, lui répond Érik, pourquoi ne pas confronter nos propres calculs avec leur registre comptable, de façon à connaître leur réaction?

— C'est justement ce que je voulais t'entendre dire, leur dit Samy en faisant son entrée dans la petite salle.

* * *

De retour après une absence prolongée de plus d'une heure, rendant fébriles autant Érik que Samy, maître Leblanc revient avec le sourire fendu jusqu'aux oreilles.

— Voilà. En leur remettant vos calculs dûment vérifiés par un professionnel indépendant, maître Zalardi n'a cessé de faire de multiples va-et-vient avec la partie adverse, démontrant ainsi que la mésentente s'était installée parmi eux.

— Allez, accouchez donc, Maître, de lui demander Samy. Au prix qu'on vous paie, arrêtez donc de nous faire languir.

— Eh bien! Ils doublent le montant à 300 000 $, nous approchant ainsi des 100 000 $ du prix plafond. En retour, ils font savoir que le règlement contiendra des aveux de non-culpabilité et que des quittances mutuelles seront signées en bonne et due forme. En cas de refus, ils ont l'intention d'envoyer leur propre expert aux Îles afin d'examiner de près l'épave de l'*Ariès*.

— Mais pour quelle raison précise? lui demande Érik en fronçant les sourcils.

— Les lois qui concernent tant les causes de naufrage d'un navire que celles sur la récupération d'une épave sont très complexes, vous savez, et elles portent souvent à d'innombrables confusions.

Tout en l'écoutant, Érik sent une certaine persuasion à accepter l'accommodation proposée par la partie adverse. Cela lui éviterait de revivre une sorte de procès d'intention, dont fera évidemment partie son éternel adversaire, Alpide à Johnny. Puis, sans que personne ne s'y attende:

— Bravo! leur lance Samy en se levant pour faire l'accolade à maître Leblanc, forçant ainsi Érik à faire de même. On a réussi, je te l'avais bien dit, qu'il poursuit en lui offrant un de ses fameux cigares. Mais voyons, qu'est-ce que tu as? lui demande-t-il en lui voyant la mine basse.

— C'est que vous pouvez serrer vos cigares, Samy, parce que moi je ne suis pas d'accord du tout. D'abord on ne connait toujours pas le prix obtenu par Smith pour le reste des peaux et également si le montant comprend ou non sa commission.

— Quoi? Mais as-tu *chaviré* pour de bon? Qu'est-ce qu'il y a encore qui ne te satisfait pas? Tu devrais savoir qu'il y a un dicton qui dit que l'argent est un très bon serviteur mais un bien mauvais maître.

Érik, tout en se disant que Samy en avait surement déjà fait l'expérience dans le passé, sort de sa valise une copie du journal personnel appartenant à Alpide, qu'il montre aussitôt à maître Leblanc. Ce dernier examine chacune des pages indiquant la date et même l'heure des événements qui relatent tant le prélèvement des pénis de loup-marin sur l'Orphelin que leur rangement dans la cale arrière de l'*Ariès*.

— Oui mais l'écriture est-elle bien celle d'Alpide? lui demande-t-il en regardant Samy qui grimace.

— Voyez, Maître, qu'il lui dit en lui remettant une copie d'une facture écrite de la main même d'Alpide. N'est-ce pas là une preuve suffisante ? qu'il poursuit en lui exhibant la certification d'un graphologue.

Un silence de plomb s'installe dans la salle interrompu par Samy qui, se tenant la tête à deux mains, ne cesse de répéter « Bâtard de bâtard, ça se peut-y de la part d'un homme de valeur comme Alpide ? Comment a-t-il pu se laisser soudoyer par ce Smith de malheur ? »

— Vous voyez, Maître, que souvent est pris celui qui croyait prendre. Si Samy est d'accord, vous allez montrer ces preuves à votre collègue pour lui prouver que moi, le capitaine de l'*Ariès*, j'ai été floué. Les centaines de pénis de loup-marin que j'avais à mon bord ont fait profiter autant Alpide que le négociant Herb Smith. Ce marché leur a sûrement rapporté dans les 20 à 25 000 $. Il m'apparaît donc raisonnable, dans les circonstances, qu'ils paient pour leur déloyauté.

— Et puis, Samy, lui demande maître Leblanc, qu'est-ce que vous en pensez ?

— Alpide ! Toujours ce bâtard d'Alpide ! C'est donc pour ça qu'il m'a avoué avoir tué autant d'adultes que de blanchons sur l'Orphelin, suivant à la lettre les ordres d'Érik, son capitaine. Azade le mécanicien était sûrement lui aussi dans le coup. Son supposé suicide n'est sûrement pas étranger à cet accroc à la loyauté de l'équipage envers un capitaine de navire. Allez, Maître, faites le nécessaire et on verra par la suite. Mais, dis-moi, Érik, comment as-tu fait ?

— Je vous expliquerai ça plus tard, Samy, évidemment, si les circonstances s'y prêtent. Et vous, Maître, considérez-vous ces preuves comme étant valables ?

— Pour tout dire, un officier qui ne respecte pas le code d'honneur envers son capitaine n'est pas nécessairement une preuve suffisante pour que Herb Smith augmente sa mise. Il faudrait qu'il y ait autre chose de plus concret.

— Ah oui ! Eh bien ! en voici une qui va sûrement faire votre affaire, qu'Érik lui déclare en se mordillant les lèvres tellement l'enivrement du moment est à son comble. Qu'est-ce que vous pensez de cette autre pièce à conviction ? qu'il poursuit en lui montrant une facture d'achat d'un module (SDN) comportant le même numéro de série que celui qui avait été installé à son insu sur l'*Ariès II*.

— Et que j'ai retrouvé dissimulé près de la vigie, de renchérir Mathieu, de plus en plus exaspéré, lui aussi.

— Mais, à ce que je sache, il fallait bien qu'il soit activé au préalable? de s'enquérir l'avocat.

— Et qu'est-ce qui vous fait croire que cela n'a pas été fait lors de son installation? lui réplique Érik.

— Si, justement, au moment où Herb Smith s'est permis une visite impromptue pour, semble-t-il, s'assurer que l'*Ariès II* pouvait contenir toutes les peaux de l'épave de son aînée, de relancer Mathieu.

— Peut-être bien, mais Pêches et Océans Canada dans tout ça, qu'est-ce que vous en dites? leur demande maître Leblanc en hochant légèrement la tête.

— Ne vous en faites pas avec eux, lui répond Érik en lui présentant une découpure de l'hebdomadaire *Le Radar* qui relate plusieurs constats d'infraction dans leur édifice situé à Cap-aux-Meules.

— Ce qui aurait permis à Herb Smith d'alimenter qui il voulait sur vos déplacements, lui relate Samy qui commence à être agacé par cette dernière corroboration d'une supercherie éhontée.

— Tout à fait. Et vous conviendrez tous avec moi que ça devient de plus en plus gênant pour la défense de ne pas renchérir encore plus leur offre.

Pendant les longues minutes que dure l'absence de maître Leblanc, Samy garde le silence, agacé qu'il est de voir Érik jouer la cagnotte à quitte ou double. Il quitte précipitamment la salle pour une deuxième fois de suite, faisant croire à ses compères qu'il doit vouloir vérifier par téléphone certains détails qui lui avaient jusqu'alors échappé.

Revenant dans la pièce en compagnie de maître Leblanc, Samy s'avance devant Érik pour lui donner l'accolade en lui disant tout bonnement:

— Mon cher Érik, tu viens de gagner le gros lot.

— Ah oui! Je savais bien qu'ils céderaient, qu'il lui répond avec une pointe d'orgueil dans la voix. Et alors, c'est quoi le montant, Samy?

— Ils t'offrent une somme totale et finale de 400 000 $, en sus évidemment des 250 000 $ déjà encaissés.

— En autant cependant que vous acceptiez de signer toutes les quittances totales et parfaites envers Herb Smith, ses associés et même Alpide, lui dit l'avocat sans trop insister cependant.

— Ouais !… Pas de problème, qu'il lui rétorque en regardant Samy qui acquiesce d'un hochement de tête. Allez, Maître, dites-leur que c'est acceptable dans les circonstances, qu'il ajoute pour ne pas montrer trop son exubérance.

À peine l'avocat est-il sorti du local que Samy se dirige vers Érik pour lui donner une longue accolade.

— *Bâtard de bâtard* que tu me ressembles mon Érik, mais d'une autre façon et c'est très bien ainsi. J'appelle mon chauffeur privé pour qu'il nous conduise à ton hôtel pour prendre tes affaires.

— Mais pourquoi donc Samy ? qu'est-ce qu'il y a de si pressé ?

— C'est que tu vas t'amener chez moi afin qu'on puisse fêter ensemble cette victoire absolument magistrale.

* * *

Lors du déplacement qui les amène à la villa de Samy, Érik s'informe des raisons qui font que les résultats comparatifs des analyses sur leur ADN ne sont pas encore connus. Le marchand, très sûr de lui, lui répond que d'ici un jour ou deux tout au plus, ils seront définitivement fixés. Tentant sa chance, il s'informe d'un retour possible de Claudia des Îles, ce à quoi Samy lui réplique dans la même veine : « Ma fille devrait arriver aussitôt que les résultats comparatifs de nos analyses seront connus. »

Rendu à la villa de Samy, Érik s'installe confortablement avec l'aide d'une domestique dans des appartements destinés spécialement aux invités. Il rencontre la femme de Samy qui le félicite, puis il rejoint ce dernier au boudoir pour se voir offrir une liqueur fine spécialement choisie pour se jumeler à un havane de première qualité.

— Et puis, mon Érik, qu'est-ce que tu as l'intention de faire avec un si gros magot ? que Samy lui demande en se conformant au rituel qui précède la première bouffée de son précieux cigare.

— Ça dépend de bien des choses, qu'il lui réplique en prenant lentement une gorgée de liqueur afin de mieux préparer sa réponse.

— Vas-y, Érik, ma femme est en train de se reposer dans la chambre. Alors, tu peux y aller en toute confiance.

— Premièrement, je vais vous rembourser rubis sur l'ongle les frais d'honoraires tant pour les services de maître Alex Leblanc que pour ceux encourus pour l'analyse de mon propre ADN.

— Si tu le veux bien, Érik, j'aimerais mieux que tu gardes toute la cagnotte et que tu décides par toi-même quoi faire avec une telle fortune.

— Pour tout vous dire, Samy, ça dépend du résultat des analyses comparatives de nos ADN, qu'il lui répond à voix basse.

— Mais pourquoi donc? Que tu sois mon fils ou que tu veuilles conquérir le cœur de ma fille, qu'est-ce que ça change? Tu sais, mon Érik, la conquête du cœur d'une femme nous fournit souvent des illusions telles que l'on ne réussit pas à distinguer l'amour que l'on ressent pour elle de celui qu'on éprouve pour un gros magot d'argent.

— Voilà maintenant que vous vous employez à philosopher sur l'amour, vous qui avez succombé à l'œuvre de chair avec ma propre mère, qu'il lui riposte sèchement.

— Mais ça fait partie de la vie, mon Érik. «Éloignez-nous des tentations», comme le dit la prière du Notre-Père. Tu vois que ce n'est pas facile, surtout lorsqu'on doit décider du partage d'une telle somme d'argent.

— Ça va, j'ai compris. Je vais de ce pas doubler la prime que j'ai déjà versée aux familles des naufragés, et on verra par la suite.

Samy, bien assis dans son fauteuil bergère, se met alors à débiter un long discours sur sa propre expérience de vie.

— L'éducation de nos jeunes, tout en leur inculquant le sens profond des valeurs humaines, c'est ce qui, d'après moi, compte le plus de nos jours. Si mon propre père ne m'avait pas forcé à rester à l'école plutôt que de courir la galipote comme plusieurs de mes copains, qu'est-ce que je serais devenu aujourd'hui?

— À part qu'il vous a laissé un très bel héritage, lui dit Érik en lui coupant la parole.

Faisant comme s'il ne l'avait pas entendu, Samy continue son propos:

— Hériter ou bénéficier d'un gros tas de biens matériels, ce n'est qu'un élément du jeu de la vie. Ma fille Claudia peut sûrement espérer ne pas avoir de problèmes réels d'argent toute sa vie durant. Cela ne l'a pas empêchée pour autant de parfaire ses études en arts et lettres à l'extérieur des Îles. Et pourtant, elle n'aura probablement pas à se servir de son instruction pour faire fructifier son héritage, mais plutôt pour mieux la préparer à fonder une petite famille dans l'amour et l'acceptation du destin. Me voir vieillir en gâtant mes petits-enfants, n'est-ce pas là un cadeau du Ciel ? Je sais que toi, Érik, tu n'as pas eu cette chance d'être né dans une famille à l'aise, mais en retour, étant du caractère entreprenant de ta mère et de ton oncle, tu as appris beaucoup plus de tes propres expériences que de toute autre chose. Tu ne voudrais sûrement pas obliger tes futurs enfants à faire de même parce que le risque, de nos jours, n'en vaut pas la chandelle.

— Lorsque vous me parlez de mes futurs enfants, vous faites allusion à quoi, Samy ?

— *Well...* Je sais que Julianna te court après depuis assez long-temps merci. Pourquoi ne pas répondre à son appel en lui offrant un avenir qui assurera à tes futurs enfants une instruction à la hauteur des exigences de la vie du 21e siècle ? Tu pourrais également faire de même avec ceux qui sont devenus orphelins de père avec le naufrage de l'*Ariès*. J'ai quitté personnellement les Îles et tu sais fort bien pour-quoi. Peut-on laisser nos chères îles se vider de leurs meilleurs élé-ments et permettre ainsi aux *étranges* de nous envahir en achetant nos terres et habitations qu'ils n'occuperont que pendant les plus beaux jours de l'année ? N'oublie pas, Érik, si les femmes nous font tourner la tête, l'argent, lui, nous la fait basculer.

Érik, tout en écoutant le baratin de Samy, se lève et se met à arpenter de long en large le salon tout en essayant de replacer dans leur contexte réel les paroles de Samy, son père présumé. S'arrêtant à l'oc-casion pour le regarder de plus près, il perçoit dans ses yeux un grand amour des autres mais ne peut s'empêcher de remarquer ses multiples ornements de bijoux en or massif, contredisant pour ainsi dire le don total de soi.

— Samy, j'ai décidé du partage à faire avec les familles, lui dit Érik à la toute fin de son allocution. J'imagine qu'un dépôt de plusieurs centaines de milliers de dollars dans une fiducie garantissant l'éducation des orphelins de père ferait bien l'affaire des familles des naufragés.

— Vas-y, continue, qu'il lui rétorque d'un air intéressé.

— Eh bien ! Il faut aussi que je donne à ma propre famille de quoi ne plus les inquiéter pour l'avenir. Qu'est-ce que vous en pensez ?

— Vas-y, continue, mon Érik. Ta mère est déjà au courant de ta réussite et elle considère, tout comme moi, que les familles des naufragés et les naufragés eux-mêmes devraient être bien traités.

— Et Claudia, est-elle au courant, elle aussi ?

— *Well...* non seulement a-t-elle été informée de ta victoire mais elle pense la même chose. D'ailleurs elle aura la chance de te le dire en personne d'ici une couple de jours sinon d'heures, lorsqu'elle reviendra des Îles.

— Oui, mais tout à coup que je ne suis pas votre fils, ça change tout, non ?

— Je te le répète, Érik. Ne laisse pas le spectre d'un amour incertain aveugler tes propres convictions.

— Eh bien, c'est tout ! Qu'est-ce que vous voulez que je vous dise de plus, Samy ?

— Pourquoi alors ne pas verser un petit 10 000 $ à Alpide en lui exigeant en retour de ne pas renflouer l'épave de l'*Ariès* par respect des familles des disparus en mer ?

— *Désespoir !* Vous n'y allez pas avec le dos de la cuillère, qu'Érik lui rétorque, du venin dans la voix.

— Pas du tout. Qu'est-ce qui te dit que ce n'est pas lui qui t'a expédié des Îles par la poste une bonne partie de son journal personnel pour t'aider à soutirer le plus d'argent possible à ce *bâtard* de Herb Smith ?

— J'en doute fortement, vous savez. Mais si ça peut faire votre affaire à vous, à Alpide, à Claudia, aux familles des disparus et à tout le monde, tant qu'à faire !

— Ne te fâche pas, Érik. Viens, un bon souper aux saveurs des Îles nous attend dans la salle à manger.

Pendant le repas qui n'en finit plus, Érik constate que la femme de Samy n'exprime aucune émotion apparente, quel que soit le sujet abordé. Elle quitte précipitamment la table pour se diriger dans la petite pièce attenante à la chambre des maîtres, identifiée par Samy comme étant son quartier personnel.

Depuis qu'il est à Montréal, Érik se rend compte à quel point Samy est riche. En plus d'une cuisinière reconnue pour ses recettes typiquement madeliniennes, plusieurs domestiques font des va-et-vient pour s'assurer du confort douillet de leurs bourgeois et de leurs proches.

L'après-souper n'est que routine en discutant des récentes palabres des Îles, de la politique, des gouvernements et du laisser-faire de certains jeunes en voie de recherche d'appuis solides et d'encadrement.

En fin de soirée, avant d'aller se coucher, Érik informe Samy de son intention de dormir sur l'ampleur des montants à partager. Ce dernier lui rappelle cependant qu'il faut toujours s'en conserver suffisamment pour soi-même, surtout si les ayants droit décidaient à son retour aux Îles de lui réclamer en justice une forte compensation financière.

Couché dans un grand lit douillet, Érik tombe dans un sommeil cauchemardesque, le fastueux repas aidant, ajouté aux nombreuses boissons de toutes sortes qui ont suivi. Les poches pleines à craquer d'argent, il se voit dans un rêve au gouvernail de sa défunte *Ariès*, qui fonce vers une banquise, en train de couler vu les innombrables peaux de loup-marin qui la recouvrent.

— Ici le *Faucon des mers* qui appelle l'*Ariès*. À toi.

— Ici l'*Ariès*. Qu'est-ce que tu me veux, Alpide ? À toi.

— Place-toi sur le canal d'urgence, le jeune. À toi.

Érik cherche du regard le bâtiment à Alpide qui se dirige droit sur le sien. Il essaie de remuer la gouverne mais constate qu'elle est bloquée.

— Ici l'*Ariès*. Modère tes transports, Alpide, et dis-moi ce que tu veux. À toi.

— Ici le *Faucon des mers*. Depuis le temps que je te suis comme une mouche à marde, dis-moi pas que tu as oublié ceux dont tu avais la responsabilité sur l'*Ariès* et qui sont partis dans l'au-delà. Maintenant qu'ils sont revenus sur terre et qu'ils sont à mon bord, ils veulent te faire payer pour tes erreurs. Vide tes poches et quitte ton navire au plus sacrant, *simonacle*.

Érik ne sait que répondre en voyant les flashes des visages de son équipage qui ne cessent de défiler à vive allure devant les fenêtres de la timonerie, comme dans un film d'horreur. « Pourquoi avoir laissé le jeune Simon comme gardien de nuit ? » lui demande Alpide revêtu d'une toge d'avocat. « Pour quelle raison un capitaine n'a pas obligé son équipage à vider l'eau qui s'est introduite dans la cale arrière ? Qu'est-ce qui nécessitait l'urgence de quitter son port d'attache avec une palme d'hélice mal en point ? Comment un capitaine peut-il laisser son équipage se scinder en deux groupes de rescapés après le naufrage de son navire ? »

Face à cette litanie d'accusations qui le harcèle, Érik essaie de se boucher les oreilles et de prendre ses jambes à son cou pour se jeter à la mer, quitte à ce qu'il se noie pour en finir avec ce cauchemar. Rien à faire. Il se sent prisonnier d'une camisole de force qui l'empêche de bouger et qui le rend hystérique en l'étouffant.

Ouvrant les yeux, il émerge de son mauvais rêve, le cœur battant et le front où perle une sueur froide. Il se lève à demi-conscient, sans pouvoir se situer vraiment dans le temps, même de l'endroit qu'il occupe. Ressentant le besoin d'air frais, il se dirige instinctivement vers la fenêtre entrouverte dont il écarte les rideaux pour apercevoir au loin, à la lueur du jour qui se lève, les remous des rapides de Lachine.

Petit à petit, il revient à lui en se demandant bien pourquoi, plutôt que de l'aider à se décider sur l'attribution des sommes d'argent dont il va bénéficier, son sommeil l'a rendu encore plus enclin à tout conserver pour lui.

Se saisissant de la photo de son oncle, il l'implore de lui venir en aide. «Faites donc que s'arrête ce mauvais rêve et que je revienne, comme dans le bon vieux temps où vous m'avez conseillé maintes et maintes fois, sur le sens même des valeurs de la vie sur terre.»

À peine couché et rendormi, Érik entre dans un fantasme assez inusité. Comme dans un acte théâtral, il voit Alpide qui essaie de convaincre Claudia de s'abandonner à lui pour la voir finalement céder à ses avances. Julianna, qui assiste à la scène en sa compagnie le prend par le cou et lui offre ses lèvres pulpeuses en le suppliant de lui faire l'amour.

Sentant une main qui lui secoue l'épaule, il ouvre lentement les yeux pour apercevoir dans une forme de brouillard non pas Julianna mais Claudia qui lui dit tout doucement :

— Que tu es beau, Érik, lorsque tu dors. Allez, lève-toi et viens me retrouver à la salle à manger. Je m'en vais te préparer ton petit déjeuner préféré.

Croyant rêver, Érik se frotte les yeux et s'assoit dans son lit. Voyant Claudia s'esquiver, il lui demande, la voix encore enrouée par le sommeil.

— Mais, mais… Claudia qu'est-ce qui se passe ? Qu'est-ce que tu fais ici ?

CHAPITRE 17

Chat échaudé craint l'eau froide

Encore sur le coup de la stupéfaction, Érik regarde l'heure à sa montre et constate qu'il est plus de neuf heures du matin. Il se lève et écarte les rideaux pour apercevoir Samy et sa femme qui déambulent sur la voie piétonnière qui fait face aux rapides de Lachine. Petit à petit, il se remémore les événements de la veille en se demandant bien comment il se faisait qu'il avait été réveillé par Claudia alors qu'il la croyait encore aux Îles-de-la-Madeleine.

— Eh bien! Es-tu heureux que je ne sois pas ta demi-sœur? qu'elle lui demande en l'accueillant à la salle à manger, le sourire aux lèvres.

— Mais oui! Alors, pourquoi toute cette mise en scène? qu'il s'enquiert en se dirigeant vers elle. Tu ne m'embrasses pas, Claudia?

— Et pourquoi pas? qu'elle lui répond en s'élançant dans ses bras pour lui prodiguer plusieurs baisers profonds et langoureux. Assoies-toi maintenant et prends le temps de bien manger pendant que je vais tenter de t'expliquer, quelle poursuit en se dirigeant vers la cuisine.

Érik, bouche bée, ne sait que faire ou dire. Revenant de la cuisine avec une assiette qu'elle s'apprête à lui offrir, elle lui dit:

— Lors de ma première visite, si je suis restée à Montréal plus longtemps que prévu, c'était surtout pour t'obliger à y venir faire analyser ton ADN. Au fait, mon père n'était assuré qu'à 90 % environ que tu n'étais pas mon demi-frère. Toutefois, lorsque tu es arrivé à Montréal, sachant fort bien que tu aurais à régler également ton différend avec Herb Smith, il m'a demandé de retourner aux Îles parce que, m'a-t-il dit, l'argent et l'amour, ça n'a jamais fait bon ménage.

291

— J'essaie de comprendre, Claudia, mais ça n'explique pas tout. Comment se fait-il alors que j'aie reçu par la poste, directement des Îles, la presque totalité d'une copie du journal personnel d'Alpide?

— Ça, c'est une longue histoire qui n'avait pour but que de t'aider dans tes négociations avec Herb Smith. Je voulais par ce geste te faire croire que ces papiers auraient pu te parvenir de Julianna qui aime souvent se frotter aux hommes qu'elle affectionne en particulier et dont tu fais partie évidemment.

Érik essaie d'avaler tant bien que mal son petit déjeuner de même que les déclarations de Claudia qui ne cessent de défiler au rythme de ses allées et venues à la cuisine. La saisissant au passage par la taille, il lui dit:

— Et en plus de ça, tu t'étais arrangée avec ton père pour que je promette le fameux «petit 10 000$» à Alpide.

— Oui et pourquoi pas? Ce fut une décision à deux. Tiens, le voilà qui revient de sa marche matinale avec ma mère, ajoute-t-elle en se retirant de son emprise.

À peine Samy fait-il son apparition dans le vestibule qu'il se lance dans les bras de sa fille qui l'accueille.

— Viens ici, Érik, qu'il lui dit, une teinte de tendresse dans la voix. Viens m'embrasser, toi aussi.

Après plusieurs accolades des plus chaleureuses, Samy demande à Claudia de reconduire sa mère dans ses quartiers personnels et demande à Érik de passer au boudoir, question de discuter des dernières péripéties.

— Te rappelles-tu, Érik, de mes absences subites lors des négociations d'hier? Eh bien, voilà! Lors de ma première disparition, j'ai appris à Claudia la bonne nouvelle que pour sûr je n'étais pas ton père. Je me suis échappé par la suite pour lui communiquer notre réussite. Je lui ai alors demandé de prendre l'avion et de venir à Montréal en fin de soirée sans que tu le saches, évidemment. Elle a logé dans la suite du Ritz que tu avais quittée la veille, de telle sorte que ce matin, tu as eu la plus belle surprise de toute ta vie, n'est-ce pas, mon Érik?

— Ouais. Vous vouliez donc connaître avant toute chose mes intentions sur les choix à faire avec ma petite fortune. C'est astucieux de votre part, mais ça ne répond pas pour autant à mes anticipations que votre fille a bien pu s'amouracher d'Alpide pendant tout ce temps-là.

— C'était le risque à prendre et je l'ai pris parce que j'ai confiance en toi, et encore plus envers ma fille. Va te préparer maintenant, qu'il lui suggère. On a bien des choses à régler aujourd'hui.

— Comme vous voudrez, Samy, mais j'ai hâte qu'on en finisse avec cette partie de cache-cache qui est en train de me rendre dingue.

* * *

Le premier rendez-vous avec l'avocat Alex Leblanc a été des plus agréables. Ayant signé les quittances et autres documents de la transaction, Érik se voit transférer la totalité des sommes d'argent, du fait que Samy a tenu absolument à payer les honoraires et débours. En retour, la rencontre avec le notaire Michel Imbeau a comporté beaucoup de remises en question. En effet, les résultats comparatifs des analyses des ADN respectifs n'avaient pas été connus avant l'engagement relatif à la distribution d'une bonne partie de l'argent reçu du négociant Herb Smith.

Le marchand, toujours prévenant, paie une fois de plus les honoraires et débours, mais ce geste ne satisfait pas totalement Érik. Selon lui, il aurait dû être averti des résultats au même titre que son père présumé. En réponse, le notaire exhibe un relevé montrant l'appel téléphonique effectué à l'hôtel Ritz quelques minutes avant que Samy ait demandé à être informé de la conclusion des analyses. « Comme quoi, tout est bien qui finit bien ! » leur lance Samy en se levant pour les laisser seuls afin qu'ils préparent les documents nécessaires à l'engagement financier d'Érik envers les naufragés de l'*Ariès*.

Pendant le reste de la journée, le notaire Imbeau fait signer à qui de droit tous les papiers nécessaires pour la création d'une fiducie sans droit de regard en faveur des ayants droit des naufragés. Par la même occasion, Érik lui demande de préparer un testament en bonne et due forme, question d'être le plus prévoyant possible. « Sait-on jamais ce qui peut arriver dans le futur », lui avait-il dit en toute fin de leur entretien, tout en lui demandant d'orchestrer sur papier plusieurs scénarios.

Ainsi, si les familles et leurs ayants droit décidaient de poursuivre les procédures légales qui feraient suite à la mise en demeure déjà reçue, la distribution des sommes d'argent promises en serait totalement amputée, comme quoi on n'a rien à gagner à vouloir ronger à l'os un bon samaritain. Voulant faire montre de bonne volonté, le testament mentionne qu'en cas de décès qui précéderait l'entente finale et complète entre les parties, la presque totalité de l'argent provenant de la cargaison serait versée aux familles des disparus.

✲ ✲ ✲

Les jours suivants, Érik s'active à courtiser Claudia en l'invitant à toutes sortes d'événements qu'offre une grande ville telle que Montréal. Essayant de conquérir ses charmes lorsqu'ils se retrouvent seuls, il sent comme l'ombre de son père qui veille sur sa fille. Ainsi, Claudia s'abstient de prolonger les moments d'intimité à l'extérieur de l'entourage de son père, sous prétexte qu'elle craint de le voir apparaître subitement. Érik, ne sachant pas à quoi s'en tenir avec elle, demande une rencontre d'homme à homme avec Samy afin d'en avoir le cœur net.

— Le doute, lui dit Samy, ça peut toujours se contrôler, mais l'amour, c'est lui qui te gouverne au point où tu peux en perdre la tête. La rose, qui est le symbole de l'amour, ne comporte-t-elle pas des épines ? C'est souvent à ça qu'on réfère lorsque l'on dit qu'aimer, ça fait mal.

Érik, en l'écoutant, voit en Samy une espèce de mentor en remplacement à son oncle qu'il priait à chaque soir où il avait des difficultés avec les aléas de la vie.

— Si ton corps souffre, tu ne peux performer sur le plan physique, qu'il poursuit. Mais si ton cœur saigne de douleur, c'est ta tête qui aura tendance à s'envoler et à te faire prendre de mauvaises décisions. As-tu seulement pensé à parler à Claudia d'un avenir prometteur aux Îles, même avec tous les risques que cela comporte ? N'as-tu pas le goût de relever les défis tant sur le plan matériel qu'émotionnel ?

Tout en écoutant Samy, Érik aperçoit du coin de l'œil Claudia qui, appuyée sur l'encadrement de la porte du salon, prête l'oreille à certains propos de son père.

— Même si tu considères Alpide comme ton éternel rival, sans cette forme d'adversité, tu n'aurais pu conserver ta rigueur intellectuelle. L'expérience dans la vie, c'est la somme de nos erreurs, mon Érik. Un homme qui prétend ne jamais avoir fait de fautes est un homme mort qui échouera à la première occasion d'une épreuve.

— Vous aimez sans doute philosopher sur la vie, Samy. N'empêche que je dois attendre la finalisation des papiers du notaire avant de rentrer aux Îles.

— Comme ça, tu aurais décidé d'y retourner dans un proche avenir, avec ou sans Claudia? qu'il lui demande en écartant les yeux.

— Mais, voyons donc, avec votre fille, si elle le veut bien. Pourquoi pas? Ici, à Montréal, un peu comme les nombreux Madelinots d'origine que j'ai rencontrés, on vit avec le mal du pays. Les grands espaces, l'air pur, le silence, la mer, tout cela me manque, vous savez. Comme le dit la chanson : « On est seul aux Îles, mais on est tranquille ! »

— C'est pourtant vrai, et c'est encore pire lorsque l'on se fait vieux comme moi. En retournant aux Îles, tu auras par contre à faire face à tes responsabilités tant avec Alpide qu'avec les familles des naufragés qui t'ont déjà remis une mise en demeure. Même ma fille aura fort à faire pour s'abstenir d'écouter les langues fourchues qui passent leur temps à dénigrer leurs compatriotes.

— Voyons donc, Samy, faites-moi confiance. Un défi de plus ou un de moins à relever, c'est du pareil au même. C'est à moi à m'organiser avec ce que la vie me réserve et non à la vie à s'amariner à moi.

— *Well…* tu commences à raisonner comme un homme sage, mon Érik. Tu as le caractère d'un vrai Madelinot qui est habitué à se battre contre les éléments de la Nature. Je suis convaincu que ma fille va te suivre aux Îles, surtout que maintenant, tu es rendu *bien en avant de ta bouée*, qu'il insinue en plissant les yeux d'assouvissement.

* * *

Profitant d'une belle soirée d'automne, Érik amène Claudia faire une promenade sur le bord du Saint-Laurent, près des rapides de Lachine. Soucieux de connaître son réel attachement à lui, il l'incite à discuter d'un sujet fort délicat : le degré d'amour réel entre eux.

— Ouais, c'est une belle soirée d'automne, qu'il lui dit en la prenant par la main. Ça me fait penser à l'hiver, lorsqu'on patinait ensemble sur les sillons. Et toi?

— Moi, aussi, lui répond Claudia, en s'arrêtant pour le couver tendrement des yeux. En retour, par ici, on dirait qu'on manque d'air et qu'on a la vue constamment obstruée par les édifices, si ce n'est pas le smog du mois d'août dernier. Tiens, regarde le firmament, Érik, on ne voit même pas la voûte céleste, qu'elle lui dit avec une teinte de nostalgie dans la voix.

— C'est bien vrai. Mais d'ici peu, tu pourrais retrouver toutes ces splendeurs si tu veux bien m'accompagner lors de mon retour aux Îles. Ton père doit t'en avoir sûrement parlé.

— Oui. De ça et de toutes sortes d'autres choses également. Asseyons-nous sur ce banc, si tu le veux bien.

Érik, ayant pris place près d'elle, l'entoure de ses bras, en silence, en essayant tant bien que mal de l'embrasser.

— Dis-moi franchement, Claudia. Qu'est-ce qui t'arrive? Tu sembles de plus en plus distante. Ça fait à peine une semaine que tu es revenue des Îles que tu refuses constamment mes avances. Pourquoi ne pas daigner m'embrasser de la même manière que tu l'as fait lors de nos retrouvailles?

N'attendant pas plus longtemps, Claudia lui prend la tête à deux mains et l'embrasse d'un baiser profond et passionné. Érik, pris de court, lui rend son baiser non sans avoir entre-ouvert légèrement les yeux pendant quelques secondes pour regarder Claudia qui fouille les environs du regard. Lâchant son emprise, il lui demande d'une voix cassante :

— Claudia, qu'est-ce qui se passe? On dirait que tu as peur qu'on nous surprenne en train de s'embrasser. Après tout, à l'âge qu'on a…

— Excuse-moi, mais je crois avoir aperçu l'un des domestiques de mon père qui nous surveillait près du gros arbre qui se trouve juste à côté, qu'elle lui répond, sans trop de conviction cependant.

— Dis-moi pas que ton père nous espionne à ce point, qu'il lui réplique sèchement en se levant pour chercher du regard la mystérieuse apparition.

Après quelques minutes, Érik se rassoit et lui dit :

— Tu vois, Claudia, il s'est envolé. Je pense que tu hallucines et que c'est une bonne raison pour ne pas me dire franchement ce qui se passe à l'intérieur de toi. On dirait que ton long séjour par ici, avec Alpide qui s'y rendait à l'occasion, t'a rendue lasse et que je ne t'intéresse pas plus qu'il ne faut.

— Arrête de me parler d'Alpide, qu'elle lui demande d'un ton glacial, et de ce que j'ai dû faire pour lui extraire en cachette une bonne partie de son journal personnel. Je ne t'ai jamais demandé jusqu'où tu as pu satisfaire tes instincts d'homme avec Julianna. J'aime mon père plus que quiconque et jamais, pour tout l'or du monde, je ne voudrais lui faire de la peine.

— Ça va, Claudia, ne te fâche pas. Dis-moi franchement : si j'avais été attesté comme étant ton demi-frère, ta décision aurait-elle été quand même de m'accompagner aux Îles ?

— Oui. Et qu'est-ce que cela aurait changé ? Sauf que cette fois-ci, je veux voir jusqu'à quel point nous pourrons faire une vie à deux. Ça ferait tellement plaisir à mon père.

— Ah bon ! Et à toi aussi, j'espère. Excuse-moi de vouloir sonder ton cœur aussi profondément, mais tu ne peux pas savoir combien je te trouve désirable. Je souhaite avant tout que ce voyage de retour dans nos chères îles nous ouvre le chemin vers des fréquentations assidues et d'acceptation de l'un et de l'autre.

— C'est justement ce que je me disais lorsque mon père m'a offert deux billets sur le nouveau bateau cargo croisière qui quitte Montréal vers les Îles toutes les semaines, qu'elle lui dit dans un sourire plein de tendresse.

Étonné de cette nouvelle sans en être trop stupéfait, il se risque à lui demander :

— Mais dis-moi pas qu'une fois de plus, ton père a organisé notre retour aux Îles ? En tout cas, cette fois-ci, on pourra être isolés de lui, sans chaperon aucun, je l'espère.

— Pas si sûr que ça. Mon père, toujours inquiet de ce que peut faire *l'œuvre de chair*, comme il dit, nous a réservé à chacun une cabine séparée. Regarde les billets, qu'elle s'empresse d'ajouter en les sortant de son sac à main.

— Ouais, c'est pas mal fin finaud de sa part. Excuse-moi de revenir sur le sujet mais, aux Îles, tu étais parfaitement libre de faire ce que tu voulais et maintenant que ton père est dans les parages, tu te plies à tous ses caprices. Voyons, Claudia, me prends-tu pour une valise ?

— Pas du tout, qu'elle lui répond d'un ton rempli d'amertume. Si jamais tu me reparles de mes fréquentations avec Alpide, c'en est fini entre nous. Et si tu veux le savoir, aux Îles, je demeurais chez ma tante. Il en sera de même également cette fois-ci. « Chat échaudé craint l'eau froide » et mon père le sait plus que quiconque.

— Pardonne-moi encore une fois, Claudia, qu'il lui glisse dans le creux de l'oreille. Tu es si belle et désirable que l'homme qui parviendra à conquérir ton cœur deviendra l'être le plus heureux de toute la terre. Et si tu veux le savoir, j'ai la ferme intention de tout essayer pour te séduire.

Claudia, en réponse à cet aveu, l'embrasse courtoisement en le priant de la suivre à la villa de son père.

* * *

Vu la forte demande de passagers entre Montréal et les Îles-de-la-Madeleine, le navire dénommé *Le Vacancier*, propriété de la CTMA (Coopérative de transport maritime et aérien) a été mis en service en juin 2002. D'une longueur de 126 mètres sur 22 de largeur, le navire avec ses huit ponts peut accommoder 500 passagers et 250 voitures environ. Avec son tonnage de 12 000 tonnes dont plus de la moitié est constitué de marchandises qui transitent entre Montréal et les Îles, le paquebot relie les deux ports en plus ou moins quarante heures.

Au milieu des années quarante, le marchand Samy avait vu d'un mauvais œil la fondation d'une coopérative de transport par des Madelinots *pure laine*, venant ainsi lui faire compétition dans le transfert de marchandises entre les Îles et les Maritimes surtout. Cependant, au fil des ans, il avait compris qu'un peuple qui se prend en main est un peuple qui s'affranchit et, dans ce sens, il avait invité ses acolytes, marchands de profession, à se joindre à lui en achetant des parts dans la coopérative CTMA.

Voulant s'assurer que sa fille unique ne soit pas trop tentée par les démons de la chair et du même coup éviter les palabres à son endroit, il avait réservé deux cabines dont l'une sur le pont 7 pour Claudia et l'autre sur le pont 5 pour Érik. Ainsi, les allées et venues des deux tourtereaux entre les deux ponts du navire seraient possiblement scrutées — il l'espèrait bien — par certains membres de l'équipage qui connaissaient Claudia comme une femme réservée et vertueuse à la fois. Quant à Érik, reconnu pour sa ténacité à en arriver rapidement à ses fins, Samy avait convaincu un sous-officier du navire de l'embêter suffisamment pour l'empêcher d'aller trop loin dans ses efforts de séduction de sa fille bien-aimée.

* * *

Toujours est-il que le vendredi midi suivant, on retrouve au port de Montréal Samy et sa femme qui accompagnent Claudia et Érik pour leur embarquement sur *Le Vacancier*. Ce dernier devrait sillonner le fleuve et une partie du golfe pendant les prochaines quarante heures avant d'arriver aux Îles après diverses escales en cours de route.

Le marchand, plus nerveux qu'à l'habitude, prend Érik à l'écart et lui remet un bijou de grande valeur qu'il lui demande de donner en secret à sa mère Esthèle.

— Vous ne pensez pas que ma mère va être embarrassée avec ce joyau ? Et puis, ça ne vous inquiète pas de me laisser votre fille entre les mains ? qu'il poursuit d'un ton présomptueux.

— Pas du tout. Je fais autant confiance à toi et à ta mère qu'à ma fille. Au fait, qu'est-ce que tu attends pour me demander sa main ? qu'il lui demande avec un sourire en coin.

— Mais voyons donc. Pourquoi devrais-je le faire ?

— *Well...* même si c'est une vieille coutume, elle représente encore aujourd'hui une valeur sûre surtout pour des parents qui perdent leur fille unique au profit d'un homme qui va éventuellement l'épouser.

— Ah bon ! Alors, si ça peut vous faire plaisir, Samy, voilà : voulez-vous m'accorder la main de votre fille Claudia, même si je ne sais pas encore si elle va vous suivre dans cette démarche ?

— Mais oui, mon Érik, et ne te fais pas de mauvais sang avec ça. J'ai foi en ma fille et je sais qu'elle sera tienne d'ici peu. Tiens, qu'il ajoute en sortant une petite boîte de sa poche, voici une bague de fiançailles comportant un diamant de cinq carats.

— Mais, mais... Voyons donc, Samy, qu'il lui réplique, gêné.

— Laisse faire et cache-la avec le bijou pour ta mère dans ton bagage à main. Allons maintenant retrouver les femmes qui doivent s'inquiéter, qu'il poursuit en l'invitant à le suivre.

Peu après, franchissant la passerelle pour s'embarquer en compagnie des autres passagers, Érik se dit qu'enfin il aura la voie libre pour

299

aimer Claudia comme il l'entend et non pas comme Samy lui-même le souhaite. Appuyés sur la rambarde du pont supérieur du navire qui quitte le quai, les deux amoureux répètent plusieurs fois des signes d'adieu à Samy et à sa femme qui les regardent de loin d'un air triste et mélancolique. Claudia suit ses parents du regard avec de multiples baisers qu'elle leur souffle de la main, pendant qu'Érik s'intéresse plutôt aux manœuvres qu'effectuent les matelots sous les ordres des officiers de pont. Malgré qu'on soit rendu au milieu du mois de septembre, le navire est plein à craquer de passagers dont la plupart sont des *têtes grises* en mal de découvrir un coin de leur pays.

Sorti de l'enclave du port de Montréal, le navire longe aussitôt les berges sud du Saint-Laurent. Érik ne cesse de décrire à Claudia, qui semble détendue et radieuse, la richesse du paysage qui s'offre à leurs yeux. Un peu plus loin, cependant, ce sont les nombreuses usines qui crachent d'immenses nuages de poussières polluantes qui font contraste en lui rappelant que l'homme, en essayant d'asservir la nature, est en train de se détruire lui-même.

Arrivé à Cap-Charles, une belle surprise attend les passagers qui se regroupent pour regarder le drapeau acadien hissé sur un haut-mat à partir d'un promontoire en bordure du fleuve, en même temps qu'est diffusé l'hymne national canadien. Profitant du moment, Érik se présente aux voyageurs comme étant un Madelinot habitant aux Îles, piquant ainsi la curiosité des touristes dont une bonne partie en est à leur premier voyage sur *Le Vacancier*.

« En comparaison à ce qui vous attend à notre arrivée dimanche matin, ces points de vue ne font pas le poids », qu'il leur dit en s'enflammant de plus belle. Il leur parle, entre autres, du milieu même dans lequel vivent ses compatriotes, de la tranquillité et de l'hospitalité qui les caractérisent, allant même jusqu'à aborder quelques énoncés sur la chasse au loup-marin.

Pendant que Claudia s'excuse auprès du groupe, Érik ne cesse de s'expliquer sur le phénomène dont la plupart des gens à bord ont déjà entendu parler d'une manière quelconque. Comme tout argument est valable en soit, il s'aperçoit que le groupe d'auditeurs qui s'agrandit est divisé sur la question. Il essaie de démontrer tant bien que mal que les produits dérivés du phoque sont beaucoup plus écologiques que ceux de fabrication synthétique qui consomment une très grande quantité d'énergie laquelle, à la longue, pollue davantage l'environnement. Cependant, bon nombre d'interlocuteurs trouvent que la chasse au loup-marin est trop cruelle

« Saviez-vous que les loups-marins gris, lorsqu'ils s'emparent d'une morue, n'en mangent que les abats, laissant les restes du poisson se gaspiller ? » qu'Érik leur déclare dans un dernier effort de persuasion.

Certaines personnes du groupe rendent la surpêche responsable de la disparition presque complète des poissons de fond, et ce, malgré qu'elle ne se pratique plus dans les eaux privées canadiennes depuis plusieurs décennies. Un soi-disant savant explique le phénomène du réchauffement de la planète. Finalement, lorsque la manifestation sur la gestation et la mise bas de centaines de milliers de loups-marins dans le golfe du Saint-Laurent se révélera en mars prochain, plusieurs se promettent de retourner aux Îles pour y vivre cet événement unique dans toute l'Amérique du Nord.

En allant retrouver Claudia, Érik s'aperçoit que les gens sont généralement mal informés. Au fait, ils ne retiennent que ce que l'image veut bien leur montrer. Ils sont prêts à croire les premiers venus qui trop souvent parlent à travers leur chapeau. Ils préfèrent plutôt se fier à certains journalistes et reporters marginaux qui cherchent d'abord et avant tout un *scoop*, en créant une controverse qui alimentera les médias pendant un certain temps.

— Érik, lui lance Claudia assise sur une chaise longue, ça fait longtemps que je prends mon mal en patience. Tiens, je te présente Marc à Euclide du Havre-aux-Maisons, qui occupe le poste d'assistant au commissaire de bord.

Érik le salue promptement, lui signifiant ainsi qu'il désirait qu'il prenne congé au plus vite.

— Quelle belle journée, Claudia. Avec ce soleil chaud, on se croirait en plein mois d'août, qu'il lui dit comme pour lui signifier faussement son indifférence.

— C'est vrai, mais tu aurais pu quand même être plus sympathique avec Marc. Il est très gentil, tu sais. Il voulait tout simplement prendre soin de moi pendant ton absence.

— Excuse-moi, Claudia, mais pourquoi a-t-il eu l'air de paralyser lorsque je suis apparu ? Je crois qu'en faisant attention à toi, il s'assure ainsi que ton père en aura pour son argent.

— Voyons donc. Tu fabules encore une fois. Mon père nous fait entièrement confiance. Il faut que tu acceptes qu'une femme aime toujours se faire courtiser par les hommes, même ceux que tu prétends être mandatés pour nous chaperonner.

* * *

Pendant tout le reste de la journée, Érik cherche, mais en vain, certains endroits plus discrets que les aires communes afin d'être seul avec Claudia. Cependant, reconnu depuis peu par les passagers comme étant un fin connaisseur de son patelin, il se fait prendre à son propre jeu. En effet, les touristes recherchent constamment sa présence pour lui demander des explications sur les us et coutumes de ses compatriotes madelinots.

Dans la soirée, le navire fait escale au port de la ville de Québec. Feignant une migraine, Érik offre à Claudia de ne pas se joindre au groupe de passagers qui descendent en compagnie de Marc pour une courte visite d'une partie de la vieille ville. Tout en l'embrassant tendrement, Claudia refuse gentiment de rester avec lui pour se mêler aux passagers qui commencent déjà à enjamber la passerelle. Elle lui confie tout bas à l'oreille : « Ne t'en fais pas, Érik, on a encore beaucoup de temps devant nous. »

De retour de sa promenade dans le Vieux-Québec, Érik accompagne Claudia à sa cabine afin de l'aider à ranger ses bagages et profiter en même temps de l'intimité qu'offre une chambre exiguë à souhait. Hélas, les va et vient des passagers, comme ceux des membres de l'équipage qui souhaitent répondre aux moindres désirs de leurs invités par cette première nuit à bord, rendent Claudia si fébrile qu'Érik comprend par la force des choses qu'il doit la laisser seule.

Chemin faisant, il rencontre l'assistant au commissaire de bord qui lui souhaite une bonne nuit avec un sourire narquois, le faisant rager de toute son âme. Aussitôt entré dans sa cabine, il sent les manœuvres du navire qui quitte le quai. Pendant un court instant, il pense que ce Marc de malheur a bien pu s'approprier de la clef passe-partout pour aller retrouver Claudia et prendre la place rêvée dans son lit. Ne voulant pas faire un fou de lui, il refuse de jouer au contre-espionnage avec lui, considérant qu'il n'est pas certain de sa mission auprès de sa dulcinée. Il cache dans des endroits inusités le bijou que Samy lui avait demandé de donner en secret à sa mère ainsi que la bague de fiançailles qu'il regarde longuement en se demandant à quelle sorte de jeu Claudia, de même que Samy, l'avait convié. Il dissimule également la petite boîte qui contient une partie des cendres de son oncle Frédérik dont le testament lui commandait de les répandre lorsque le navire traversera les environs du Banc de l'Orphelin.

⁎ ⁎ ⁎

Pendant toute la journée du lendemain, le navire longe la rive nord de la Gaspésie. Dans le but de profiter privément de leurs mamours, Claudia et Érik apprennent à se soustraire occasionnellement au gardiennage de Marc, occupé qu'il est à expliquer l'environnement qui défile sous les yeux des passagers. Face à la rive habitée par les résidants de Pointe-au-Père, il expose à son auditoire le déroulement du naufrage de l'*Empress of Ireland* survenu lors du dernier conflit mondial, le deuxième en importance en termes de pertes de vies après celui du *Titanic*.

La visite guidée de la timonerie sur le pont 8 permet de faire meilleure connaissance, autant avec le capitaine qu'avec les autres officiers qui se confient aux passagers sur les hauts et les bas de leur profession. « Il faut avoir la vocation pour naviguer sur ces navires, leur dit le capitaine. Quitter sa femme toutes les semaines et ne pas voir ses enfants grandir, c'est très dur pour le moral. En retour, la mer qui nous appelle compense en quelque sorte cette forme de fatalité, surtout lorsqu'elle nous oblige non pas à se battre contre elle mais avec elle, comme si nous en faisions partie. » Leur montrant sur la grande carte marine la position actuelle du navire ainsi que la route qu'il suivra pour arriver aux Îles, Érik pointe à Claudia la localisation du Banc de l'Orphelin qu'ils devront franchir vers les deux heures du matin, au plus tard.

En soirée, vêtus de leurs plus beaux atours, Érik et Claudia se présentent à la salle à manger située sur le pont 7. À la demande de Claudia, une table tout près de celle des officiers a été réservée pour eux. Le bon vin qui accompagne le souper fort copieux a été choisi spécialement par le capitaine. Il veut ainsi profiter de l'occasion pour remercier le père de Claudia qui lui avait déjà rendu un fier service en lui faisant faire ses classes sur l'un de ses navires marchand.

Après le fastueux repas, les tourtereaux, comme bon nombre de passagers, s'en vont au salon-bar afin d'assister au spectacle donné par des artistes locaux. Les liqueurs fines, toujours *sur le bras* du capitaine, amènent Claudia et Érik dans un état d'euphorie et de vulnérabilité, à un point tel qu'ils en sont rendus à se désirer ardemment.

Marc, l'assistant au commissaire, n'étant pas apparu dans le décor depuis un long moment, Érik en profite pour reconduire Claudia à sa chambre avec l'intention bien arrêtée de la séduire jusqu'à ce qu'elle s'abandonne totalement à lui.

À peine sont-ils entrés dans la cabine que les ébats amoureux débutent par de longs baisers fougueux et passionnés, entrecoupés de petits mots doux, rendant les amants encore plus sensibles aux attouchements prodigués. Étendus sur le lit, les tourtereaux assouvissent petit à petit leurs désirs les plus profonds qui les torturent, en s'enivrant de caresses qu'ils voudraient voir se prolonger sans fin. Pour eux, c'est comme si le temps n'existait plus tellement ils se sentent unis dans l'extase de leurs ébats, jusqu'au moment où Claudia repousse nonchalamment Érik en lui disant tout doucement :

— Non, Érik, pas ça. Je ne peux pas.

Surpris et irrité à la fois par ce brusque refus, il se relève, ramasse ses vêtements en lui rétorquant d'un air injurieux :

— Est-ce parce que tu ne peux pas ou est-ce plutôt parce que tu ne veux pas, Claudia ?

— Mais voyons, Érik. Tu ne comprends pas…

— Laisse faire, qu'il lui réplique d'un ton fendant. Maintenant, je sais à quoi m'en tenir, qu'il poursuit en se rhabillant rapidement avant de faire claquer la porte derrière lui.

Le cœur à l'envers tellement il est bouleversé et contrarié, Érik se dirige tout droit vers l'arrière du navire. Il sort et s'appuie sur la rambarde, en essayant d'oublier son désarroi, malgré une nuit belle et apaisante avec la lune et les étoiles qui jouent à cache-cache avec les nuages. Les vibrations des moteurs sur la coque et leurs fortes émanations lui indiquent que l'officier de garde a sûrement placé les moteurs *en avant toutes* afin d'entreprendre la traversée du golfe.

Regardant la traînée des remous laissée par le navire, Érik a l'impression d'être la personne la plus mal aimée de toute la terre. Forcée par son père Samy, Claudia essaie sans doute de lui laisser croire qu'il est l'homme de sa vie. Pourquoi lui avoir refusé ce dernier moment d'abandon, l'instant même où la femme se livre tout entière à celui qui veut la posséder, en espérant dans son for intérieur qu'il est peut-être le tout premier, ce dont rêve tout homme, évidemment.

C'est sûrement *l'œuvre de chair*, comme le lui a exposé jadis sa mère, qui fait que Claudia a déjà succombé aux avances de son éternel rival, Alpide. Autrement, comment serait-elle parvenue à lui soutirer la majeure partie de son journal personnel qui traite de l'avant et de l'après de l'expédition à l'Orphelin? Ce dernier ne s'est-il pas déjà vanté de trouver en Claudia une femme affectueuse et chaleureuse à souhait? Non seulement lui réserve-t-il bien des manigances, mais encore faut-il qu'il arrive à le devancer sur le plan amoureux!

Plus il pense aux contrariétés auxquelles il fait face, plus il souffre de tout son être. Son cœur est tellement à l'envers qu'il voudrait restituer toute la rancœur qu'il éprouve tant pour Alpide que pour Samy qui a *arrangé*, en quelque sorte, l'avenir de sa fille. L'avenir avec le fils d'Esthèle qui lui a succombé lors de leurs fréquentations de jeunesse. Voulant oublier ces calamités au plus vite, il agrippe dans sa poche sa petite boîte d'anti-dépresseurs qu'il s'apprête à ouvrir en apercevant Marc qui passe devant lui avec un sourire malicieux accroché au visage.

— Bonne nuit, Érik, qu'il lui dit. Dis-moi pas que tu as peur d'être malade et que tu t'apprêtes à prendre des pilules contre le mal de mer!

« Inutile de répondre à cet espion de malheur, qu'il se dit en remettant la boîte dans sa poche. Peut-être vient-il de satisfaire ses bas instincts avec une femme de l'équipage… et pourquoi pas avec Claudia? » qu'il spécule en le voyant monter l'escalier qui mène aux cabines des officiers.

Voulant apaiser ses délires qui le torturent, il se dirige vers un escalier qui descend sur les ponts 5 et 6. Arrivé au niveau du pont 6, il aperçoit une pancarte indiquant *Équipage seulement*, l'obligeant à s'arrêter pour réfléchir à nouveau. Appuyé sur le garde-fou, les oreilles bourdonnant du bruit infernal des moteurs, il regarde encore de plus près la traînée laissée par les tourbillons des hélices du navire, qui vient de prendre sa position définitive avant d'arriver aux Îles. Regardant la lune qui resplendit sur l'étendue de la mer, il repasse dans sa tête les quelques moments de félicité qu'il vient de vivre avec Claudia pour être frappé soudainement de stupeur. « Comment expliquer, se dit-il, qu'elle ait essayé de me cacher sa visite chez un gynécologue si ce n'est que pour essayer de réparer l'inévitable et faire en sorte que je ne puisse m'apercevoir qu'elle avait déjà succombé aux avances d'Alpide ? » Pire encore, il se souvient l'avoir vu chercher à lui cacher un petit bedon qui semblait avoir disparu lorsque tout à l'heure il lui avait effleuré le bas-ventre.

N'en finissant plus de se supplicier, il est persuadé maintenant que lorsqu'elle est revenue des Îles, Claudia devait être enceinte d'Alpide et qu'elle s'était fait avorter, probablement sous les ordres de son père. « Si tu me parles encore de lui, c'en est fini entre nous », qu'elle lui avait déclaré avec sa candeur habituelle.

Malgré une forte migraine qui le tourmente, il essaie de fouiller dans sa mémoire pour en arriver à se dire qu'il est peut-être biaisé. Comment comprendre qu'à chaque fois qu'il est question d'Alpide, un enchaînement d'événements passés embrouille son esprit au point où il se sent responsable de tous les maux de la terre ? « Jamais j'aurais dû accepter que Claudia me fausse compagnie pendant une si longue période », qu'il se répète en frappant le garde-fou de son poing.

Regardant par les fenêtres du grand salon situé à l'arrière, il s'aperçoit que tous les passagers ont rejoint leur cabine. Il enjambe aussitôt la chaîne de sécurité et descend sur le pont 5, là où est situé l'équipement servant aux manœuvres d'accostage et de démarrage du navire.

Il se dirige aussitôt vers l'extrémité arrière du bateau en se demandant si la vie vaut vraiment la peine d'être vécue. Quand bien même il léguerait tout son avoir aux familles des naufragés, cela ne les ramènera pas sur terre. Il se souvient même d'avoir déjà entendu des mauvaises langues répéter que si ça n'avait été de ses ambitions démesurées avec son expédition sur l'Orphelin, les opposants n'auraient jamais mis le pied aux Îles. Plus il y pense, plus il se dit qu'il reste peu de gens qui ont encore besoin de lui, sauf Samy qui souhaite conjuguer le sort en espérant avoir un petit-fils engendré par le fils même de son ancienne flamme. Quant à sa mère Esthèle, elle n'avait pas voulu jouer à l'espionne lorsque Claudia se trouvait aux Îles. N'était-ce pas là la preuve qu'elle aussi se méfiait et qu'elle laissait entre les mains du destin le malheur qui le frappait ?

Penché à l'extrême limite au-dessus de la rambarde arrière, Érik ressent tout son corps qui tremble au rythme de la poupe. Peu à peu il s'enivre du bruit que font les remous des hélices qui brassent la mer d'un mouvement perpétuel et envoûtant. Il regarde les tourbillons qui l'invitent en quelque sorte à rejoindre le monde des non-vivants, celui du repos éternel tant pour le corps que pour l'esprit. C'est comme si une force invisible l'invitait à sauter par-dessus bord tellement il se sent aspiré par le gouffre de la mer.

« Un accident, se dit-il dans un dernier sursaut de lucidité. Il faut que ça ressemble en tout point à une forme de fatalité. Quelque chose qui s'est produit lorsque j'ai voulu exaucer la promesse faite à mon oncle d'éparpiller ses cendres sur le Banc-de-l'Orphelin. »

Il se retourne vers le devant du bateau pour s'assurer que personne ne le surveille. Il se dirige par la suite vers une barrière réservée aux membres de l'équipage pour certaines manœuvres de sauvetage. Il enlève le goujon de la barrière et déroule une partie du cordage afin de laisser croire qu'il s'est accroché dedans. Il sonde les poches de sa veste pour s'assurer qu'elles contiennent bien la petite boîte renfermant les cendres de son oncle Frédérik. Afin de visualiser son geste fatal, il étend la main comme s'il vidait la boîte de son contenu. Cette mimique fait cependant qu'un goéland, qui jusque-là se laissait flotter dans les chaudes émanations des moteurs, plonge dans les remous espérant ainsi y recueillir les restes d'une nourriture quelconque. Réalisant s'être fait avoir, l'oiseau lui crie sa fureur. « Même les oiseaux de mer ne m'aiment pas », qu'il se dit dans une réflexion des plus morbides.

Il pense tout de même que la plus belle des morts est celle d'un noyé. « Ça doit ressembler à quelqu'un qui se sent envahi par l'engourdissement du froid, un peu comme je l'avait déjà expérimenté à plusieurs occasions par le passé. Se laisser aller sans combattre, voilà la façon de mourir de sa belle mort », qu'il se dit en pensant à son oncle décédé. De toute façon, présume-t-il, lorsqu'il se sera laissé choir à l'eau, il est inconcevable de croire que le bateau puisse s'arrêter à temps pour le repêcher en pleine nuit au beau milieu du golfe, l'hypothermie ayant fait son œuvre.

Regardant sans cesse la traînée des tourbillons qui scintillent sous la lumière des réflecteurs du navire, Érik croit y déceler les visages des membres de l'équipage de l'*Ariès* dont il avait la responsabilité. « Après tout, se dit-il, l'accident simulé permettra tout au moins aux familles des naufragés de recevoir la presque totalité de ma petite fortune accumulée avec mon récent arrangement hors cour, les autres accommodations ne pouvant s'appliquer dans les circonstances. Certes, ma mère aura de la peine, mais vaut-elle celle que moi-même j'éprouverais toute ma vie durant avec le rêve que j'avais caressé de fonder une petite famille avec Claudia ? »

Il prie son oncle dont il se prépare à répandre les cendres de préparer sa venue dans l'au-delà. « Pourquoi m'avoir laissé croire en un bonheur presque parfait ? qu'il lui dit, les yeux gonflés de larmes. Tout se paie dans la vie et c'est probablement le prix de ma vie sur terre qui permettra à d'autres de mieux continuer à vivre. »

Se retournant une dernière fois vers les ponts pour s'assurer qu'il n'est pas vu, il saisit le contenant dans la poche intérieure de son survêtement. Il s'aperçoit cependant avec stupéfaction que la boîte est celle qui contient la bague de fiançailles que lui avait remise Samy en cachette et non celle qui renferme une portion des cendres de son oncle. Angoissé, ne sachant que faire, une partie de son cerveau lui dit d'en finir tout de suite, tandis que l'autre lui rappelle que l'envie d'être aimé le rend si aveugle qu'elle l'empêche peut-être d'avoir le plein contrôle de ses émotions. « Mon oncle, qu'il marmonne en pleurnichant, vous qui m'avez si souvent répété d'oublier le passé et de vivre le présent, pourquoi me faire voir l'avenir sous un si mauvais jour ? Si vraiment vous êtes là-haut et me surveillez, faites donc que quelque chose se produise parce que, autrement... »

Remettant la boîte dans sa poche, il s'en retourne à la cabine afin de la remplacer, bien décidé qu'il est d'accomplir ce geste indigne de celui en qui son oncle avait fondé tant d'espoir avant de quitter ce bas monde. En arrivant à l'endroit où il pense trouver sa cabine, il essaie en vain d'y faire entrer sa clé dans la serrure. Soudainement, la porte s'ouvre pour faire apparaître un homme qu'il reconnaît vaguement et qui lui dit d'un air méprisant :

— Mais qu'est-ce que vous faites là, jeune homme ? Cette cabine n'est pas la vôtre, qu'il lui lance, furieux de s'être fait réveiller en pleine nuit.

Reculant pour regarder le numéro de la chambre, Érik s'aperçoit qu'il s'est trompé de couloir. Au fait, il est dans celui des cabines aux numéros impairs alors que la sienne comporte un numéro pair. Il se demande une fois de plus pourquoi il a fait une telle erreur. Les idées encore plus embrouillées que jamais, il se dirige d'un pas rapide vers l'autre couloir, décidé de répondre à l'appel de la mort, pour se buter au passage au veilleur de nuit qui l'arrête en l'apostrophant en ces mots :

— Vous m'avez l'air tout perdu, Érik. Si j'étais vous, j'irais immédiatement rejoindre Claudia qui ne cesse de vous appeler en gémissant de toute son âme.

Se doutant que cette déclaration est une diversion dans son plan fatidique, il décide de ne pas prendre l'escalier qui conduit à la cabine de Claudia pour se diriger aussitôt vers la sienne.

À peine a-t-il fait son apparition dans le couloir qui mène à sa cabine qu'il aperçoit Claudia accroupie sur le plancher, martelant faiblement la porte en pleurnichant sans cesse :

— Érik, je t'en supplie, ouvre-moi, ouvre-moi, je t'en supplie.

— Claudia, mais qu'est-ce que tu fais là ? lui demande Érik totalement déconcerté.

Surprise de le voir apparaître, elle se relève et l'enlace de ses bras tout en lui exprimant son inquiétude :

— Érik, mais où étais-tu passé ? Je te croyais dans ta cabine en train d'apaiser ta colère.

— Bah… j'étais dehors sur le pont à réfléchir sur toi, sur moi, en fait sur nous.

— Érik, il ne faut pas te fâcher. Si tu le veux vraiment, je me donne toute à toi. Ouvre la porte de ta cabine et tu verras.

— Non… non, Claudia. Oublie tout ça. Tu sais comme, à l'occasion, je suis tout mêlé, qu'il lui déclare, embarrassé. Attends-moi. J'ai à faire dans ma cabine et nous irons sur le pont par la suite pour en discuter.

Tourmenté, se rappelant plus ou moins ce qu'il était venu faire dans sa chambre, Érik ferme la porte et essaie de se concentrer. En enlevant son survêtement, la boîte contenant la bague de fiançailles tombe par terre, lui rappelant ainsi qu'il était venu la remplacer par celle renfermant les cendres de son oncle.

Après plusieurs minutes de recherche, il la remplace et sort de sa cabine pour se butter à Claudia qui, revêtue d'un grand châle blanc avec un capuchon couronné d'une fine fourrure de blanchon, lui dit d'un ton chaleureux :

— Si tu ne veux pas de moi tout de suite, viens et allons tout de même sur le pont supérieur et offrons-nous une nuit blanche à s'aimer.

— Claudia, comme tu peux être belle et radieuse, qu'il lui déclare gauchement en l'enlaçant par la taille pour l'accompagner.

Assis sur un grand banc, appuyés l'un contre l'autre sans mot dire, les amoureux aperçoivent tout à coup une mouette qui se laisse flotter au gré des vagues. Se disant que le navire était possiblement en train de franchir le Banc de l'Orphelin, Érik se rappelle qu'il doit satisfaire avant toute autre chose le vœu exprimé par son oncle Frédérik.

— Attends-moi, Claudia, qu'il lui dit en se levant. Je dois accomplir la promesse faite à mon oncle de répandre une partie de ses cendres dans les environs de l'Orphelin.

Accoté sur la rembarde de la poupe du navire, Érik répète le geste qu'il avait déjà mimé en dispersant les cendres de son oncle aux quatre vents en murmurant : « Voilà ma promesse réalisée, mon oncle. Que tu reposes en paix sur le Banc de l'Orphelin. »

Regardant le pivot de la barrière qu'il avait préalablement enlevé, il pose son regard vers la mouette qui ne cesse de plonger dans la traînée que laissent les remous du navire pour disparaître par la suite à l'horizon. Il se retourne et aperçoit tout à coup Claudia près de lui qui l'enlace en lui prodiguant un long et fulgurant baiser.

— Viens, lui dit-elle, et replaçons ces gréements. Tu sais, les matelots ne sont pas tous consciencieux comme toi. La négligence sur un navire n'a pas sa place, qu'elle poursuit en l'aidant à tout remettre en place.

Revenus à leur place précédente, les amoureux s'expliquent à leur façon :

— Raconte-moi, Claudia, si tu le veux bien, pourquoi tu as décidé un jour d'abandonner ton noviciat chez les bonnes sœurs.

— Tu sais, c'est une longue histoire qui a rapport avec mon père et qui, de toute façon, n'a plus d'importance maintenant. C'est du passé et je ne regrette rien. Je t'assure, Érik, que je n'ai jamais succombé, pas plus avec Alpide qu'avec quiconque d'autre. Me crois-tu, même si rendu à mon âge, cela a l'air invraisemblable?

— Mais oui, Claudia, je te crois dur comme fer. Tu sais, je me suis toujours demandé à quel moment précis tu as décidé de t'intéresser à moi plutôt qu'au bon Dieu.

— En fait, il y a de ça bien des années. Tu te rappelles, la fois où tu avais osé affronter mon père en lui demandant d'acheter une peau de loup-marin que tu avais harponné sur les glaces de la Baie-de-Plaisance?

— Oui. C'était au moment où la chasse faisait rage aux Îles et que les loups-marins étaient abattus à qui mieux mieux. Au fait, c'était pas très longtemps après le reportage de Serge Deyglun sur les ondes de Radio-Canada.

— Tu te souviens aussi, lors d'une rencontre fortuite, que la gêne t'avait fait écarter de mon chemin. Je me suis alors demandée si tu m'évitais par amour propre ou plutôt de peur que tes yeux trahissent l'affection que tu avais pour moi. Je me suis toujours posé la question à savoir si tu préférais une fille facile comme Julianna plutôt que moi qui ai mes petits caprices, tu sais.

— Vas-y, continue Claudia. Ça me fait tellement du bien de t'écouter, qu'il lui dit en lui jetant un regard langoureux.

— Mais c'est surtout lors de la fête qui avait eu lieu dans notre maison et qui avait rassemblé tous les chasseurs émérites des Îles que j'ai vu non seulement de l'amour dans tes yeux, mais aussi de la détermination. Je me suis aperçu que tu voulais montrer qu'un pauvre pêcheur, comme tu l'étais à cette époque, pouvait en arriver un jour à réussir à se tailler une place parmi les grands.

— C'est très flatteur, Claudia, mais ton amour pour moi n'est pas venu aussi simplement que ça? qu'il lui demande en la bécotant.

— C'est vrai. Mais ton expédition sur l'Orphelin m'a réveillée, comme on dit, au *mal de l'amour*. Les quelques petites rencontres avant ton départ avaient semé en moi une graine qui a germé pendant ton absence sur l'Orphelin. Tu sais, Érik, j'étais inquiète à en mourir et lorsque l'on t'a trouvé et ramené à l'hôpital dans le coma, j'ai prié fort en me disant que si tu devais t'en sortir, tu serais l'homme de ma vie.

S'embrassant à qui mieux mieux, Claudia tente d'expliquer à Érik que l'amour, c'est comme un grand jardin qu'il faut entretenir tous les jours si l'on veut en retirer des fruits savoureux.

— Je sais que le fait de t'avoir espionné lors de ton expédition pour retrouver l'épave de l'*Ariès* pouvait t'inquiéter. En retour, cela n'avait d'autre but que de détourner ton attention vers d'autres objectifs que ceux qui rendent bien des hommes méprisants lorsqu'ils réussissent un grand coup de dés comme tu l'as fait.

— Comme tu es adorable, Claudia, lorsque tu parles comme ça, qu'il lui déclare en la couvant du regard. Parle-moi maintenant de la période pendant laquelle j'ai fait faire l'analyse de mon ADN.

— Si j'étais distante avant la nouvelle sur les analyses, ça s'explique facilement. Par ailleurs, si je l'étais encore plus par la suite, c'était pour me réserver à toi au moment voulu. Le fait que mon père nous fasse suivre, c'était surtout pour m'aider à ne pas succomber trop rapidement, comme ça lui était arrivé avec ta mère, et on connaît la suite. Je suis malheureusement ou heureusement — ça dépend — une femme tout entière qui a peur de trop aimer et d'être déçue par la suite. Tu comprends?

— Oui, chérie, mais ta visite chez le médecin, de lui demander Érik, quel but précis avait-elle alors?

— Eh bien, c'était tout bonnement pour rassurer mon père qui n'a jamais oublié que ma mère a failli mourir en accouchant de moi. Le médecin m'a confirmé que je pourrais fort bien devenir une future maman, surtout avec toute la nouvelle technologie médicale de nos jours.

— Est-ce que ça signifie qu'on pourrait se fiancer dans les prochains jours?

— Et se marier au plus vite par la suite, qu'elle lui répond en le serrant fort dans ses bras.

Libéré des pensées lugubres qui l'avaient possédé dans l'heure précédente, Érik essaie de se sevrer des souvenirs malheureux du passé. Étonnamment, il se met à raconter à Claudia son expédition sur le Banc-de-l'Orphelin, se rappelant point par point les péripéties jusqu'à ce qu'il tombe dans un profond coma.

Sentant que Claudia commençait à sommeiller, il l'étend près de lui sur le banc et se place face à face avec elle, leur souffle se confondant avec le vent du large qui a pris de la vigueur en s'approchant de la côte ouest des Îles-de-la-Madeleine.

* * *

Semblable à un petit continent avec ses buttes rondes verdoyantes et ses caps de grès de multiples couleurs sur lesquels se fracasse la mer, l'Île d'Entrée est toute désignée pour souhaiter la bienvenue aux visiteurs qui arrivent par bateau aux Îles-de-la-Madeleine. L'Île d'Entrée est habitée par environ 150 personnes de descendance irlandaise et écossaise qui pratiquent le métier de pêcheur, les meilleurs fonds de pêche étant à proximité de leur demeure.

Samy le marchand, pour ne citer que lui, y faisait jadis un commerce très florissant. Quant à Frédérik, il avait, de son vivant, de nombreux amis parmi la population qui le respectait comme un vieux loup de mer ayant déjà connu des vents à écorner les bœufs. Il avait recommandé à Érik de choisir pour son expédition sur l'Orphelin un dénommé Charlie qui, malheureusement, s'était noyé dans une large saignée d'eau en l'accompagnant lors de son retour sur la terre ferme.

— Hey! Les amis de cœur, réveillez-vous! que Claudia et Érik entendent comme venant d'une voix confuse et lointaine.

Sortis brusquement de leur sommeil, les amants aperçoivent Marc qui poursuit, d'un air dépité:

— Allez, les amoureux. On approche de l'Île d'Entrée et on va accoster à Cap-aux-Meules dans un peu moins d'une heure.

— Merci de nous l'avoir dit, lui répond Érik, d'un ton exprimant une forme de bravade.

— Je vous dis qu'il y a un tas de gens qui vous attendent à l'arrivée, qu'il leur annonce. Il paraîtrait que toutes les familles des naufragés de l'*Ariès* sont sur le quai.

— Avec une brique et un fanal, je suppose, lui déclare Érik, revenu les deux pieds sur terre.

— Peut-être que c'est ça, surtout qu'il s'y trouve également plusieurs agents de la SQ ainsi que quelques représentants de la justice.

— Ça va, Marc, lui dit Claudia. Laissez-nous et on verra à régler le problème en temps et lieux.

Récupérant les couvertures dont ils s'étaient servis, Claudia demande à Érik :

— Pourquoi avoir répondu à Marc « avec une brique et un fanal » ? Il n'y a pas vraiment de raison à t'en faire avec ça.

— Mais voyons, Claudia. Tu connais les gens des Îles. Ils savent du tout au tout. Tu sembles oublier que l'argent n'a pas d'odeur.

— C'est à toi de décider de la façon dont tu vas réagir à notre arrivée au quai de Cap-aux-Meules. Je te l'assure, une brique c'est trop fort. Un fanal, peut-être, mais je reste confiante en nos compatriotes qui en ont vu d'autres dans leur vie.

— Oui, mais dis-moi pas que tout ce beau monde est venu nous accueillir pour nos beaux yeux. Voyons donc, Claudia, es-tu naïve à ce point ?

— Les agents de la SQ sont probablement là pour le trafic et les représentants de la justice peuvent bien s'y trouver pour accueillir des parents ou amis. Quant aux familles des disparus, pourquoi ne seraient-elles pas là pour tout simplement te féliciter d'avoir réussi à faire valoir tes droits qui sont aussi les leurs ?

— Si tu veux, Claudia, on gage. Si rien de malheureux se passe, tu gagnes et on se marie au plus vite. Si j'ai raison, on attend que tout soit réglé à la satisfaction de tous et chacun avant de convoler en justes noces.

— Je relève le défi, lui répond Claudia en l'enlaçant dans ses bras pour lui offrir un long baiser.

Pendant qu'ils rangent les effets qu'ils avaient utilisés pour dormir sur le pont, Érik prête l'oreille aux passagers qui commencent à s'agiter en s'apercevant que leur navire va accoster au port de Cap-aux-Meules au cours de la prochaine demi-heure.

« Incroyable ! » se disent plusieurs en ne cessant de faire cliquer leur appareil photo. « Pourquoi avoir attendu si longtemps ? » déclare une personne du troisième âge à sa conjointe qui acquiesce. Cependant, l'énoncé qui le fait réfléchir encore plus est celui prononcé par un touriste d'âge mûr : « J'ai entendu dire qu'il y avait tellement de monde sur le quai qu'il doit y avoir quelque chose de spécial qui va se passer. »

CHAPITRE 18

À ne respecter que ceux qui nous ressemblent,
on ne vénère que soi-même

Le navire approchant du quai, Érik scrute la foule amassée sur le débarcadère pour s'apercevoir que Marc avait bien raison. En effet, il reconnaît plusieurs membres des familles des naufragés, de même que l'huissier qu'ils avaient mandaté pour lui remettre avant son départ pour Montréal une mise en demeure. Il remarque également plusieurs agents de la SQ qui essaient tant bien que mal de contenir la foule qui s'impatiente.

— Tu vois, Claudia, je te l'avais bien dit qu'on était attendus avec une brique et un fanal, qu'il lui dit d'un air désinvolte.

— Mais voyons donc, Érik. Regarde avec ma lunette d'approche, ta mère qui jase avec Aurélie à Edgar, qui faisait partie de ton équipage à bord de l'*Ariès*. S'il y avait quelque chose de grave, penses-tu qu'elle agirait de cette façon-là ?

— Peut-être. Par contre, j'ai reconnu aussi l'huissier, tu sais, le même qui avait placé sous scellés la cargaison de l'*Ariès*. Il n'est sûrement pas là par pur hasard, qu'il poursuit, la voie hachée par l'anxiété.

— Laissons les touristes descendre en premier, si tu le veux, et on verra bien. Je reste quand même confiante de gagner mon pari.

À peine le couple est-il descendu de la passerelle que l'huissier s'approche d'Érik pour lui demander de s'identifier, ce qu'il fait d'une voix rauque à peine perceptible, laissant planer un silence de plomb sur tout le quai. L'officier de justice sort alors de sa valise un document qu'il remet après quelques secondes d'hésitation à sa place pour le remplacer par un autre.

— Tenez, Érik, qu'il lui dit en guise d'introduction, veuillez avant tout lire ce document, s'il vous plaît.

Vacillant de tout son être, Érik empoigne les papiers et commence à les lire par la fin, essayant ainsi d'en tirer une conclusion quelconque. Ses mains sont si tremblantes qu'il parvient à peine à comprendre le sens des énoncés qui, en fait, lui concèdent une quittance complète et parfaite, autant de la part des familles des naufragés que des survivants. Abasourdi, il lève les yeux pour s'apercevoir que Claudia est déjà allée retrouver sa mère parmi la foule qui commence à se disperser. Reprenant la lecture complète du document, il s'aperçoit que sa bien-aimée avait raison puisque les signataires lui signifient leur confiance dans un juste retour des choses dans le futur.

— Hey! Attendez! qu'Érik lance à l'huissier qui était en train de s'en retourner.

— Oui? Qu'est-ce qu'il y a?

— Dites-moi franchement. Pourquoi, en plus de la quittance, avez-vous apporté avec vous un document que j'ai reconnu comme étant possiblement une requête en justice?

— Seulement au cas où… Vous savez, Érik, lorsque quelqu'un ne veut que du bien à son prochain, quel qu'il soit, ça paraît toujours dans ses yeux. J'ai remarqué au début de notre rencontre que vous alliez agir surement de façon à alléger la souffrance tant physique que morale des personnes que je représente. C'est pour ça qu'elles m'ont prié, ce matin même, de jouer le jeu avec vous.

— Comme si jamais j'étais revenu dans mon coin de pays d'un air triomphaliste et hautain? qu'il lui demande.

— C'est un peu ça, en effet, de lui répondre l'huissier.

— Et pour vous prouver que tel n'a jamais été mon désir, voici un document qui assurera aux enfants des familles un avenir un peu plus prometteur, qu'il lui fait part en lui remettant les documents de la fiducie crée spécialement à leur bénéfice.

— Merci bien, Érik. Je me disais que prévenant comme vous êtes, les familles n'auraient pas à attendre très longtemps pour recevoir de votre part un réconfort de façon à ce que leurs plaies puissent se cicatriser à jamais. Merci encore une fois en leur nom et en celui de tous les Madelinots qui ont gardé foi en vous, qu'il ajoute en le quittant.

— Je le savais que tout se passerait pour le mieux, lui lance Claudia qui était revenue le retrouver. J'ai gagné ma gageure et tu n'as pas le choix maintenant de t'embarquer avec moi pour la vie. Allons retrouver ta mère maintenant. Elle nous attend à l'autre bout du quai.

Chemin faisant, Érik s'imagine voir l'esprit de son oncle près de sa mère. Il se dit qu'il doit être bien considéré dans l'au-delà pour faire en sorte que ses vœux les plus chers soient exaucés aussi rapidement. En arrivant tout près, elle lui dit:

— Mon grand, comme je suis heureuse de te retrouver en compagnie de Claudia qui semble rayonner de bonheur. Viens que je t'embrasse.

— Et Samy aussi s'est réjoui des derniers événements, qu'il lui murmure à l'oreille. Attendez de voir ce qu'il vous envoie comme présent et vous verrez qu'il ne vous a pas oubliée.

— Mais, voyons donc Érik, qu'est-ce que ton père va dire?

— Laissez faire et quittons le quai avant que les rumeurs ne se mettent en branle de plus belle.

* * *

Célébrées dans la plus stricte intimité, les fiançailles du couple ont eu lieu en présence d'amis communs. Quelques semaines par la suite, Érik informe le vieux vicaire de Bassin de son intention de mariage. Le prêtre reconnu pour sa sagesse lui rappelle que le véritable amour, c'est de vouloir le bonheur des autres, même d'un éternel rival comme Alpide.

«L'épreuve a fait de toi un nouvel homme, lui fait-il savoir au début de leur entretien. Les contrariétés que le bon Dieu t'a envoyées t'ont sûrement fait souffrir, mais la naissance ne se fait-elle pas dans la douleur? Va donc faire la paix avec Alpide et n'oublie pas Julianna qui, malgré son apparence de fille facile, voudrait être aimée comme elle est et non pour le plaisir charnel qu'elle t'offrait jadis. J'ai toujours cru qu'il fallait mieux enseigner la vertu que de condamner le vice.»

Autant certains énoncés du curé de sa paroisse l'avaient bouleversé lors de son adolescence, autant le vieux vicaire le fait réfléchir sur le sens même de la vie à deux qui se prépare.

C'est par une très belle journée d'un automne tardif que le mariage est célébré en grande solennité en la magnifique église de Lavernière, qui pour l'occasion a été garnie de ses plus beaux attraits. Érik a revêtu son uniforme d'apparat de capitaine pour faire son entrée au bras de sa mère Esthèle dans l'église pleine à craquer, Nathaël ayant été supposément retenu à la maison par un malaise. Claudia, dont l'habitude est de se faire quelque peu attendre, arrive enfin en compagnie de son père Samy qui, habillé de ses plus beaux atours, ne cesse de sourire de fierté et de félicité.

Précédée de trois bouquetières, la mariée s'introduit enfin dans l'église, revêtue d'une longue robe d'un blanc éclatant, sertie de chapelets de roses qui se prolongent en une longue traîne brodée en filets de dentelle. D'un pas espacé auquel Samy a de la difficulté à s'adapter tellement il est ému, le couple s'avance dans l'allée centrale qui a été décorée de bouquets de fleurs séchées du terroir. Érik, qui l'accueille dans le chœur du lieu saint, est ébloui par la beauté et la grâce de sa future femme.

— Comme tu peux être belle, Claudia, qu'il lui dit d'une voix teintée d'une profonde affection.

— C'est pour toi que je le suis, mon amour, qu'elle lui répond en lui souriant tendrement.

— Tu sais quoi, Claudia ? C'est le plus beau jour de ma vie.

— Pour moi aussi, Érik, d'autant plus que je me sens tellement choyée de te prendre pour époux.

— Et moi alors ! Ça ne se peut pas de t'aimer à ce point.

Prenant place sur les deux fauteuils placés près de l'autel, la cérémonie débute par un mot de bienvenue du prêtre vicaire qui se veut rassurant sur l'avenir de ces deux tourtereaux. L'office religieux se déroule par la suite sous l'égide de chants qui comblent l'assemblée, toujours prête à cueillir les moindres moments d'émotion, d'allégresse et de ravissement.

Lors de l'homélie, dans sa sagesse coutumière, le vieux vicaire déclare à l'assemblée que le mariage est semblable à un navire sur lequel on s'embarque à deux pour un long voyage qu'on souhaite voir se prolonger le plus longtemps possible.

« Mes bons amis, vous savez sans doute qu'au début d'un voyage, tout est merveilleux puisque les deux passagers n'en ont que l'un pour l'autre. Malheureusement, au fil des années, la lassitude s'installe parmi eux dont celui qui est à la timonerie du navire et l'autre qui a la responsabilité de la vigie. Les communications en sont souvent réduites au strict minimum si bien qu'au moindre soubresaut de Dame nature, le navire dévie de sa destination originale. Les passagers s'imaginent alors que la solution qui se présente à eux serait de se quitter pour des eaux qui leur semblent plus clémentes en apparence tout au moins. Or, le merveilleux d'un mariage, ce sont les enfants qui vont en émerger. Ces enfants qui, tels les mousses sur un navire, aideront leurs parents à évacuer l'eau des cales qui autrement — et Dieu m'en garde — les aurait fait sombrer dans une rupture difficile et laborieuse. Nous savons tous qu'un navire dont on a séparé la timonerie de la vigie aura de la difficulté à terminer son voyage en toute quiétude. Néanmoins, les mousses sauront s'ajuster à cette nouvelle réalité dans la mesure où la timonerie de pair avec la vigie les guideront vers les vraies valeurs de la vie. Je souhaite donc de tout cœur à Claudia et à Érik que le navire qui les portera saura franchir contre vents et marées la route d'un bonheur sans limite. »

À la toute fin de la cérémonie, l'échange des anneaux et des vœux scelle en quelque sorte à jamais l'union du couple qui se promet amour et fidélité jusqu'à la fin de leurs jours.

La réception qui suit est à la hauteur des attentes des nombreux invités. Ils reconnaissent d'emblée le marchand Samy qui n'hésite pas à payer le prix qu'il faut à l'émerveillement de ses convives. Les nombreux tintements des verres requièrent du couple qu'il s'embrasse très souvent, mettant à la gêne encore plus Esthèle que Samy lorsqu'on leur demande d'imiter les nouveaux mariés. Voulant faire preuve de diversion, Samy demande aux convives de lever leur verre à la santé des tourtereaux. Il poursuit son geste par une brève allocution :

— J'ai surtout connu mon nouveau gendre lorsqu'il s'évertuait par tous les moyens à me faire compétition. À l'époque, je croyais qu'étant moins fortuné, il s'épuiserait à la longue. Cependant, je me trompais. Érik est avant tout une personne riche d'esprit et dont la ténacité à vouloir réussir sa vie et à conquérir le cœur de ma fille bien-aimée n'a pas son égal sur toutes les Îles. Je souhaite avant tout que cette union me procure une immense joie en devenant un jour un *papi*. À notre santé, et au bonheur d'Érik et de Claudia, qu'il lance à l'assemblée en levant à nouveau son verre.

« Un discours ! » crient les gens à l'endroit d'Érik.

— *Well...* qu'il leur dit en débutant — faisant rire l'assemblée —, qui de vous connaît mieux Samy que moi ? Son apparence extérieure m'a souvent caché sa grandeur d'âme. Samy a remplacé en quelque sorte mon oncle Frédérik dont la sagesse me servait de guide tel un phare dans la nuit. Je voudrais dire aux familles des naufragés de l'*Ariès*, dont plusieurs membres sont ici présents, que si le mauvais sort les a frappés, c'est à nous maintenant de faire en sorte d'accepter notre destinée et de vivre les moments présents comme si c'étaient les derniers de notre vie. N'eût été de ma nouvelle épouse, Claudia, je me demande encore si j'aurais pu en arriver à me pardonner moi-même. Je voudrais vous dire en terminant combien je suis chanceux d'être entouré par des gens qui m'aiment comme je suis et surtout par Claudia. Merci.

L'ouverture de la danse se fait sous les airs de la chanson porte-bonheur, *L'amour brillait dans tes yeux*. Insistant pour que sa mère Esthèle se joigne à eux, Érik aperçoit Samy qui se lève et qui l'invite à prendre part aux élans entraînants du couple des nouveaux mariés.

— Comme tu sembles radieuse, maman, qu'il lui souffle à l'oreille lorsqu'il remplace le marchand comme partenaire. Avec le collier de perles que t'a offert Samy, tu ressembles à une vraie reine.

— Arrête, tu me fais rougir, mon grand. Ce qui m'achale le plus, cependant, ce sont les palabres que tout cela va déclencher.

— Mais voyons donc, maman. Si l'appel du bonheur se fait entendre, tu dois y répondre même si c'est envers et contre tous.

— Oui, peut-être bien, mais sûrement pas à l'encontre de ceux et celles qui nous aiment pour ce qu'on leur apporte. Il ne faut pas chercher le grand bonheur dans l'inaccessible, mais plutôt apprendre à vivre intensément celui que le Tout Puissant nous donne jour après jour.

— Comme tu peux être digne, maman. Une vraie sainte. J'espère qu'un jour, tu pourras, toi aussi, profiter du bonheur d'être une *mamie*.

— Eh ! les amoureux, c'est assez, leur dit Claudia. Viens, Érik. Ma petite cousine Julianna m'a demandé la permission de danser avec toi.

La noce se termine sous des notes de bonne humeur, tous et chacun ayant reçu un souvenir de Samy qui veut ainsi rappeler à ses compatriotes que s'il a quitté les Îles, ces dernières ne lui ont jamais déserté le cœur.

* * *

Le voyage de noces s'effectue en visitant les pays scandinaves dont la Norvège, question d'apprécier les us et coutumes de ce grand peuple de marins. Érik en profite pour constater que les Madelinots sont tout autant innovateurs que les Norvégiens dans leur façon de vivre des produits de la mer, qui se font cependant de plus en plus rares à travers le monde entier. En retour, la chasse au loup-marin y est tout autrement gérée qu'au Canada. En effet, la Norvège a appris à administrer la ressource selon une juste part entre l'appropriation et la conservation, ce qui lui fait dire qu'il y a loin de la coupe aux lèvres avec nos gouvernements qui ne cessent de se cacher derrière leur magouillage politique.

* * *

Au retour de leur voyage de noces, Érik et Claudia s'installent dans l'ancienne maison que leur avait donnée Samy comme cadeau de noces. Claudia s'efforce aussitôt de la décorer à son goût tandis qu'Érik voit à ses affaires qui ont pris une tout autre allure. En fait, il s'aperçoit qu'il est très difficile de concilier le bonheur de sa femme avec celui de ses employés, de ses clients et de ses fournisseurs, chacun voulant tirer la meilleure partie de lui-même.

La lassitude qui remplace l'effervescence des premiers mois du mariage le rend vulnérable, au point où il fait une bévue monstrueuse dans sa façon de traiter avec son principal client asiatique. Le défi qu'il avait de conquérir le cœur de Claudia comme celui de se prouver au marchand Samy lui manque beaucoup. À preuve, il vient de s'apercevoir qu'une erreur de calcul sur le taux de change avec les Japonais venus aux Îles pour acheter une très grande quantité de crabes des neiges va lui coûter, au bas mot, plus de 20 000 $.

Claudia, inquiète de l'humeur exécrable de son mari, insiste pour qu'il s'explique.

— Mon amour, tu broies du noir comme je ne t'ai jamais le faire auparavant. Dis-moi ce qui se passe et tu verras qu'une mauvaise nouvelle ne s'accompagne pas nécessairement d'une autre aussi fâcheuse.

— Qu'est-ce que tu veux dire par là, chérie ?

— Laisse faire et confie-toi. Ça te fera sûrement du bien.

— Voilà, Claudia. Je viens de me faire avoir avec ce *désespoir* de taux de change japonais qui fait que plutôt de bénéficier de 20 000 $ avec mon client, j'en perds autant et ce qu'il y a de plus difficile, c'est qu'Alpide, avec qui j'ai appris à travailler malgré notre antipathie naturelle, me le remet sur le nez presque chaque jour.

— Il n'y a rien là, mon amour. Ce n'est que du matériel. Qu'est-ce que tu dirais si je t'annonçais que je suis enceinte ?

— Comment ça ! Ne m'avais-tu pas déjà dit que considérant ton hérédité, il était peu probable que tu tombes enceinte ?

— Oui, mais pendant que toi tu étais absorbé par tes affaires, moi je m'occupais des miennes avec l'aide de mon père, évidemment. Il a payé une autorité en la matière qui est venue spécialement aux Îles pour créer des conditions propices à ma fécondation.

— Mais c'est une très bonne nouvelle, chérie. Ne crois-tu pas cependant que tout comme ta mère, tu vas mettre ta vie en danger lorsqu'il sera le temps d'accoucher ?

— Fais-moi confiance, mon amour, et tu verras que tout va bien se passer. Ce qui est arrivé avec ma mère n'est pas nécessairement ce qui va se produire avec moi, surtout avec les nouvelles technologies de nos jours.

— C'est peut-être vrai. Que j'ai donc hâte qu'on puisse avoir un enfant à chérir et qu'en plus je sois l'époux d'une si merveilleuse maman, qu'il poursuit en l'enlaçant.

— Toi qui aimes relever les défis, eh bien en voilà un de taille. Il te faudra être très patient et m'aider à l'être également.

— Tu peux être sûre que je vais faire l'impossible pour que nous en arrivions à fonder une petite famille. C'est ton père qui va être content.

— Et ta mère aussi, d'ajouter Claudia, en l'embrassant tendrement.

* * *

Pour Érik, cette bonne nouvelle pourrait bien tourner au vinaigre, étant donné que la mère de Claudia avait failli mourir lorsqu'elle a accouché de sa fille unique après de multiples enfantements avortés. Aussi, dans la perspective d'un tel coup du destin, s'empresse-t-il de faire une visite au cimetière où reposent la majeure partie des cendres de son oncle, dans le but non avoué de requérir une fois de plus sa protection divine.

Fixant l'épitaphe de la tombe sur laquelle la photo de son oncle a été encastrée, Érik fait un court examen de conscience. Il se demande entre autres ce qu'il pourrait faire de plus pour que la calamité de la perte d'un être cher ne le frappe pas de plein fouet. Son antipathie viscérale envers Alpide se présente à lui comme une disgrâce aux yeux du vieux vicaire qui lui avait dit un jour : « En ne respectant que ceux qui nous ressemblent, on ne vénère que soi-même. »

Continuant sa méditation, il se remémore les occasions où il se sentait humilié et de la façon dont il rendait la pareille à son rival de toujours. Il promet donc à son oncle de se racheter en s'engageant à mettre de côté son amour propre dès la première occasion où Alpide fera partie du décor.

CHAPITRE 19

Nos joies comme nos peines jaillissent du même puit : le cœur humain

Les mois qui s'ensuivent ne sont pas de tout repos, tant pour Érik que pour Claudia. Le marchand s'amène aux Îles plus souvent qu'autrement afin de s'assurer que sa fille obtient tous les soins et supports nécessaires au déroulement de sa grossesse. Esthèle, quant à elle, la visite si souvent — particulièrement lorsque Samy est présent —, que Claudia et Érik ne se sentent plus vraiment chez eux.

Le suivi chez le gynécologue au cours des dernières semaines de grossesse de Claudia se fait généralement en l'absence d'Érik. Elle lui a dit ne pas vouloir l'embêter avec des affaires de femme enceinte. Néanmoins, l'abstinence presque complète de l'acte sexuel imposée par le docteur incite son mari à se douter qu'on lui cache peut-être la gravité de la situation. Afin de se rassurer, il exige de rencontrer le médecin.

— Pensez-vous, docteur, que l'abstinence à laquelle je me suis astreint va aider à Claudia à accoucher normalement ? lui demande-t-il en début de leur rencontre.

— Cela a tout au moins évité une fausse-couche. Votre sacrifice en sera d'autant récompensé puisque votre enfant se porte à merveille. Quant à la condition physique de votre femme, il ne faut pas s'en faire outre mesure avec ça.

— Vous savez, docteur, lui dit Claudia, lorsque mon mari ne comprend pas ou ne contrôle pas tout à fait une situation, il est stressé au point où il devient hargneux.

— Tu exagères, Claudia, mais que voulez-vous, sa mère a bien failli mourir lorsqu'elle a accouché d'elle. D'ailleurs son père m'a raconté le fait que les reins de sa mère ne fonctionnent à peu près plus ne serait pas étranger à ce qui s'est passé lors de l'accouchement.

— Sois donc confiant, Érik, et laisse au médecin le soin de t'expliquer ce qui va m'arriver au cours des prochaines semaines.

— Merci, Claudia, lui dit le gynécologue. Vous savez, Érik, que les statistiques sont passablement en votre faveur. Une récente étude qui a porté sur une période de neuf ans a démontré que, sur 2,5 millions de femmes enceintes, seulement 10 000 représentaient des accouchements avec un pronostic dangereux. Aussi, il est arrivé que seulement une quarantaine de femmes soient décédées sur les 3000 qui possédaient le genre de problème de votre épouse, ce qui ne représente que 1,5 % des cas.

— C'est peu dire, mais cela demeure quand même dans les probabilités, qu'il lui réplique, l'angoisse dans la voix.

— C'est peut-être vrai, surtout qu'on ne peut éviter le fait que votre femme possède la même morphologie que sa mère. Cependant, chaque cas est unique en soi, vous savez.

— Et le bébé, lui, comment va-t-il ?

— Le bébé, qui est passablement corpulent, est en excellente santé. Toutefois, une récente radiographie du bassin de faible dimension de votre épouse a révélé que l'enfant n'a pas encore basculé probablement à cause du manque d'espace.

— Mais alors comment faire pour qu'il se décide à tourner, celui-là ? lui demande-t-il.

— Tout à l'heure, on va procéder à une version manuelle du bébé dans l'espoir que cela fonctionne en espérant qu'il ne choisisse pas de retourner dans sa position initiale, ce qui n'est pas impossible.

— *Désespoir!* Que c'est compliqué. Et qu'est-ce que je devrais savoir d'autre lorsque arrivera le moment où Claudia sera prête à accoucher ?

— Eh bien! Je souhaite avant tout que le bébé puisse prendre une position idéale pour un accouchement naturel. Autrement, il faudra l'aider à accoucher d'un siège, comme on le dit couramment. Enfin, en cas d'échec on devra pratiquer une césarienne en espérant que votre femme qui souffre d'une forme d'atonie utérine puisse s'en tirer sans séquelle grave, ce qui est tout à fait plausible, vous savez.

— Une quoi ? de lui demander Érik qui bout d'impatience. Vous êtes après me dire qu'une césarienne pourrait être fatale pour Claudia, et ce, au détriment de la vie de l'enfant ?

— Mais voyons donc, mon amour, tu entrevois encore l'avenir d'un mauvais œil. Attendons donc que le docteur essaye de le faire basculer et on verra par la suite.

— Je voudrais tellement, chérie, que tout se passe bien et rapidement en plus. Comme ça, docteur, il faut s'attendre à ce que le temps arrange les choses, en espérant qu'il nous soit favorable autant pour nous que pour le bébé ?

— C'est ce que je m'apprêtais à vous conseiller, Érik. Et si vous voulez le savoir, en termes simples, une atonie utérine arrive lorsque l'utérus d'une femme ne se contracte pas suffisamment pour retenir le débit d'un saignement occasionné par une déchirure ou encore une césarienne.

De retour chez eux, Érik et Claudia essaient de faire confiance en la Divine Providence malgré que les multiples essais de version manuelle soient demeurés vains. L'enfant, quant à lui, se porte à merveille en grugeant tellement les protéines de sa mère que celle-ci, très souffrante, a de la peine à se mouvoir d'elle-même.

* * *

Arrive enfin le jour fatidique où, de concert avec le gynécologue, Claudia fait son entrée au Centre hospitalier de l'Archipel. Les petites contractions étant moins espacées, le médecin croit que la nature était en train de faire son œuvre.

Cependant, aussitôt Claudia est-elle installée dans une chambre du pavillon des naissances de l'hôpital que les contractions, plutôt que de s'écourter, se distancent au point où Érik se demande bien ce qui se passe.

— Ça arrive assez souvent, de lui répondre le gynécologue. C'est probablement le changement d'environnement que ressentent à la fois le bébé et la mère qui occasionne un tel phénomène.

— Et alors, qu'est-ce qu'il faut faire pour qu'il se décide, celui-là ?

— Ou celle-là… de le reprendre le médecin, du fait que Claudia n'avait pas voulu savoir le sexe de l'enfant malgré les nombreuses échographies qu'elle avait subies. Si rien ne se produit d'ici la soirée, qu'il poursuit, nous allons alors procéder à la rupture de la membrane.

— Et si vous n'avez pas le résultat escompté ? lui demande Érik, tracassé et curieux à la fois.

— On verra à ça dans le temps comme dans le temps, lui répond le médecin, quelque peu agacé.

— Fais donc confiance en la vie, lui fait part Claudia en grimaçant de douleur. Je crois que tu devrais aller te reposer à la maison en espérant qu'on te prévienne lorsque le travail aura débuté. Qu'en penses-tu ?

— Mais je ne peux te laisser toute seule comme ça, surtout avec les douleurs que tu ressens.

— Il n'y a rien là, mon amour. Va et sois optimiste. Tu verras que ton oncle a tout orchestré pour que nous devenions des parents choyés du bon Dieu.

De retour chez lui, Érik organise ses déplacements pour avoir un accès facile au combiné téléphonique qu'il souhaite de tout cœur entendre sonner. De temps à autre, il songe à appeler sa mère afin de se faire rassurer sur les événements à venir. Cependant il s'en abstient en se disant qu'il est assez homme pour être capable de vivre ces moments, si angoissants soient-ils. N'en pouvant plus de prendre son mal en patience, il se dirige vers sa chambre en réalisant tout à coup qu'il est séparé de Claudia pour la toute première fois depuis leur mariage, il y a de ça un peu plus de dix-huit mois.

Voulant se soustraire à des pensées plus ou moins contradictoires, il se dirige sur la petite galerie attachée à la porte arrière de sa chambre pour regarder l'étendue de la mer sur laquelle brillent les puissants reflets de la pleine lune. Ce spectacle l'incite à s'évader dans une sorte de rétrospective de l'année qui vient de s'écouler.

* * *

Un peu comme dans plusieurs endroits du Québec, des festivals de toutes sortes ont lieu dans la plupart des villages qui composent les Îles-de-la-Madeleine. Ces festivités débutent généralement en juin avec une apogée au milieu du mois d'août alors que la fête des Acadiens se célèbre avec diverses activités rappelant le passé de ce peuple dispersé.

D'une durée d'une semaine, les célébrations débutent généralement par la bénédiction des bateaux de pêche. Généralement, l'un d'eux est choisi au hasard pour une sortie au large des côtes afin d'y larguer une gerbe de fleurs du terroir en guise d'hommage aux décédés en mer.

Or Érik, toujours en train de se remémorer des événements, se rappelle que Claudia, qui était alors rendue à son septième mois de grossesse, l'avait incité à s'amener sur le quai des pêcheurs à Bassin. Elle souhaitait qu'en assistant à cette démonstration de condoléances il se sèvre définitivement du malheur qui avait frappé l'*Ariès* avec son expédition sur l'Orphelin.

— Viens, lui avait-elle dit en l'agrippant par le bras et en accompagnant les familles qui s'embarquent dans le bateau qui s'apprête à quitter le quai.

— Voyons donc, Claudia. Ce n'est pas très prudent pour toi, d'autant plus que ce bateau n'est nul autre que le *Faucon des Mers*, qu'il lui avait répondu d'un ton plutôt hostile.

— Comme tu peux être têtu, Érik, surtout quand ça écorche ta vanité, qu'elle lui avait rétorqué dans un mouvement d'irritation en lui lâchant le bras. Tu ne pourrais pas, une fois pour toutes, piler sur ton orgueil et démontrer de la compassion en embarquant avec ceux et celles qui ont souffert autant que toi, sinon plus.

Résigné, il s'était dirigé d'un pas hésitant vers le *Faucon des Mers*.

— Holà! Alpide! On peut embarquer? qu'il lui avait lancé au moment où le navire s'apprêtait à quitter le quai. Claudia aimerait faire partie des passagers et moi peut-être comme ton second, qu'il lui avait fait savoir d'une voix railleuse.

— *Simonac!* Ça ne se peut pas. Allez, vous autres, aidez Claudia à embarquer, et toi, Érik, largue les amarres et viens me retrouver dans la timonerie!

À la sortie du havre de pêche, Claudia avait jeté un regard à travers les hublots de la timonerie pour apercevoir son mari s'engueuler à qui mieux mieux avec Alpide. Voyant Érik sortir de la timonerie pour corder les amarres comme il se devait, elle lui avait dit avec un brin d'attendrissement dans la voix:

— Et puis, Érik, ça va?... Tu sembles assez contrarié merci, mais je sais que tout ce qui fait mal à l'âme la rend bien meilleure.

— Ouais! Ça va, mais ce n'est pas facile, je te le jure. On ne pourrait demander mieux comme météo, qu'il avait poursuivi en faisant diversion vers les passagers qui avaient acquiescé.

— Pour sûr, on n'aurait pas mieux choisi, lui avait répondu la veuve de son cousin Edgar, alors premier maître sur l'*Ariès*.

— Ça fait du bien de savoir que nos proches ont quitté ce bas monde dans ce qu'ils avaient de plus cher sur terre, avait renchéri la femme d'Odias, qui agissait comme guetteur à la vigie lors de l'expédition sur l'*Orphelin*.

À peine était-il entré dans la timonerie qu'il en était ressorti pour sommer une passagère récalcitrante de revêtir sa veste de sauvetage.

— Un autre ordre d'Alpide, qu'il avait déclaré à Claudia qui lui avait souri en guise de réponse. Faut croire que tout péché doit être expié sur terre, qu'il avait ajouté en ravalant sa colère.

Une bonne demi-heure par la suite, Alpide était sorti de la timonerie afin de procéder au rituel du lancement en mer de la gerbe de fleurs dans laquelle chaque nom des naufragés avait été inscrit sur un long ruban blanc. «Que l'âme des défunts repose en paix» avait déclaré le vieux vicaire de Bassin en aspergeant d'eau bénite la couronne de fleurs qui avait glissé lentement de son seuil vers la mer.

Érik se souvient qu'un long silence de recueillement avait suivi, perturbé à l'occasion par les goélands qui criaient leur fringale en suivant la couronne. Peu après, les familles se sentant libérées avaient conversé à la fois avec Érik et Alpide, faisant voir par là à Claudia que la paix était enfin ancrée entre les deux.

Au retour du bateau au quai, les passagers avaient été surpris de voir des journalistes qui, ayant eu vent de l'affaire, n'ont pu que constater qu'il n'y avait plus d'antagonisme entre Alpide à Johnny et Érik à Nathaël, du moins en apparence.

* * *

Le lendemain matin, après une nuit agitée par de mauvais rêves, Érik se lève promptement en constatant qu'aucun appel téléphonique ne lui était parvenu au cours de la nuit.

Sa patience n'étant pas sa plus grande qualité, il se dirige à toute vitesse au centre hospitalier pour retrouver sa femme qui, malgré des souffrances lancinantes aux membres inférieurs, n'a toujours pas de contractions.

— Ne t'en fais pas, chéri. Le docteur est censé me faire une visite d'ici peu pour voir ce qu'il entrevoit comme solution.

— J'espère bien que le petit va se grouiller une fois pour toutes. Avec la nuit que j'ai passée à penser à toutes sortes de choses, je souhaite que la solution du médecin soit la bonne.

— Mon amour, sois donc confiant et arrête de t'en faire.

— Oui, mais ne dit-on pas : « Aide-toi et le ciel t'aidera » ?

— Et la preuve à ça viendra lorsque mon médecin va crever mes eaux, de lui répondre Claudia du tac au tac.

Malheureusement, après la visite du gynécologue, Claudia devient encore plus souffrante, mais, hélas ! toujours sans avoir de contractions véritables. Une préposée qui se tient à son chevet croit qu'elle ne réussit pas à faire la distinction entre des contractions prénatales et ses douleurs aux hanches. Par contre, une infirmière attachée à la salle d'accouchement, qui en a vu d'autres, se doute que quelque chose ne vas pas. Elle recommande donc au médecin de lui installer un soluté pour pouvoir lui injecter au moment voulu le médicament qui provoquera les contractions nécessaires à un accouchement naturel.

En fin d'après-midi, le médicament est administré sous toute réserve considérant l'état lamentable de Claudia qui ne cesse de marmonner à Érik de ne pas s'en faire et d'avoir confiance en la vie.

— Va-t'en maintenant dans notre nid d'amour, qu'elle lui bredouille, et prépare la chambre du petit, qu'elle poursuit en se contorsionnant le visage de douleur.

— Mais, Claudia, qu'il lui répond, les yeux tristes, ça ne peut pas bien aller avec tous les examens qu'ils te font subir autant à toi qu'au bébé. Je ne veux pas te quitter comme ça, sans en savoir plus.

— Érik, je t'en supplie. Laisse-moi choisir ce qu'il y a de mieux pour la vie de notre enfant.

— Claudia chérie, es-tu bien certaine que tes douleurs ne sont pas des contractions ? qu'il lui demande en se tournant vers l'infirmière, qui hausse les épaules.

— Je n'en suis pas persuadée, mais tout ce que je sais, c'est que je ne sens presque plus mes jambes tellement la douleur est vive. Va, rentre à la maison et prie pour que tout se déroule bien, qu'elle lui demande d'une voix étranglée par la souffrance.

— Mais voyons Claudia! Ça n'a pas de bon sens de te laisser souffrir sans que je sois là pour te soutenir. Aurais-tu peur que je ne sois pas capable d'être à la hauteur de la situation?

— Je te le redis avec toute la conviction qu'il me reste, qu'elle lui bredouille péniblement. Si tu m'aimes autant que je t'aime, va ton chemin et laisse-moi m'abandonner pour le bien de notre enfant qui fera ton bonheur tout comme celui de mon père.

Érik, complètement désemparé, le visage éploré, se lève et l'embrasse tout doucement sur le front. Se faisant, une de ses larmes glisse lentement jusqu'aux lèvres de Claudia qui l'aspire comme dans un mouvement de résignation.

De retour chez lui, Érik arpente la maison de long en large en essayant d'évacuer son angoisse. Il a peur que Claudia lui cache qu'elle va peut-être mourir au profit de son enfant. Toutefois, avec toutes les nouvelles technologies d'aujourd'hui, il se refuse d'y croire en pensant qu'elle a plutôt choisi de lui faire une belle surprise comme il était de son habitude.

Il s'arrête devant la chambre conjugale pour regarder le lit à baldaquin, ne se rappelant pas tout à fait la dernière fois où il avait fait l'amour avec sa femme. Certes, il fallait suivre les recommandations du médecin, d'autant plus que Claudia, souvent souffrante, se faisait distante. Cependant, les pulsions incontournables de procréer chez l'homme s'étaient fait sentir fortement chez lui, surtout au cours des derniers mois. Il essayait tant bien que mal de les apaiser en s'appuyant la tête sur le ventre bedonnant de sa femme, écoutant le cœur de son enfant en se rappelant que la patience est une vertu qui récompense largement celui qui la pratique.

Cette très longue abstinence n'avait pas été facile pour autant, puisque Julianna s'était montrée un peu plus envahissante auprès de lui, autant dans ses propos que dans ses gestes. Cependant, il avait réussi à résister à ce que sa mère appelait si souvent *l'œuvre de chair*. En fait, Julianna lui avait avoué « l'aimer pour en mourir ». Était-ce pour le préparer au pire ou tout simplement par jalousie?

Continuant sa rêverie, il s'immobilise devant la chambre des invités en se demandant bien si Samy, qui languissait longuement aux

Îles lors de ses supposés voyages d'affaires, le faisait plutôt pour sa fille que pour y rencontrer sa mère Esthèle. Il lui apparaissait également étrange que Samy se soit entretenu de problèmes d'affaires plus souvent avec Alpide qu'avec lui, eu égard au fait qu'il ne représentait plus son éternel rival.

S'arrêtant cette fois-ci devant un immense tableau d'un navire qui lutte en pleine tempête pour sa survie, Érik ne peut s'empêcher de penser à Claudia qui fait de même pour l'enfant qui va naître. Il s'avance par la suite dans la chambre adjacente à la sienne qui devrait accueillir son enfant, pour constater que les couleurs pastel dont il l'avait fait peindre et décorée laissaient place au vœu le plus cher du marchand qui désirait avant tout un descendant. Ce qui l'inquiète le plus, cependant, est le fait que Claudia n'avait pas voulu y participer, même pour le choix des vêtements de base du bébé. Il se demande si cela ne serait pas par peur d'être déçue ou, pire encore, de revenir du centre hospitalier sans enfant. « Par contre, pourquoi m'avait-elle demandé de préparer la venue à la maison du bébé, qu'il se dit dans un moment de lucidité. Serait-ce parce qu'elle-même doute de ne pouvoir survivre à un accouchement par césarienne ? »

Voulant méditer sur les moments que la vie lui réserve, il sort de chez lui et s'étend sur une chaise longue de jardin. Le ciel partiellement couvert qui charrie des nuages d'un blanc éclatant au travers le halo d'une pleine lune d'automne, lui rappelle la fraîcheur et la pureté d'un nouveau-né. Les nombreux blanchons dont il avait permis l'abattage et qui n'ont pu vivre leur vie d'adulte, ne sont-ils pas le signe d'un ultime sacrifice qui se prépare ? L'enfant qui va naître et qui demande lui aussi à vivre ne le fera-t-il pas au détriment de la vie de celle qu'il aime du plus profond de son être ? « Tout se paie dans la vie, qu'il se dit. Peut-être est-il arrivé le moment où c'est à mon tour de régler mes comptes avec elle. N'ai-je pas sacrifié au profit d'une petite fortune celles d'une multitude de blanchons nouveau-nés ? »

Une fois de plus, il ne peut s'empêcher de faire appel à son vieil oncle Frédérik dont il commence à douter des interventions auprès du Grand Chef. « Ce qui m'est arrivé jusqu'à ce jour, se dit-il, pourrait bien être pure coïncidence. Pourquoi naître et être aussitôt aux prises avec des joies, des peines et des souffrances sans que nous puissions savoir à quoi cela mène. »

Se rappelant que le Vieux lui avait déjà dit que le doute tout comme l'athéisme font partie de la vie des humains sur terre, il se dit qu'après tout, il n'a rien à perdre en s'adressant à nouveau à lui :

« Je sais, mon oncle, que je fais appel à vous dans des moments de détresse. Cependant, c'est vous-même qui m'avez dit que c'était dans la nature de l'homme d'agir comme ça. Pourquoi ne pas faire en sorte que tout aille bien, pour Claudia qui, avec de nombreux sacrifices, s'est gardée chaste pour que je puisse un jour lui engendrer un enfant. Un enfant pour que Samy, avec qui vous avez si souvent échangé sur la vie de tous les jours, puisse retrouver le bonheur perdu auprès de sa femme malade et impotente. Ne me dites pas que vous ne pouvez pas intervenir auprès du bon Dieu et de sa mère, la Sainte Vierge Marie. J'ai cru en votre intercession lors de la dernière fête des Acadiens en me laissant humilier sans réplique devant plusieurs de mes connaissances. Pourquoi restez-vous passif au point de me rendre fou d'anxiété ? Vous avez vu, vous aussi, comment Claudia était souffrante lorsque je l'ai laissée tout à l'heure. Pourquoi refuse-t-elle toujours de se faire transporter par l'avion ambulance en dehors des Îles, là où les grands spécialistes pourraient sauver à la fois la vie de la mère et de l'enfant ? Je sais qu'il vous est difficile d'être au bon endroit au bon moment, mais quand même… »

S'apprêtant à se lever pour entrer se coucher, il aperçoit une ombre qui approche de lui.

— Maman, qu'est-ce que vous faites ici ? lui demande-t-il. Comment avez-vous appris que Claudia avait été hospitalisée depuis hier au matin ?

— Mais voyons donc, mon grand. Aux Îles, tout se sait dans les heures qui suivent. Et puis, Samy me l'a confirmé au téléphone. Je te dis qu'il se fait du mauvais sang, lui qui désire tellement devenir un grand-papa gâteau.

— Je pense que vous aussi, vous aimeriez être une mamie. Cela vous permettrait de sceller vos amours perdues de jeunesse, n'est-ce pas ?

— Pour ça, tu as raison. Je dois t'avouer, mon fils, que je n'ai jamais réussi à oublier complètement Samy. Tu sais, l'amour ne se résume pas nécessairement à la couchette mais à la façon de découvrir les beautés intérieures de l'autre et, dans ce sens, Samy est un vrai *bon diable*.

Les yeux hagards, Esthèle débite à son fils aîné son roman d'amour avec Samy comme étant celui d'une passion non encore assouvie :

— À l'époque, lui dit-elle, le père de Samy avait comme principe que le premier de ses trois garçons lui succéderait en affaires en autant qu'il réussisse à marier une femme de la lignée des familles des marchands des Îles. Aussi, par surcroît, il souhaitait que cette femme soit vierge, ce qui est plus ou moins vérifiable, évidemment. Tu comprendras, mon grand, que Samy, me l'ayant appris, se trouvait devant un dilemme de taille en continuant à me fréquenter, moi, une Madelinienne pure laine. C'est alors que nos amours sont devenues si intenses et passionnées que j'ai succombé en me donnant à lui de plein gré. J'avais à l'époque le sentiment que si je le quittais par la suite, je lui assurais ainsi la relève des affaires florissantes de son père. En retour j'avais tout au moins la satisfaction d'avoir perdu ma virginité avec l'homme que j'aimais depuis ma tendre adolescence. Samy, par contre, ne l'entendait pas ainsi et il voulait qu'on se marie et qu'on quitte les Îles pour refaire notre vie sur la grande-terre.

— Je vous comprends. Ça n'a pas dû être facile, autant pour vous que pour Samy.

— C'est bien vrai, d'autant plus qu'à cette période-là ton père me courait après. En fait, il attendait le moment propice pour m'offrir son plein d'amour avec, cependant, un avenir pas tellement plus prometteur que celui avec Samy sur la grande-terre. En quittant Samy, cependant, je lui laissais l'opportunité de faire une vie de pacha aux Îles, son père étant né avant lui, comme on dit.

— Mais mon père a dû comprendre l'astuce en sachant fort bien que vous auriez toute la misère du monde à oublier Samy.

— Ça va de soi, mais lorsque l'on aime comme je crois qu'il m'a toujours aimée, il n'y a rien qui puisse nous empêcher de croire que le bonheur qui nous habite sera sans fin. D'ailleurs, afin de conjurer le sort, je me suis donnée à lui dès les premières semaines de nos courtes fréquentations. Je me disais que si à l'origine j'étais enceinte de Samy, mon futur mari n'y verrait que du feu en se croyant lui-même le père de l'enfant. Je me suis aperçue cependant que tel n'était pas le cas et j'en ai averti Samy pour qu'il puisse continuer sans remords son chemin de vie.

— Et ç'a dû sûrement faire son affaire ? de lui répondre Érik, très attentif aux propos de sa mère.

— Hélas ! Ce fut tout le contraire. Samy ne cessait de me harceler pour que l'on reprenne nos fréquentations, surtout lorsqu'il s'est aperçu que ton père et moi avions fait publier les bancs, comme c'était la coutume à l'époque. Cette décision avait été prise suite à un doute non fondé que j'étais enceinte…

— Mais pourquoi vous être mariée « obligée », aussi bien le dire, puisque vous n'étiez pas enceinte au moment de publier les bancs ?

— Eh bien ! Samy n'a pas lâché le morceau pour autant. Il m'a séduite pour une deuxième fois dans un élan de folie, sachant fort bien que mon mariage avec ton père scellerait à jamais nos assouvissements amoureux.

— Et alors…

— Et alors, je me suis aperçue peu après que j'étais enceinte sans savoir cependant de qui.

— Dans ce cas-là, pourquoi ne pas avoir demandé une analyse des gènes du fœtus ?

— Mais voyons donc Érik, tu oublies ce que tout cela aurait déclenché comme suspicion dans toutes les Îles.

— Voilà pourquoi vous n'avez jamais été très certaine que mon père naturel était soit Samy ou Nathaël.

— C'est bien ça et ce n'est que tout récemment, avec vos analyses d'ADN, que j'en fus assurée. Au fait, tu es né dans le neuvième mois de ma grossesse, non pas prématurément comme plusieurs l'ont cru à l'époque, sauf ton oncle, à qui j'avais tout avoué. Je me suis toujours dit, avant de connaître ton véritable père, que si tu devais être l'enfant de Samy, mon péché serait expié sur terre en aimant en silence mon tout premier amoureux.

— C'est pas possible comme la vie peut être compliquée, maman. Les souffrances qui vous ont affligée pendant de si longues années ont certainement effacé à tout jamais le péché de *l'œuvre de chair*. J'espère de tout cœur que l'avenir saura vous réserver de belles surprises.

— En fait, mon grand, je crois que nos joies comme nos peines émergent du même puits : le cœur humain. Si tu veux un conseil,

n'essaie pas de colmater ce puits pour ne plus souffrir parce qu'autrement, tu risquerais de ne plus éprouver de grande joie. Si j'ai marié
ton père, c'était surtout pour laisser place à la joie d'enfanter le plus
tôt possible après m'être abandonnée une dernière fois à Samy, laissant
le destin s'organiser pour que mon erreur soit un moindre mal. Et tu
vois le résultat : ton père est vraiment ton père et l'enfant qui va naître
va substituer en quelque sorte la présence physique de Samy auprès
de moi. Dans la vie, tout se résume à une question de croyance en un
avenir prometteur en vivant son présent du mieux qu'on le peut. Ne
dit-on pas que la foi déplace les montagnes et qu'il est plus satisfaisant
de donner que de recevoir ? Si tu mets ces simples conseils en pratique,
tu verras mon fils que la vie va te destiner à un très bel avenir.

— Comme vous pouvez être radieuse, maman, lorsque vous parlez
avec tant de sagesse. Comme ça, vous pensez vraiment que tout va
bien se passer avec Claudia ?

— Oui, je le crois fermement. Mais toi, Érik, qu'elle lui demande
en le regardant droit dans les yeux, le crois-tu vraiment ?

— Vous savez, maman, j'essaie d'y croire en priant mon oncle à
chaque soir ou presque… depuis plusieurs mois déjà. C'est déjà un
début, non ?

— C'est un pas dans la bonne direction. Cependant, il ne faut pas
prier uniquement lorsqu'on veut recevoir, mais savoir remercier le
Très-Haut lorsque tout se déroule pour le mieux. Te rappelles-tu
lorsque tu étais petit et que tu pleurais, je disais que tu faisais rire le
diable. Alors, cesse de t'en faire pour qu'il arrête de saliver de te voir
dans un tel état. Viens maintenant, entrons nous coucher. Je vais te
border comme je le faisais lorsque tu étais petit enfant afin de conjurer
le sort qui te permettra, j'en suis certaine, de répéter ce même geste
avec ton futur descendant.

CHAPITRE 20

Il vaut mieux avoir aimé et risquer de perdre ceux qu'on aime que de n'avoir jamais connu l'Amour

— Érik, réveille-toi, lui dit sa mère en lui secouant l'épaule.

Ouvrant les yeux, Érik aperçoit, à travers le voile de la nuit, sa mère qui le prie de se lever au plus vite.

— Mais maman, qu'est-ce qui se passe? Quelle heure est-il? Ah non! C'est qu'il est arrivé quelque chose à Claudia?

— Ce n'est pas si grave, mon grand. L'infirmière en chef du département des naissances a appelé pour que tu ailles retrouver ta femme qui a des contractions aux cinq minutes.

— Ah oui! Et qu'est-ce que ça veut dire?

— Ça signifie que c'est bon signe et que tu deviendras un papa. Va, dépêche-toi, il est déjà passé cinq heures.

Faisant route vers l'hôpital sans avoir pris la peine de manger une seule bouchée, Érik a beaucoup de difficulté à s'adapter aux premières lueurs du petit jour, risquant plus d'une fois d'emboutir les automobiles qu'il rencontre. Arrivé sur l'île de Cap-aux-Meules, il passe devant l'église de Lavernière où il se rappelle avoir vécu des moments intenses de bonheur lors de son mariage avec Claudia. Il s'arrête quelques minutes en face du cimetière pour méditer et penser à son oncle. Il le supplie de toute son âme de lui éviter la pire des calamités et reprend sa route confiant en sa bonne étoile.

En arrivant au pas de course au centre hospitalier, il longe le corridor du pavillon des naissances pour se buter au médecin qui sort de la salle d'accouchement.

–Félicitations, Érik! Votre femme, quoique très affaiblie, vous attend avec un beau garçon de plus de trois kilos et en très bonne santé, en plus de ça.

— Ah! Est-ce possible, docteur? Mais Claudia, comment va-t-elle?

— Je viens de passer la nuit à ses côtés et croyez-moi, votre femme a été très courageuse. Ne vous en faites pas, elle va s'en tirer même si elle est encore branchée à une multitude d'appareils. Allez, dépêchez-vous, elle vous attend dans la salle des naissances.

— Merci beaucoup, docteur, qu'il lui répond en le quittant à demi-conscient de la situation qu'il est en train de vivre.

La porte étant entrouverte, il s'approche doucement du lit pour voir Claudia qui lui sourit tendrement en lui disant à voix basse:

— Tu vois, mon amour, comme la croyance et la patience amènent des résultats immédiats. Viens et approche-toi, que je te montre notre enfant qui vient tout juste de s'endormir.

Érik, abasourdi, regarde son enfant en lui touchant tendrement les membres comme pour s'assurer qu'il ne manque rien à son anatomie.

«Merci, mon Dieu, et mon oncle avec!» qu'il ne cesse de répéter en s'inclinant pour embrasser sa femme qui rayonne de bonheur.

— Ah! Que mon père va être content d'avoir un petit garçon à aimer, lui dit Claudia en lui trouvant de nombreuses ressemblances avec son mari.

— Et ma mère aussi, de renchérir Érik en fixant du regard son enfant qu'il ne cesse d'admirer telle une fleur qui vient d'éclore.

* * *

De retour dans leur chambre depuis plus d'une heure, la petite famille savoure chaque moment de bonheur que leur procure leur poupon. Érik ne cesse de contempler son enfant tel un miraculé et Claudia, quant à elle, débute son apprentissage de mère nourrice.

Tout à coup, la porte de la chambre s'ouvre délicatement, faisant apparaître Samy avec un grand sourire qui leur lance des félicitations à n'en plus finir. S'approchant du lit, il enlace tendrement sa fille en lui disant combien il est comblé de bonheur.

— À présent, je peux vous affirmer à tous les deux que je vais entreprendre ma vieillesse avec sérénité et tranquillité d'esprit. Je vous dis que vous n'auriez pas pu mieux faire pour me rendre l'homme le plus heureux sur terre. Viens Érik que je t'embrasse comme un père l'aurait fait pour son propre fils, qu'il poursuit en ouvrant les bras.

— C'est ma mère qui va être contente d'apprendre cette bonne nouvelle, lui dit Érik en se dégageant de l'accolade de Samy.

— Mais qu'est-ce que tu attends pour l'appeler ? À moins que tu veuilles que je te devance ?

— Mais voyons donc, Samy, je suis certain que vous l'avez déjà fait.

— *Well…* je ne vous mentirai pas en vous disant que ta mère, qui connaissait mon arrivée tardive sur l'avion d'hier au soir, m'a téléphoné il y a de ça à peine quelques heures. Elle m'a demandé d'aller la rencontrer en m'assurant que ça augurait bien avec ma fille qui avait déjà commencé à avoir des contractions. Au fait, il n'y a que des femmes qui peuvent affirmer de telles choses.

— Et puis après ? lui demande Érik.

— Par après, ce ne fut qu'une suite de déroulements heureux pour que mon petit-fils soit accueilli avec tous les honneurs dans sa nouvelle demeure. Pour tout dire, j'avais gardé en réserve toute une armada de meubles et de jouets pour garçon. Nous les avons donc installés à partir du moment où la bonne nouvelle nous fut transmise par le docteur qui s'impatientait de te voir arriver à l'hôpital. Afin de souligner cet événement dignement, voici trois pleines boîtes de mes meilleurs cigares. Va donc les distribuer à toutes nos connaissances pendant que j'attends ta mère qui ne devrait pas tarder.

— Ça peut attendre, Samy, il faut que je m'occupe de Claudia. Vous ne voyez pas comme elle est affaiblie…

— Mais non, mon amour, tu peux y aller. Je suis très bien entourée avec mon père et le personnel soignant, qu'elle lui dit en lui soufflant un baiser.

— Mais…

— Il n'y a pas de mais. Va et annonce la bonne nouvelle. Et surtout, n'oublie pas d'aller remercier qui de droit.

Érik sort de la chambre, le corps léger comme s'il flottait sur un nuage tellement l'ivresse et la fierté d'être père le transportent. Prenant place dans sa voiture, fait jouer sa chanson porte-bonheur *L'amour brille dans tes yeux*. Il prend aussitôt la route vers ses établissements en voyant apparaître un soleil rouge feu derrière l'île-d'Entrée. Chemin faisant, il ne cesse de se dire combien la vie peut être belle.

Peu après avoir reçu les félicitations d'usage de ceux et celles qu'il rencontre dans les différentes installations portuaires, il se dirige à l'arrière de l'une d'elles. Se rappelant combien la présence de son oncle lui manquait pour célébrer avec lui la bonne nouvelle, il saisit dans sa poche la petite boîte de pilules et la lance sur l'eau en essayant du même coup de lui faire faire des ricochets. « Voilà pour cette béquille pour autant qu'elle fasse suffisamment de bonds avant de couler », qu'il se dit.

— Hein ! Qu'est-ce que tu fais là, Érik ? lui lance Alpide en s'approchant de lui.

Surpris, il lui rétorque :

— Mais c'est que… j'essaie de deviner l'avenir, mon Alpide. Tu te rappelles lorsque nous étions enfants et qu'on essayait de faire sautiller sur l'eau des pierres plates le plus longtemps possible ?

— Et puis, qu'est-ce que ç'a donné ?

— Ça augure bien, surtout que maintenant, tu t'adresses à un nouveau papa, qu'il lui annonce en sortant un cigare pour lui remettre.

— Ah oui ! Ce que tu es chanceux dans la vie, tandis que pour moi, ça ne présage rien de très bon.

— Mais, voyons donc, Alpide. Les femmes te courent après et à ce que j'ai entendu dire, tu pourrais convoler en justes noces avec Julianna, peut-être ?

— Pas nécessairement avec elle. Je crois que je te ressemble à ce point de vue. Pas de défi, pas d'ambition et donc pas de passion. À part de ça, Julianna a tellement forniqué avec toutes sortes d'hommes, qu'elle est devenue, elle aussi, une mère, mais sans vraiment le désirer. Avec une cuisse légère comme elle, ça ne m'étonne pas du tout.

— Quoi ! Julianna a un enfant, mais avec qui ? qu'il lui demande en serrant les dents.

— Pas avec moi en tout cas, surtout si je me fie aux précautions que je prenais…

— Mais quel âge a-t-il et où se trouve cet enfant ? Je n'ai jamais entendu parler de cela, pas plus que Claudia qui m'en aurait sûrement informé.

— Tu te rappelles, il y a de ça une couple d'années, lorsqu'elle s'est effacée des Îles durant une bonne partie de l'hiver pour un long séjour en Floride?

— Oui je m'en souviens, surtout qu'à ce moment-là Herb Smith commençait à rôder autour d'elle.

— Même si tu étais à cette époque-là le préféré de ses amants, Herb Smith, lui, la couvrait de bijoux et, lui payait de nombreux voyages à l'extérieur des Îles. Je crois que son enfant, qui est maintenant âgé d'à peu près deux ans, demeure avec sa sœur et son mari, faisant croire aux proches qu'ils l'ont adopté. Avec sa mésaventure, elle ne demandait pas mieux. Hé! Érik, me suis-tu? qu'il lui demande en constatant que celui-ci est perdu dans ses pensées.

Au fait, plutôt que de prêter attention aux propos d'Alpide, Érik est en train de faire des calculs sur l'époque où il avait eu une dernière relation sexuelle avec Julianna. Il espère de toute son âme qu'il n'est pas le père de l'enfant et que le coupable est plutôt Herb Smith ou n'importe qui d'autre mais pas lui.

— Mais voyons donc Alpide, ton histoire ne tient pas debout, qu'il lui dit avec un brin de candeur dans la voix.

— Je te le jure, Érik, tu n'as qu'à vérifier par toi-même et tu verras. C'est un peu à cause de cette malencontreuse situation que je n'entrevois pas la marier.

— J'espère bien que… Bon laisse faire. Dis-moi, Alpide, comment vont tes affaires?

— Je commence à croire qu'en me cédant sa *factrie* de conserves, Samy m'a laissé un vrai nid de guêpes en héritage. Il n'y a presque plus de poissons de fond mais, par contre, de plus en plus de loups-marins. Ne sens-tu pas cette mauvaise odeur qui vient des *charcois* de loups-marins qui, comme nous, ne trouvent pas assez de nourriture dans la mer pour survivre dans ce *simonac* de pays?

— C'est vrai. Par contre, n'as-tu pas transformé une partie de ton usine pour en apprêter la viande, la fourrure ainsi que l'huile?

— Oui, mais les coûts sont astronomiques. Et pire encore, le gouvernement, qui nous accorde des quotas de chasse, nous met tellement de bâtons dans les roues avec leurs règlements stupides qu'on n'en atteint même pas la moitié. Ça fait que plutôt que de stabiliser la ressource, ils laissent crever de faim à la fois les chasseurs et les loups-marins. Des quelque mille *charcois* qui sont venus pourrir sur nos plages, plus des deux tiers sont âgés de moins d'un an. Je te répète, Érik, ça n'augure rien de bon pour notre avenir aux Îles-de-la-Madeleine.

— Et c'est quoi la solution que tu préconises, Alpide ? Fais vite, il faut que je m'en retourne retrouver Claudia.

— Ça se résume en quelques mots. Revendiquons nos droits ancestraux de chasse au loup-marin, tout comme l'ont fait les autochtones, afin que nous puissions décider s'il n'y a pas lieu de réhabiliter la chasse au blanchon.

— Hein ! Mais voyons donc, des droits ancestraux de chasse et de pêche, on n'en a pas vraiment. Quant au rétablissement de la chasse au blanchon, on va à nouveau se mettre à dos le monde entier.

— Oui, peut-être dans la plupart des pays de l'Occident qui, de toute façon, continuent de boycotter les produits dérivés du loup-marin. Par contre, c'est pas nécessairement la même chose avec les pays asiatiques qui comptent une très forte population à nourrir et dont les hauts dirigeants s'orientent vers le système capitaliste.

— Ton affaire sent aussi mauvais que l'odeur d'un loup-marin en putréfaction.

— Voyons donc, Érik, pense seulement une minute à ton enfant qui devra probablement s'expatrier des Îles pour gagner sa vie. Je suis certain que Samy est d'accord avec moi. Tout ce que je te demande, c'est de m'aider à faire valoir nos droits.

— Bah ! J'y verrai dans le temps comme dans le temps, Alpide.

— Ce n'est pas une réponse. Oui ou non, veux-tu m'aider ? N'as-tu pas besoin de relever un autre défi maintenant que tu as obtenu tout ce que tu voulais ou à peu près…

— Peut-être… Mais laisse-moi en discuter avec Samy et je te reviendrai avec ma décision.

— Samy est déjà au courant. Pourquoi penses-tu qu'il t'a exigé un petit 10 000 $, si ce n'était pour que je l'investisse dans l'organisation d'un syndicat qui ira, s'il le faut, jusqu'à la désobéissance civile ?

— Eh bien ! C'est… d'accord, mon Alpide, mais seulement si Samy est sympathique à ta démarche. Laisse-moi du temps et on verra bien si c'est réalisable.

Se rappelant la recommandation de son épouse, Érik quitte Alpide pour se diriger vers l'église où le vieux vicaire de Bassin célèbre généralement sa messe de tous les jours. Faisant son entrée dans le temple saint pendant la célébration, il y aperçoit une vingtaine de personnes dont la plupart sont des femmes. Plusieurs se retournent, stupéfaites qu'un homme encore dans la fleur de l'âge assiste à un office sur semaine. Le vieux vicaire qui l'aperçoit du coin de l'œil, lui sourit et continue sa célébration avec un sursaut évident d'énergie.

— Mes plus sincères félicitations, lui dit le vieux vicaire à la sortie de la sacristie. Tu vois qu'il vaut mieux avoir aimé et risquer de perdre ceux qu'on aime que de n'avoir jamais connu l'amour, qu'il lui déclare d'un ton plutôt présomptueux.

— Oui, je suis d'accord avec vous, mais croyez-moi ce n'est pas toujours facile.

— Rien n'est simple sur notre bonne vieille terre. On dirait que tout se paie et que souvent le prix se retrouve disproportionné en rapport aux fautes commises. Mais que veux-tu, ne dit-on pas que les voix du Seigneur sont impénétrables ! Et puis, ne crois-tu pas que les questions que nous nous posons sur le sens de la vie ont plus de valeur que leurs réponses.

— Vous avez raison. Je vous dis que ç'a pris tout mon petit change pour accepter d'être soumis aux ordres d'Alpide à l'occasion de la dernière fête des Acadiens.

— Je le sais. J'étais du voyage et je me suis aperçu que ton oncle Fred a dû intervenir auprès du Seigneur pour qu'Il te gratifie en te donnant un enfant à aimer et à chérir. J'ai beaucoup prié pour vous deux, tu sais. Je me dis que si je suis frustré de ne pouvoir un jour être un papa, ton fils, lui, viendra combler en quelque sorte ce grand vide en moi.

— Merci beaucoup, mon Père, pour vos prières. Je vous promets de venir vous le montrer aussitôt que Claudia sortira de l'hôpital.

— Fais vite, Érik, avant que je quitte ce bas monde, qu'il lui déclare en levant péniblement les bras pour lui apposer les deux mains sur la tête en disant à voix basse : « Que la volonté du Tout Puissant te soit salutaire à tout jamais. »

De retour au centre hospitalier, Érik s'aperçoit que Claudia et son enfant sont entourés de nombreux parents, amis et connaissances qui ne cessent de répéter combien ils sont chanceux d'avoir à chérir un si bel enfant. Érik se prête à de petites attentions en regardant amoureusement son nouveau-né qu'il retire maladroitement des bras de Claudia pour le contempler de plus près.

— Tu vas t'habituer à ça comme à toute autre chose, lui dit Samy en lui faisant signe de s'approcher.

— Vous voulez le prendre dans vos bras?

— Non, j'ai perdu l'habitude depuis trop longtemps. C'est plutôt pour te parler affaires.

— Me parler affaires dans des moments aussi intenses de réjouissance! Mais voyons donc Samy, quand est-ce que vous allez vous arrêter de penser *business*?

— On est comme on est, que veux-tu! Tu vois comme ton enfant semble heureux à l'heure actuelle. Ne penses-tu pas qu'il en sera ainsi avec son avenir dans nos chères îles?

— Mais pourquoi me demandez-vous ça?

— *Well...* je crois savoir que tu as annoncé la bonne nouvelle à tous les employés qui travaillent pour toi ainsi qu'à ceux d'Alpide. Ça fait que...

— Ça fait que vous voulez me parler d'Alpide, qu'il lui répond en l'interrompant. Vous savez déjà qu'il essaie de concocter un genre de syndicat afin de revendiquer nos droits, non seulement sur la chasse au loup-marin mais également sur les fonds de pêche.

— C'est bien ça, mon Érik. Comment pourrions-nous oublier qu'il est de notre responsabilité et de notre devoir de permettre à mon petit-fils d'en arriver à faire sa vie aux Îles-de-la-Madeleine?

Son enfant commençant à pleurnicher, Érik se fait interpeller par sa mère Esthèle.

— Érik, donne-moi donc le bébé pour que je le ramène à Claudia qui est en train de se préparer pour l'allaiter.

— En fait, que lui dit Samy en l'amenant à l'écart, un peu comme le disait ton oncle de son vivant : « Quel drôle de pays où le poisson vivant est de compétence fédérale et lorsqu'il est mort, de pouvoir provincial. »

— C'est peut-être vrai, mais ça ne sera pas facile et les conséquences d'une revendication musclée pourraient être très fâcheuses.

Il n'en faut pas plus pour que Samy, dans un élan oratoire digne d'un libre penseur, se mette à lui parler de sa philosophie sur la vie aux Îles-de-la-Madeleine.

— Tu sais, mon Érik, que depuis que j'ai quitté les Îles et leurs habitants, je les vois maintenant comme dans un miroir qui me renvoie des images très révélatrices. Notre cher gouvernement central a revendiqué, beaucoup trop tard hélas, sa souveraineté sur les eaux privées de chasse et de pêche à 200 milles nautiques de nos côtes, écartant ainsi à jamais les pêcheurs étrangers du golfe.

— Vous voulez dire que maintenant ce sont les provinces comme le Québec qui devraient réclamer une juste part des quotas que le gouvernement central veut partager entre les comtés électoraux qui lui sont favorables?

— Tu ne me l'auras pas fait dire et ça apporte encore plus de confusion sur les territoires de chasse au loup-marin dont bénéficient les Terre-Neuviens. Tu sais comme ils ne se gênent pas pour nous substituer une bonne partie de nos quotas, à nous les Madelinots.

— Mais que faire alors, Samy?

— Hé vous deux! leur dit Esthèle, modérez vos transports et sortez de la chambre si vous voulez continuer à discuter sur ce ton. Claudia, notre nouvelle maman, a besoin de repos et de calme.

— C'est bien correct, ma chère Esthèle, que lui répond Samy en lui jetant un regard rempli de tendresse. Viens donc à l'extérieur de la chambre, mon Érik, et laissons les femmes s'organiser comme elles l'entendent.

Avant de sortir, Érik s'approche du lit pour embrasser Claudia qui s'est endormie avec un léger sourire de béatitude accroché au visage. Il regarde son enfant de plus près et lui caresse les joues en lui souhaitant santé et longue vie.

— Pour en revenir à ce que je te disais, lui dit Samy en sortant de la chambre, ne penses-tu pas qu'avec son système de détection des navires, Pêches et Océans va maintenant être en mesure d'avoir l'œil sur les fonds de pêche comme sur ceux de chasse? Comme ça, ils vont pouvoir s'assurer qu'il n'y a pas d'accroc à leurs règlements qu'ils ont probablement concoctés en secret avec les bonzes de la politique.

— Oui, mais c'est comme ça. Ne dit-on pas que c'est l'exception qui fait la règle ?

— C'est à ça que je m'attendais comme réponse. Alors, tu peux être sûr que nos compatriotes vont rester avec des miettes et que l'industrie touristique ne réussira pas, à elle seule, à combler le trou laissé par le domaine des pêches.

— Et alors, qu'est-ce que vous attendez de moi, Samy ? Faites vite, il faut que j'aille retrouver Claudia.

— Mon cher Érik, tu devras t'établir comme chef de file et revendiquer haut et fort les droits de chasse et de pêche sur les hauts-fonds qui entourent les Îles-de-la-Madeleine, comme l'a fait le Canada avec les autres pays.

— Mais voyons donc, Samy, c'est seulement les autochtones qui peuvent revendiquer des droits de chasse et de pêche, et croyez-moi, ils le font déjà très bien. Nous, les Madelinots, nous ne pouvons réclamer que la restitution des droits de gérance que nous avons perdus au siècle dernier. Pour parler comme ça, seriez-vous devenu séparatiste, vous qui étiez considéré un *rouge* de la pire espèce ?

— *Well...* pas tout à fait, mais plutôt du genre autonomiste, un peu comme celui qui décide de lui-même quand, où et comment il doit administrer ses propres ressources. Tu prends comme exemple les droits d'exploration sous-marine en gaz et pétrole que l'on dit prometteuse aux Îles. Ça se peut-y de voir les chicanes que cela génère pendant que des millions de loups-marins mangent plus de poisson que tout ce qui se pêchait dans l'Atlantique Nord au cours des années soixante-dix !

— Mais les mœurs changent, vous savez, et, comme le disait mon oncle Fred : « Si on ne s'occupe pas de ses affaires ce sont les autres qui vont le faire à notre place. »

— Et il avait raison, ton oncle. À preuve : qui a extradé des Îles Brian Davies ? Qui a endommagé l'hélicoptère, l'arme favorite des opposants à la chasse ? Qui a forcé Paul Watson, ce terroriste des mers, à quitter les Îles promptement ? Et qui va permettre aux Madelinots de s'émanciper pour de bon si ce n'est pas un homme aguerri comme toi, mon Érik ?

— C'est tout un défi que vous me lancez là, qu'il lui déclare en se disant que Samy le traite à la fois comme son gendre et son propre fils.

— Hé les hommes! Arrêtez de parler affaires, leur dit Esthèle en les prenant tous les deux par les bras. Le petit est réveillé et Claudia vous attend.

— Une minute, Esthèle, lui réclame Samy.

— Pas question. Allez, venez avec moi.

Quelques minutes plus tard, la chambre se remplit à nouveau des proches qui sont heureux de participer aux réjouissances marquant une nouvelle venue au monde.

— Il faudrait bien qu'on trouve un nom à notre enfant, leur dit Érik en s'approchant du lit où est étendue Claudia.

— C'est pourtant facile. Pourquoi ne l'appellerions-nous pas Érik junior? Après tout, son père le mérite bien! qu'elle lui propose.

— Bah! Ça fait trop anglais, lui réplique son père. Et toi, Érik, le nouveau papa, qu'est-ce que tu nous suggères?

— Moi, je l'appellerais Fred en l'honneur de mon oncle qui, même s'il n'est plus de ce monde, a répondu maintes et maintes fois à mes invocations.

— Bah! Ça fait trop vieux, lui déclare sa mère. Et toi, Samy, qu'est-ce que tu nous recommandes, lui demande-t-elle d'une voix plutôt mielleuse.

— Moi, comme à l'habitude, je vais trancher la poire en deux en vous suggérant le nom de Fred-Érik.

— Mais pourquoi? lui demande Érik en fronçant les sourcils.

— *Well…* Pourquoi pas le faire en l'honneur d'un dénommé Fred-Érik, un réformateur des pays scandinaves qui favorisait le progrès et dont le petit-fils rétablit par la suite le caractère absolu du pouvoir et du droit de décider.

— Mais, papa, je ne te reconnais plus. On dirait que tu préconises une scission avec les autorités au pouvoir!

— Et pourquoi pas, si l'on veut s'affranchir pour de bon. Et alors, qu'est-ce que vous en pensez?

— J'acquiesce à votre désir Samy, mais seulement si Claudia est d'accord. Quant à la question du droit de décider, qu'est-ce que vous diriez si je me lançais en politique? qu'il risque de leur annoncer en regardant Claudia qui grimace en signe de réprobation.

— *Well…* c'est tout comme si tu avais lu dans mes pensées. Tu as sans doute compris qu'il n'y a rien à gagner si l'on ne se joint pas aux grands décideurs de ce monde. Je suis presque certain que ta mère est d'accord avec moi, qu'il s'empresse d'ajouter.

— Vous devez savoir, vous autres les hommes et surtout toi Érik, qu'un tel projet ne doit en rien se faire au détriment de ta petite famille. Claudia, tout comme ton enfant, a besoin de ta présence, mais surtout de ton amour. La gloire de même que le pouvoir sont des bonheurs éphémères, tandis que l'amour, lui, constitue le pain quotidien qui nourrit le cœur.

— Et du cœur, Érik, tu devras t'en garder suffisamment pour moi et pour notre fils, renchérit Claudia d'un air enjoué.

CHAPITRE 21

Il est impossible de marcher
dans le beurre sans se graisser les pattes

Sortie en fauteuil roulant du Centre hospitalier de l'Archipel depuis plus de deux semaines, Claudia essaie de concilier tant bien que mal les soins à prodiguer à son enfant avec ses exercices de réhabilitation.

Érik qui a tout prévu pour lui faciliter la tâche, a embauché une infirmière à la retraite. Cette dernière sert également de domestique, lui-même étant trop occupé à essayer de mettre fin à un certain déclin de ses affaires.

Le petit Fred-Érik se porte merveilleusement bien et prend de la vigueur à vue d'œil. Claudia, malgré son handicap, réussit tout de même à l'allaiter. Aux dires de leur entourage immédiat, Fred-Érik est vraiment un bon bébé.

Samy, quant à lui, lambine aux Îles, plus particulièrement depuis l'accouchement de sa fille qu'il visite assez souvent en compagnie d'Esthèle. Cela a pour effet de faire grimper encore plus le niveau des palabres qui sont habituellement au point mort en cette période de l'année.

Parlant de palabres, Érik n'a pas oublié les confidences que lui avait faites Alpide au sujet de Julianna, le jour même de l'accouchement de sa femme. Aussi dans le but de vérifier l'authenticité de ces aveux, il essaie, mais en vain, de rencontrer Julianna qui, lui dit-on, est souvent en voyage sur la côte du Maine ou encore en Floride.

Éric s'aperçoit que dans la vie, il n'y a pas de bonheur parfait. Son épouse Claudia, souffrant d'une paralysie partielle des membres inférieurs qui ne semble pas vouloir guérir, n'en a que pour son enfant.

Il se sent seul aux prises avec ses affaires qui lui apportent plus de soucis qu'il n'en veut. Le doute qu'il entretient sur sa filiation paternelle avec l'enfant de Julianna qu'il a réussi à rencontrer en secret de ses parents adoptifs n'a pas suffi pour autant à diminuer sa hantise.

En effet, l'enfant étant une fillette, il a pu constater qu'elle est le vrai portrait de sa mère, mais hélas! sans trait physiologique d'aucun de ses amants connus. Aussi, dans le but de se convaincre qu'il n'a pas trop à s'en faire pour sa paternité présumée, il décide de rencontrer Alpide.

— Alpide, il paraît que tes affaires vont assez bien, qu'il lui dit d'entrée de jeu.

— Tu t'imagines peut-être que je te fais concurrence, mais rassure-toi, il n'en est rien. Au fait, plusieurs pêcheurs qui faisaient affaire avec moi ont tout simplement décidé de se regrouper en m'offrant même d'acheter mes installations.

— Et d'être écarté par la suite du processus de prise de décisions, de renchérir Érik. Tu sais qu'en nous cédant ses entreprises, Samy avait vu ça venir de loin. C'est à nous maintenant de nous recycler comme tu as déjà entrepris de le faire avec ton usine de transformation de produits du loup-marin.

— Tu sais, Érik, vu de l'extérieur, ç'a l'air beau, mais crois-moi, ce n'est pas du gâteau. N'eût été des investissements et encouragements de Herb Smith, j'aurais déjà lâché le morceau.

— En parlant de lui, comment va-t-il? Il y a longtemps que je n'ai pas entendu parler de lui.

— Ah oui! Si tu veux le savoir, Herb Smith est très malade. La dernière fois que je l'ai vu lors d'un voyage à Boston, en septembre dernier, il avait maigri d'au moins une vingtaine de kilos. Il avait l'air d'un vrai vieillard. Lui-même ne sait pas ce qui se passe, pas plus que son médecin qui lui a fait subir de multiples analyses.

— Et sa famille, est-ce qu'elle s'occupe de lui?

— Il n'y a pas d'homme plus seul au monde que Herb Smith. Orphelin de père, il a été élevé par sa mère qui est décédée depuis, le laissant sans parenté connue. Il ne s'est jamais marié malgré la convoitise par ses nombreuses maîtresses de mettre la main sur sa petite fortune que j'estime à près d'un demi-million de dollars.

— *Désespoir!* Dire que je l'ai aidé à la gonfler.

— Mais moi aussi, Érik, de même que Samy qui, dans les dernières années, le laissait faire à sa guise avec les chasseurs de loup-marin. Savais-tu que Herb Smith est très mal vu aux États-Unis par les animalistes? En fait, il s'est toujours efforcé de faire lever le moratoire sur les sous-produits du loup-marin que le gouvernement américain a décrété au début des années quatre-vingts.

— Non, je ne savais pas ça. C'est pour dire qu'on ne connaît jamais tout à fait son homme. Et ses maîtresses, elles, tu les connaissais? qu'il lui demande en espérant qu'il va lui parler de Julianna.

— Ses maîtresses? C'était son évasion vers les plaisirs de la chair dont il ne pouvait malheureusement profiter au cours des derniers mois, vu son état de santé épouvantable.

— Même avec Julianna?

— Tu la connais, toi qui l'as fréquentée plus souvent qu'à ton tour. Pourquoi penses-tu qu'elle se pavanait avec des vêtements griffés, exhibant des bijoux de grande valeur, si ce n'est pour te défier d'arrêter de profiter d'elle uniquement pour ses charmes?

— Parlant de charmes, aussi bien te le dire tout de suite, Alpide. J'ai vérifié pour son enfant et je peux t'affirmer que c'est son portrait tout craché.

— Et quoi d'autre, mon Érik? lui demande-t-il avec son sang-froid habituel.

— Bon! Heu! Je ne sais toujours pas qui pourrait être le père présumé de sa petite fille. Peut-être Smith et pourquoi pas toi, Alpide?

— En tout cas, je suis sûr que ce n'est pas moi, surtout avec toutes les précautions que je prenais à chaque fois.

— Mais c'était plutôt elle qui nous offrait des préservatifs. Tu te rappelles lorsqu'elle sortait sa série qu'elle étalait devant nous avant de passer aux choses sérieuses?

— Oui et après?

— As-tu déjà pensé que vu son goût prononcé pour l'argent et de se faire vivre, qu'elle aurait bien pu faire en sorte que le préservatif laisse échapper juste ce qu'il faut pour qu'elle tombe enceinte.

— *Simonac* Érik! Je n'avais jamais réfléchi à une telle éventualité. Mais tiens, j'y pense, je me suis toujours demandé pourquoi nos conversations portaient surtout sur ce que je possédais comme fortune personnelle.

— Ça me soulage un peu, mais si jamais tu entends parler de quelque chose, tu m'avertis. Je ne veux pas de problèmes avec Claudia et surtout pas avec son père Samy qui, j'en suis sûr, ne le prendrait pas.

— Juré craché, mon Érik. N'oublie pas cependant de faire de même avec moi, qu'il lui demande avant de le quitter.

* * *

Plusieurs mois par la suite, Érik entreprend d'escalader la Butte-du-Vent, soucieux qu'il est d'être en pleine nature pour apaiser ses nombreux questionnements sur les aléas de sa vie. En effet, les derniers six mois n'ont pas été de tout repos. Le décès précédé d'atroces souffrances du vieux vicaire de Bassin l'avait fortement perturbé. Le saint homme l'avait invité à son chevet quelques jours avant sa mort pour lui annoncer que la vie dans ce bas monde était terminée pour lui. Il avait cherché à comprendre pourquoi le bon Dieu pouvait faire souffrir un homme au passé irréprochable comme lui et qui, par surcroît, avait dédié sa vie à faire connaître Sa grandeur et Son infinie bonté. Néanmoins, il avait lu sur le visage du vieil homme une forme d'apaisement et de sérénité dans son corps mais surtout dans son âme qui s'apprêtait à s'élever vers Celui pour qui il avait investi toute sa vie durant.

Pendant les quelques minutes de lucidité où il avait pu converser avec lui, Érik aurait voulu lui dire combien il lui était difficile de perdre le confident de ses états d'âme. Il avait cependant ressenti un sentiment de sécurité lorsque le vieux vicaire lui avait dit : « C'est dans la nature, mon fils, qu'on retrouve le passage vers Dieu. Nous sommes ses enfants qui ont besoin de sa création pour nous aider à cheminer vers Lui. La nature, au contraire de l'homme, n'a pas été entachée par le péché originel. C'est donc elle qui, dans des moments de contemplation, répondra à tes questionnements sur les mystères de la vie. »

Érik, tout en méditant sur ces judicieux conseils, regarde au loin l'immensité de la mer. Il s'aperçoit que malgré la période de l'année, celle-ci n'a pas encore produit les glaces qui transportent généralement les loups-marins. Détournant son regard vers l'église de Lavernière où il s'était marié, il pense à son fils qui y fut baptisé aux prénoms de

Samuel Nathaël Fred-Érik et dont il n'est pas peu fier. Âgé maintenant de huit mois, il voit en lui le caractère de sa mère par sa sensibilité aux propos de son entourage et à son besoin d'être constamment cajolé. Toutefois, sa grande curiosité et son gazouillement continu ne peuvent provenir que de ses propres attributs.

Hélas! la condition physique de Claudia ne s'est pas améliorée depuis sa sortie du centre hospitalier. Il trouve difficile de voir sa femme, souffrant de paralysie partielle, attacher tant d'importance à leur enfant. Elle lui a maintes fois répété qu'elle ne voulait pas qu'il se fasse *voler son enfance*, cette enfance tributaire des commodités qui s'offrent de plus en plus aux jeunes parents d'aujourd'hui. Il se rappelle avoir entendu sa femme lui dire un jour : « J'accepte d'emblée mon handicap en considérant que c'est le prix à payer pour vous rendre heureux, toi ainsi que mon père. »

Regardant les installations portuaires endeuillées durant la saison froide à divers endroits des Îles, il ne peut s'empêcher de penser que tout change si vite qu'il a peine à s'ajuster aux nouvelles réalités du moment. Les gouvernements ne cessent de décréter moratoire sur moratoire, quand ce n'est pas des restrictions sévères de quotas de pêche pour les crustacés et poissons de fonds.

Quant à la chasse au loup-marin, il croit qu'elle ne sera plus jamais la même avec la venue récente aux Îles d'une flottille de bateaux venant des autres parties du Canada. Bien mieux équipés que ceux de ses compatriotes, ces navires vont sûrement s'accaparer, dès l'ouverture de la chasse, d'une bonne partie du troupeau de loup-marin du golfe qui, jadis, était chassé en grande majorité par les Madelinots. Finalement, la publication à grande échelle d'informations sur la dérive des glaces ainsi que sur leur âge, plutôt que d'aider les chasseurs madelinots, va au contraire leur nuire. De ce fait, tant les opposants que les chasseurs rivaux vont être en mesure de gêner encore plus le mouvement des bateaux phoquiers madelinots.

Aussi, dans le but de paraître *politiquement correct*, le gouvernement avait décrété depuis un bon bout de temps une période dite d'observation des nouveau-nés blanchons qui précédait celle de la chasse proprement dite. Ce faisant, il évitait que les médias puissent alimenter encore plus les opposants et animalistes qui prêchaient chaque année l'abolition pure et simple de ce qu'ils appelaient *le massacre*.

Ayant investi dans une firme de location d'hélicoptères, Érik avait eu l'opportunité d'expérimenter une visite sur la banquise qui lui avait rappelé les émotions fortes passées tant sur l'Orphelin que lors d'une expédition au Corps-Mort en compagnie de son oncle.

Descendu de l'appareil, il avait vécu peut-être pour la dernière fois cette sensation d'isolement sur une immense banquise à perte de vue. Seuls les cris des animaux lui rappelaient que le territoire sur lequel il se promenait n'était peut-être pas autant le sien que celui des familles de loups-marins. Les femelles adultes allaitaient leurs petits blanchons tandis que les mâles marsouinaient dans de larges saignées d'eau, attendant que leur progéniture débute leur sevrage, leur permettant ainsi de s'accoupler à une partenaire choisie au hasard.

Les guides, d'anciens chasseurs, savaient que même si les blanchons se laissent approcher, il n'en demeure pas moins que ce sont des animaux sauvages dont les pattes sont munies de longues griffes acérées. Il se rappelle avoir demandé à l'un d'eux d'utiliser une méthode d'*endormissement* de façon à ce que les touristes puissent les prendre dans leurs bras et geler sur pellicule des souvenirs impérissables.

Il avait compris une fois de plus les raisons qui font qu'il est difficile pour tout être humain de moindrement sensible d'accepter qu'un si bel animal soit tué. Les touristes, en majorité asiatiques, s'en donnaient à cœur joie en prenant des photos de toutes sortes, allant même jusqu'à se coucher sur la banquise afin de ne pas apeurer inutilement les blanchons et permettre aux femelles de vaquer à leur devoir de nourrice.

S'approchant d'une femelle qui défendait son petit, en attente de sa tétée, il avait ruminé son inquiétude à l'égard de sa femme alors enceinte de quelques mois seulement. En discutant avec le guide — un ancien chasseur émérite —, ce dernier lui avait avoué avoir ressenti une grande tristesse le jour où son petit-fils de cinq ans lui avait dit, en regardant une émission américaine : « Je ne savais pas, grand-papa, que tu étais un assassin. »

Revenu du large en après-midi, il ne savait plus si le phénomène de la chasse inscrit dans les mœurs de ses compatriotes devait se poursuivre. Le troupeau de six millions et plus d'individus approchait depuis plusieurs années la non-autosuffisance avec la nourriture qui leur faisait défaut, autant pour eux que pour les pêcheurs madelinots.

Les opposants, quant à eux, voyaient plutôt dans la période d'observation des blanchons une forme de mascarade. Cela permettait aux guides, disaient-ils, de localiser les mouvées importantes de loups-marins de façon à refiler l'information aux chefs d'escouade qui en profiteraient lors de l'ouverture de la saison de chasse.

Cette longue rétrospective ne l'empêche pas pour autant de penser que ses affaires déclinent dangereusement et que son compte de banque suit de près, Érik se remémore sa courte incursion dans les affaires publiques. D'entrée de jeu, il s'était aperçu qu'il lui faudrait être d'abord un militant de la base dans un parti en qui il devait croire vraiment avant de vouloir devenir un délégué officiel. Par la suite, il n'aura pas le choix de fourbir ses armes afin d'obtenir les appuis nécessaires pour devenir candidat à de prochaines élections. Enfin, comme l'argent mène le monde et en particulier celui de la politique, il se dit que pressé comme il est d'arriver à ses fins, il va lui falloir user de ruses et dépenser beaucoup de sous avant d'y parvenir. En fin de compte, il se demande comment il va réagir éventuellement dans ce monde où l'ascenseur ne cesse jamais ses funestes va-et-vient entre les divers paliers des institutions politiques et des personnes qui les gouvernent.

Puisant son inspiration en regardant l'Île-d'Entrée qui émerge de la mer tel un décor de théâtre, il se dit qu'une telle décision plairait peut-être à sa mère. Même si depuis sa tendre enfance elle espérait qu'il devienne un jour un serviteur du Seigneur, pourquoi ne se satisferait-elle pas d'un chef de file qui guiderait ses concitoyens vers une existence dénuée de pauvreté et de détresse?

Parlant d'elle, il ne l'a jamais vu si radieuse depuis la naissance du petit Fred-Érik. Entre autres, elle partage son temps entre le soutien qu'elle apporte à Claudia et les nombreuses promenades qu'elle réserve à son petit-fils qui se font souvent en compagnie de son ancienne flamme. Elle a même pris le risque calculé d'amener le petit aux offices religieux, voulant lui inculquer par là, dit-elle, le goût du Divin.

Son père Nathaël, comme d'habitude, ne s'en fait pas avec les soubresauts de la vie. À ceux qui lui font remarquer qu'il devrait réaliser que sa femme n'était pas une *sainte nitouche*, il leur a répondu en ces termes: «Et toi, es-tu absolument certain que la tienne n'a pas déjà forniqué avec quelqu'un d'autre?» faisant ainsi taire ses détracteurs.

S'apprêtant à quitter son perchoir, Érik ne peut s'empêcher de voir un énorme nuage noir qui pointe à l'horizon, signe qu'une secousse s'en vient assombrir son destin. Afin d'en savoir plus sur les probabilités d'une paternité non désirée, il aurait voulu rencontrer Julianna, revenue aux Îles pour le temps des Fêtes seulement. Cependant, voulant éviter tout soupçon de certaines personnes à l'affût d'histoires incriminantes, il avait laissé filer le temps en se rappelant le dicton qui dit : « Dans le doute, abstiens-toi. »

* * *

De retour chez lui vers l'heure du souper, il se fait apostropher par Claudia qui, bouillonnante d'impatience, lui demande :

— Mais, Érik, où étais-tu passé cet après-midi ? J'ai appelé à ton travail et personne n'avait entendu parler de toi depuis l'heure du dîner.

— Bah ! J'étais tout simplement allé escalader la Butte-du-Vent pour scruter la mer et voir s'il n'y avait pas apparence de glace à l'horizon.

— Juste ça ? Je t'ai cherché partout pour t'annoncer qu'un dénommé Michel Imbeau t'a appelé de Montréal pour te parler. Comme tu étais introuvable, il te prie de le rappeler le plus tôt possible. Mais, tiens, j'y pense, n'est-ce pas lui que mon père t'avait recommandé pour vos analyses respectives d'ADN ?

— Oui, chérie. Par contre, c'est également lui qui a procédé à la création de la fiducie dans laquelle j'ai mis une bonne partie de mes avoirs, qu'il lui répond, perdu dans des pensées les plus chaotiques.

— C'est vrai, j'oubliais. Il a dit que s'il était trop tard, de lui téléphoner à la première heure, dès demain matin. N'oublie pas, mon amour, qu'il t'a appelé sur ton numéro de téléphone confidentiel et que nous avons une heure de décalage avec Montréal.

— Je sais chérie, qu'il lui répond promptement en essayant de cacher son tourment.

* * *

Couché sur l'heure de minuit, Érik ne cesse d'être déchiré sur la raison qui a incité maître Imbeau à l'appeler sur son numéro confidentiel, connu que de ses proches. Il essaie de s'endormir, mais de trop nombreux scénarios l'en empêchent, dont celui que Julianna aurait bien pu lui demander de procéder à une analyse de son ADN. Les résultats comparatifs pourraient ainsi déterminer à coup sûr qui est le père biologique de sa fille. Pour en arriver là, cependant, elle a sûrement dû se lier à Alpide qui lui aurait refilé les coordonnées du notaire qui se devait de l'en avertir.

Se rappelant les paroles du vieux vicaire, il se dit que si Dieu est infiniment bon, il est également infiniment juste. Pourquoi ne le punirait-il pas pour ses nombreuses relations avec Julianna dont le but était, avant tout, de satisfaire les fantasmes qu'il ne pouvait assouvir avec Claudia ? C'est ainsi que, dans l'éventualité qu'il serait le véritable père de la fille de Julianna, il est presque assuré que celle-ci lui réclamera une forte compensation financière. À tout égard, ce dédommagement pourrait fort bien se traduire en chantage sans garantie qu'un bon jour Claudia ne soit mise au courant de sa mésaventure.

La respiration devenue difficile tellement l'anxiété est à son comble, il essaie de se convaincre que le notaire l'a plutôt appelé pour une tout autre question, en l'occurrence celle regardant la fiducie. Mais quel problème pourrait urger à ce point, lui qui n'avait pas droit de regard sur son administration, maître Imbeau ayant été nommé le fiduciaire d'office ?

En dernière analyse, il ne peut écarter totalement l'hypothèse que le notaire, de combine avec Samy, l'ait trompé sur le degré de certitude sur sa filiation paternelle. Le handicap survenu lorsque Claudia a accouché ne serait-il pas dû à un problème génétique entre eux ? Qu'est-ce qui lui dit que le développement physiologique de son enfant ne serait pas affecté si, justement, sa mère était en réalité sa demi-sœur ?

Voyant que sa femme dort à poings fermés, il se lève tout doucement et se dirige vers la chambre du petit Fred-Érik. Constatant que son enfant dort à poings fermés, il lui enlève ses couvertures et lui caresse délicatement les joues. Il en profite pour faire un examen sommaire de son corps et s'assurer qu'il ne comporte aucune marque apparente de handicap. Soudainement, l'enfant ouvre les yeux si grands qu'Érik a peur qu'il se mette à pleurer. Cependant, rien de cela ne se produit et le petit les referme aussi vite, laissant bouche bée son père qui voit là une forme d'invitation à apaiser son angoisse. « Et si je pouvais l'examiner à l'intérieur pour m'assurer que son évolution intellectuelle se fait naturellement... » qu'il se dit en le bordant avant de quitter la chambre.

Le cœur à l'envers, il se dirige aussitôt vers son bureau. À peine assis, il se remémore que sa femme, lorsqu'elle était enceinte, n'avait pas voulu d'une amniocentèse pouvant déterminer les porteurs de certains gènes néfastes pour la santé physiologique d'un nouveau-né. Il se lève, écarte les rideaux et regarde la lune qui projette ses reflets bleuâtres sur une neige fraîchement tombée, en essayant de se convaincre qu'il fabule probablement.

De retour à son bureau, il saisit le dossier sur l'analyse de son ADN, et il l'examine sans trop comprendre. Néanmoins, il constate que le docteur Ravensky avait pris soin d'émettre une opinion avec tellement de circonspection qu'il n'est plus certain s'il est véritablement le fils de Nathaël. « Que j'aurais donc dû demander une contre-expertise », qu'il se dit en s'accaparant d'un ancien calendrier qui va l'orienter aussitôt vers une autre hypothèse.

Calcul après calcul, il se demande bien si la petite fille de Julianna a véritablement l'âge dont Alpide lui a fait mention. Peut-être voulait-il par là se venger de l'avoir exclu de l'usufruit de la fiducie créée au profit de l'instruction supérieure des enfants devenus orphelins de père ? Fallait-il être décédé pour que ses descendants en bénéficient ? « Pourquoi un homme comme Alpide, fort diminué physiquement après l'expédition sur l'Orphelin, devrait-il en priver sa postérité future ? » qu'il se dit en fouillant un peu plus dans ses dossiers. Il s'aperçoit ainsi que la quittance que ce dernier lui avait signée n'était pas parfaite à tous points de vue. En fait, même si personnellement il lui semblait être quitte avec lui, la fiducie, elle, n'avait peut-être pas été libérée de ses nobles engagements pour autant.

Tout compte fait, il se demande si Herb Smith ne se cachait pas derrière un négoce quelconque. Ne devrait-il pas se retrouver aux Îles depuis au moins un mois, la période de chasse au loup-marin devant débuter dans les prochaines semaines ? Mais puisque ce n'était pas l'avocat Alex Leblanc qui l'avait appelé, il écarte cette présomption.

Au moment même où il replace ses dossiers, il entrevoit Claudia qui, appuyée sur l'encadrement de la porte de son bureau, lui dit d'une voix grave :

— Mais, Érik, qu'est-ce qui se passe ? Pourquoi t'être levé de si bonne heure ? Il est seulement quatre heures du matin, tu sais.

— Bien… je ne réussis pas à dormir. Pour te dire la vérité chérie, je me suis levé en cherchant à comprendre la raison de l'appel du notaire Imbeau.

— Et tu l'as trouvée ?

— Non, pas vraiment. Plus je cherche et plus je suis mêlé. Mais dis-moi, Claudia, comment se fait-il que tu sois déjà debout, toi qui normalement fais la grâce matinée ?

— C'est que je me suis extirpée d'un mauvais rêve. Si je me rappelle bien, je voyais notre fils adolescent qui s'était épris de la fille de Julianna au point qu'il voulait nous quitter pour aller demeurer avec elle.

— Hein ! Tu sais que Julianna a eu un enfant et qu'elle…

— Et qu'elle l'a fait adopter par sa sœur. N'est-ce pas là un geste d'une grande générosité et de responsabilité, elle qui ne cesse de forniquer à gauche et à droite ?

— Ouais ! Et qu'est-ce que tu sais d'autre sur elle ?

— Rien. Mais pourquoi tu me demandes ça, Érik ? Dis-moi pas que tu as revu Julianna depuis qu'on s'est marié ?

— Non, je te le jure ma chérie, qu'il lui répond vivement.

— Alors, qu'est-ce qui te tracasse à ce point, mon amour ?

— C'est que… tu donnes tout ton dévolu à Fred-Érik, qu'il ronchonne, espérant par là évacuer ses vrais tourments. Ça fait que je passe en deuxième, si ce n'est pas en troisième, après ton père évidemment.

Claudia, le cœur à l'envers par cette aveu inattendu, hoche la tête et lui déclare d'une voix pleine d'affliction :

— Comme tu peux être compliqué, Érik. Tu sais combien je t'aime et que je veux avant tout que tu sois heureux.

— Peut-être, mais lorsque je rentre le soir pour le souper, tu me parles surtout de ta mère, qui est très malade j'en conviens. J'accepte qu'avec ton handicap, tu t'épuises à prendre soin de Fred-Érik. Cependant, pourquoi avoir congédié l'infirmière dès les premiers mois, en me disant que c'était ton père qui t'avait recommandé de le faire ?

Les yeux pleins d'eau, Claudia pousse de profonds soupirs en s'approchant péniblement de la fenêtre pour murmurer :

— Mon Dieu Seigneur de la Vie, que ça fait mal d'aimer et que c'est donc compliqué.

— Je crois que ce sont les manigances de ton père qui sont la source de nos problèmes. N'est-ce pas lui qui a mandaté le notaire pour coordonner nos propres analyses d'ADN ?

— Mais c'est toi qui l'as choisi pour procéder à la création de la fiducie. C'est quoi alors le problème ? Pourquoi ce damné téléphone ne se référerait pas à ça plutôt qu'à d'autres choses ?

Érik ne sait quoi répondre à sa femme. Il s'aperçoit qu'il est en train de lui communiquer ses affolements. Le voyant totalement excédé, Claudia lui dit :

— Viens dans mes bras, mon amour, et regarde par la fenêtre comme le ciel est beau. Ne vois-tu pas ton étoile, celle que tu as contemplée jadis sur l'Orphelin ? Eh bien ! c'est la même, c'est elle qui va te sevrer de ton passé, ne crois-tu pas ?

— C'est peut-être vrai, Claudia. Mais tu sais, je t'aime tellement que je ne saurais me passer de toi. Ne m'en veux pas si je te fais de la peine avec mes inquiétudes. Ta paralysie m'angoisse beaucoup, tu sais. De plus, je me préoccupe de l'avenir de Fred-Érik. N'as-tu pas rêvé qu'il s'était amouraché de la fille de Julianna ? qu'il poursuit en constatant qu'il s'engage sur un terrain glissant.

Comme réponse, Claudia s'en va en chambranlant au salon et installe sur le tourne-disque la chanson favorite de son mari *L'amour brillait dans tes yeux*. Érik la rejoint et la prend dans ses bras, lui prodiguant un fougueux baiser qu'elle s'empresse de lui rendre. Lui couvrant le cou de multiples bécots, il sent sa femme qui s'abandonne totalement à lui. Les amoureux n'en ont que pour l'un et l'autre, cherchant l'ultime félicité que procure l'assouvissement des plaisirs charnels. Ayant peine à se tenir sur ses jambes atrophiées, Claudia se sent soulevée, comme par magie, par son mari qui la transporte dans la chambre.

Enlacés l'un contre l'autre, les tourtereaux retrouvent aussitôt les ébats amoureux qu'ils avaient tant aimés au cours des premiers mois de leur mariage. Ils ne cherchent qu'à transporter leur partenaire dans l'extase d'un orgasme sublime-interrompu, hélas ! par le petit Fred-Érik qui se met à pleurnicher. « Je reviens, mon amour, que Claudia lui dit d'une voix douce. Tu ne perds rien pour attendre», qu'elle poursuit en se dégageant de son étreinte.

* * *

Le lendemain, au cours de la matinée, Claudia interpelle son mari en ces termes :

— Va donc répondre à la porte, mon amour, pendant que je mets le dîner au feu.

— Maman, mais quelle belle surprise! qu'il lui dit en ouvrant la porte d'entrée. Je gage que vous êtes venue prendre des nouvelles de Fred-Érik?

— Mon Dieu Seigneur de la Vie, qu'est-ce qui se passe, mon grand? Tu ressembles à un volcan qui va faire éruption tellement tu sembles agité.

— Ça va, maman, je vous expliquerai ça plus tard. Et Samy, où est-il?

— Il a tout simplement décidé d'aller rencontrer ton père afin de faire taire les palabres à notre sujet.

Voyant la voiture de Samy qui s'apprêtait à démarrer, Érik s'empresse de lui faire signe de rejoindre sa mère dans la maison.

— Ça doit être de la plus haute importance, qu'il lui dit en s'extirpant de sa voiture.

— En effet, Samy, en plus d'apprendre une nouvelle de nature capitale, vous allez avoir l'occasion de dîner avec nous.

Après s'être assise au salon, voyant son mari tamponner nerveusement de ses pieds le plancher d'acajou, Claudia lui réclame d'un ton enjoué :

— Vas-y, Érik, dis-leur avant le dîner ce que tu as appris ce matin du notaire Imbeau.

— Ben! Heu! C'était pour me donner des nouvelles fraîches de Herb Smith. Vous n'étiez pas au courant, Samy?

— Well... j'ai été informé récemment par mon frère de Montréal qu'il était très mal en point. C'est lui qui, en passant, s'occupe de ma femme avec beaucoup de ferveur, quoi qu'en disent les mauvaises langues, qu'il ajoute dans un effort de persuasion manifeste.

— En fait, d'enchaîner Érik, il paraît que Smith a été retrouvé mort dans une chambre d'un hôtel très luxueux de Boston.

— Va, continue, mon amour, à moins que mon père soit de trop ? lui suggère sa femme.

— Non, pas du tout. Bon, aussi bien vous le faire savoir tout de suite. Imaginez-vous donc que la mort de Herb Smith aurait été occasionnée par un empoisonnement de plusieurs éléments chimiques mortels qu'il aurait ingurgités sur une assez longue période.

— Voyons donc ! répliquent à l'unisson Samy et Esthèle.

— Eh oui. De plus, étant donné que son décès a été constaté à l'extérieur de chez lui, une autopsie a été demandée par le coroner.

— *Bâtard* de *bâtard* ! Dire que tu as déjà fait affaire avec lui. J'espère que tu n'as rien à voir avec ce contretemps ?

— Ce n'est pas possible, un si bel homme et bien élevé en plus de ça, de renchérir Esthèle en regardant Samy qui, en grimaçant, montre ses deux dents plaquées d'or.

— Pour moi, il doit y avoir de l'argent en arrière de ça, qu'il lui demande en levant le menton vers son gendre.

— De l'argent et des femmes, de poursuivre Érik. Maître Imbeau m'a indiqué que l'enquête qui est en cours porte à soupçonner certains opposants à la chasse au loup-marin mais également quelques-unes de ses maîtresses qui connaissaient l'ampleur de sa fortune. Quant à prouver qui est l'individu qui a commis un tel délit, ça c'est une autre affaire.

— En t'appelant, le notaire voulait-il te prévenir que tu étais susceptible d'être interrogé par la justice américaine ? lui demande Samy en s'approchant de Fred-Érik pour lui prodiguer des mamours.

S'élançant sur le dossier de sa chaise, Érik prend une profonde respiration qui inquiète sa mère.

— Pas encore une affaire qui risque de mal tourner, mon grand ? Quand est-ce que tout cela va finir ?

— Je n'en sais rien, maman. En passant, Samy, vous n'auriez pas avec vous quelques-uns de vos meilleurs cigares ?

— Oui, mais pourquoi tu me demandes ça, toi qui ne fume qu'en de très rares occasions ?

— Eh bien ! Tenez-vous bien sur vos chaises, qu'il leur déclare d'un ton suffisant. Le notaire de Herb Smith, à qui il avait confié son testament, a informé Maître Imbeau que j'avais été désigné comme l'unique héritier de sa fortune évaluée à près d'un demi-million de dollars, mais cependant à des conditions plus ou moins extravagantes.

— Comme quoi? lui demande Samy en se mordillant les lèvres. J'ai de la misère à comprendre la raison qui a motivé Smith à te *coucher* sur son testament. À moins qu'à l'article de la mort, il voulait se racheter pour son escroquerie avec la complicité d'Alpide à l'époque de ton expédition sur l'Orphelin…

— Ou encore en raison de sa tricherie au moment de la recherche de l'épave de l'*Ariès*, de renchérir Claudia en priant son père d'attendre avant de vouloir allumer son cigare.

— Mon Dieu Seigneur de la Vie, qu'est-ce que tu vas faire avec tout cet argent? lui demande sa mère.

— Et ces conditions, de lui répéter Samy, exaspéré, quelles sont-elles?

— D'abord, le notaire Imbeau m'a assuré que je n'étais pas dans la mire des enquêteurs. Quant aux conditions, ça reste à voir puisqu'il n'a pas voulu trop élaborer au téléphone avant qu'on se rencontre en personne. Tout ce que je peux dire, c'est que ça concerne à la fois les opposants à la chasse ainsi que le lobby du congrès américain.

— Pour qu'il fasse lever le moratoire sur les produits dérivés des mammifères marins et en particulier des loups-marins, j'imagine, de risquer Samy en le priant de poursuivre.

— Bah! Il y a aussi l'obligation de partager une partie des avoirs de Smith avec quelques-unes de ses maîtresses préférées.

— Comme Julianna? lui demande Claudia en voyant son mari rougir.

— Néanmoins, il ne faut pas oublier que maître Imbeau m'a dit que je pouvais renoncer à mon héritage, surtout si les dettes dépassent largement les avoirs, leur déclare Érik avec une certaine froideur dans la voix.

— Et également si certaines conditions sont à toutes fins utiles irréalisables, d'ajouter Claudia en regardant son père.

— Cela pourrait-il remettre en cause ta volonté de rentrer en politique pour aider aux aspirations de nos compatriotes? lui demande Samy qui ne cesse de faire tournailler son cigare entre ses doigts, impatient qu'il est de l'allumer.

— Allez, vas-y, réponds à papa, lui réclame Claudia, en lui rappelant sèchement qu'il est défendu de fumer en présence du petit Fred-Érik, qui s'acharne à cogner sur son jouet préféré.

Se retournant vers son fils, Érik se lève et le prend dans ses bras. L'exhibant tel un trophée, il leur dit :

— Ma décision d'entrer ou non en politique sera conditionnelle à ce que mon enfant puisse suivre éventuellement mes traces et devenir le réformateur que vous souhaitiez lorsque vous m'avez suggéré le nom de Fred-Érik.

— *Well...* c'est bien comme révélation. Cependant, il ne faudrait pas que tu oublies, mon cher Érik, qu'il est impossible de marcher dans le beurre sans se graisser les pattes.

— Et c'est vous, Samy, qui avez le front de me dire ça ! Il ne faudrait quand même pas mettre tous les politiciens dans le même panier, vous savez.

— En tout cas, on verra à ça dans le temps comme dans le temps, qu'il lui répond en remettant son cigare dans la petite poche de son veston.

FIN

Table des matières

BON DE COMMANDE

Le Banc-de-l'Orphelin

Tome 1
La tourmente

24,95 $ prix spécial : 15,95 $

Tome 2
Le mal d'aimer

29,95 $ prix spécial : 21,95 $

Sous-total   _____

Frais de livraison   8,00 $

TPS (7 %)   _____

Total   _____

Nom _____

Adresse _____

Ville_____ Code postal_____

Province _____

Par télécopieur : 450-691-2406
Par Internet www.lebancdelorphelin.com

MEMBRE DU GROUPE SCABRINI

Québec, Canada
2006